NATIONAL GEOGRAPHIC

LES GUIDES DE VOYAGE

Hong-Kong

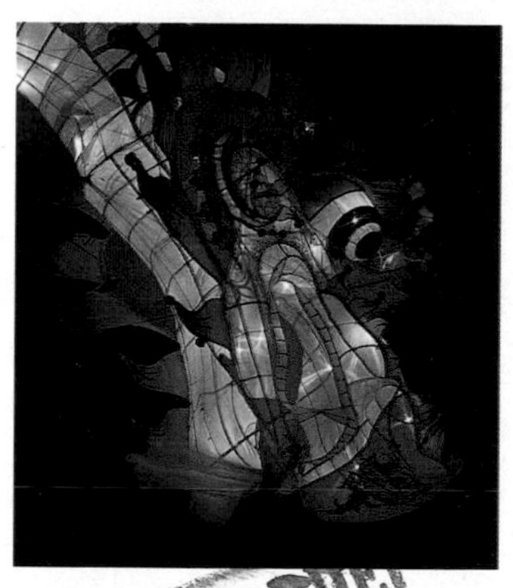

Phil Macdonald

Histoire et culture 009-048

Hong Kong Island North 049-098

Hong Kong Island South 099-116

Kowloon 117-152

Photographies : p. 1 : tête de dragon au Star Ferry Terminal ;
p. 2-3 : en route pour le Victoria Peak, quartier de Central ;
p. 8 : séance de *tai chi* devant le coucher de soleil de Stanley Beach.

Les Nouveaux Territoires 153-200

Les îles autour de Hong-Kong 201-214

Escapades 215-234

Informations pratiques 235-264

Bonnes adresses 243-264

COMMENT UTILISER

Hong Kong Museum of History
- 119 B2
- 100 Chatham Rd. South, Tsim Sha Tsui East
- 2724-9042
- Fermé mar.
- €
- MTR : Tsim Sha Tsui

RENSEIGNEMENTS

Des informations sur les principaux sites à visiter figurent en marge des pages (voir la légende des symboles sur le dernier rabat de la couverture). Lorsque la visite est payante, le tarif des entrées est indiqué par le symbole €.

€	moins de 5 euros
€€	de 5 à 10 euros
€€€	de 10 à 15 euros
€€€€	de 15 à 20 euros
€€€€€	plus de 20 euros

CODE COULEUR

Chaque région est identifiée à l'aide d'une couleur afin de faciliter la navigation dans le guide. Ce même principe est appliqué dans la partie **Informations pratiques.**

TABLEAUX SYNOPTIQUES

Vous trouverez des tableaux à la fin du guide (pp. 244-245 et pp. 252-253) pour vous aider à choisir hôtels et restaurants. Classé par quartier, ordre de prix, niveau de prestation, chaque établissement est précédé d'un numéro qui renvoie à une notice explicative dans les pages suivantes. Nos enquêteurs ont établi ces listes selon des critères objectifs, mais aussi selon leurs coups de cœur.

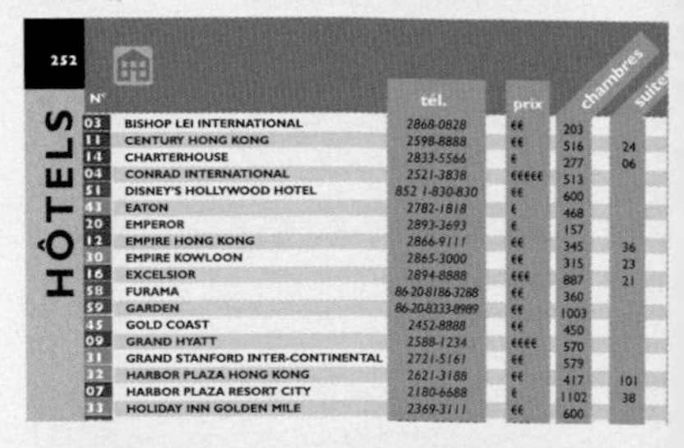

252 — HÔTELS

N°		tél.	prix	chambres	suites
03	BISHOP LEI INTERNATIONAL	2868-0828	€€	203	
11	CENTURY HONG KONG	2598-8888	€€	516	24
14	CHARTERHOUSE	2833-5566	€	277	06
04	CONRAD INTERNATIONAL	2521-3838	€€€€€	513	
51	DISNEY'S HOLLYWOOD HOTEL	852 1-830-830	€€	600	
43	EATON	2782-1818	€	468	
20	EMPEROR	2893-3693	€	157	
12	EMPIRE HONG KONG	2866-9111	€€	345	36
30	EMPIRE KOWLOON	2865-3000	€€	315	23
16	EXCELSIOR	2894-8888	€€€	887	21
58	FURAMA	86-20-8186-3288	€€	360	
59	GARDEN	86-20-8333-8989	€€	1003	
45	GOLD COAST	2452-8888	€€	450	
09	GRAND HYATT	2588-1234	€€€€	570	
31	GRAND STANFORD INTER-CONTINENTAL	2721-5161	€€	579	
32	HARBOR PLAZA HONG KONG	2621-3188	€€	417	101
07	HARBOR PLAZA RESORT CITY	2180-6688	€	1102	38
33	HOLIDAY INN GOLDEN MILE	2369-3111	€€	600	

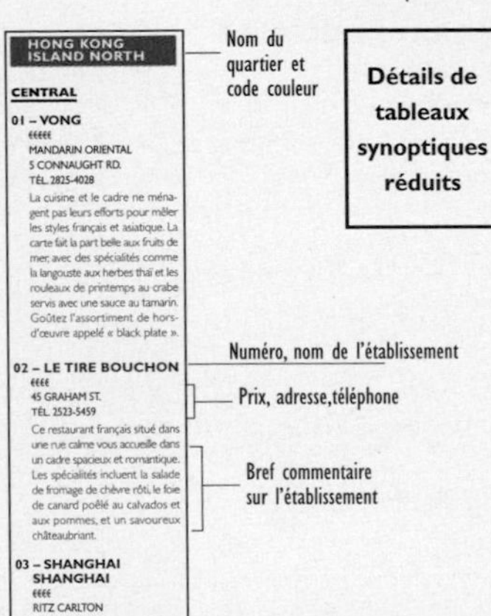

HONG KONG ISLAND NORTH

CENTRAL

01 – VONG
€€€€€
MANDARIN ORIENTAL
5 CONNAUGHT RD.
TÉL. 2825-4028
La cuisine et le cadre ne ménagent pas leurs efforts pour mêler les styles français et asiatique. La carte fait la part belle aux fruits de mer, avec des spécialités comme la langouste aux herbes thaï et les rouleaux de printemps au crabe servis avec une sauce au tamarin. Goûtez l'assortiment de hors-d'œuvre appelé « black plate ».

02 – LE TIRE BOUCHON
€€€€
45 GRAHAM ST.
TÉL. 2523-5459
Ce restaurant français situé dans une rue calme vous accueille dans un cadre spacieux et romantique. Les spécialités incluent la salade de fromage de chèvre rôti, le foie de canard poêlé au calvados et aux pommes, et un savoureux châteaubriant.

03 – SHANGHAI SHANGHAI
€€€€
RITZ CARLTON
4 ROBINSON RD.

Détails de tableaux synoptiques réduits

244 — RESTAURANTS

N°		tél.	fermeture	non-fumeur	cartes bancaires	couverts	parking
	moins de 15 €						
71	BOLO DE ARROZ	853/339-089		•		30	
15	GREENLANDS	2893-0587		•	•	35	
72	RIQUEXO	853/565-655		•	•	40	
37	STEAM AND STEW IN	2529-3913			MC,V	100	
	de 15 € à 30 €						
14	2 SARDINES	2973-6618		•	•	25	
43	BANANA LEAF	2573-8187		•	•	140	
29	BEIRUT	2804-6611	dim. 16h	•	•	48	
20	CHIU CHOW GARDEN	2845-4151		•	•	140	
44	DIM SUM	2834-8893		•	•	160	

RESTAURANTS

Les restaurants sont classés par ordre de prix, pour que vous n'ayez pas de mauvaises surprises au moment de l'addition. À chaque nom de restaurant correspond un chiffre qui renvoie à un bref commentaire. Le téléphone figure également car il vaut mieux réserver dans les bons restaurants.

PLAN DE VILLE

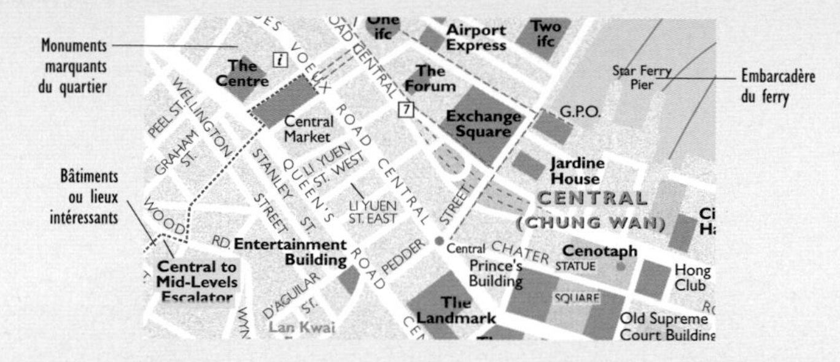

ITINÉRAIRE DE PROMENADE

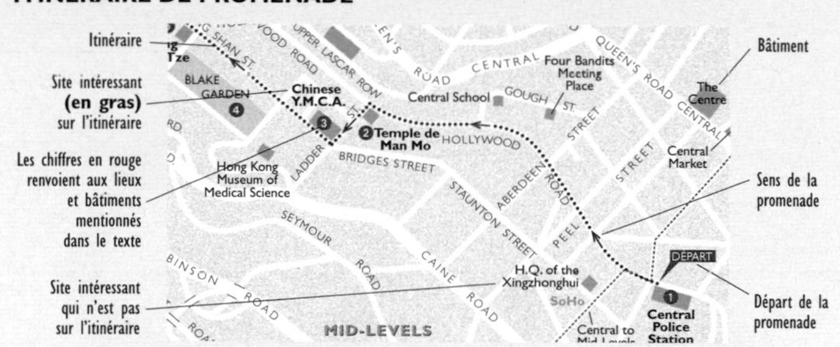

- Un encadré vert indique le point de départ et d'arrivée de la promenade, sa durée, son kilométrage et les lieux incontournables. Lorsque deux itinéraires sont proposés, le second est tracé en orange.

CARTE D'ESCAPADE

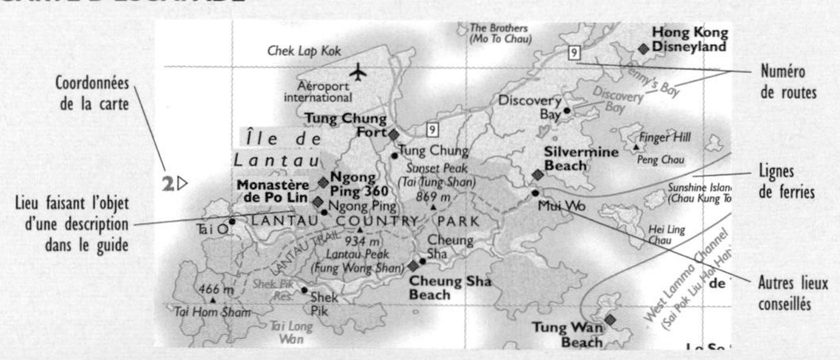

Histoire et culture

Les décorations du Nouvel An.

Hong-Kong aujourd'hui

PRÈS DE DIX ANS APRÈS LA RÉTROCESSION, UNE QUESTION REVIENT SOUVENT SUR LES LÈVRES des visiteurs : « Hong-Kong a-t-elle beaucoup changé depuis son retour dans le giron chinois ? » Certains Hongkongais répondent « oui », citant la complaisance, voire la servilité, du monde politique et des affaires envers le nouveau suzerain ou les subtils changements législatifs qui érodent les libertés acquises. D'autres résidents opposent un « non » catégorique, convaincus que le territoire est toujours aussi indépendant et cosmopolite, demeurant ce lieu matérialiste, impitoyable et exaltant qu'ils connaissaient.

Les quinze années précédant la « rétrocession » ont été marquées par des doutes qui frôlèrent la panique le 4 juin 1989, lorsque l'Armée populaire de libération écrasa violemment les manifestations démocratiques sur la place Tiananmen, à Beijing. Par la suite, la confiance se rétablit progressivement grâce aux négociations menées entre Britanniques et Chinois au sujet de l'avenir du territoire.

En dépit de moments quelque peu difficiles, le transfert à la souveraineté chinoise se fit finalement dans une sérénité que l'on peut qualifier de remarquable. Hong-Kong vit désormais sous drapeau chinois, en tant que Région administrative spéciale (RAS). Le principe « un pays, deux systèmes » forgé par le dirigeant chinois Deng Xiaoping (1904-1997) lui garantit un haut degré d'autonomie pendant les 50 années suivant le transfert.

Le territoire de Hong-Kong évolue avec un tel dynamisme que même les douloureux événements récents sont balayés et même parfois oubliés. Hong-Kong est entrée dans une nouvelle ère sous l'égide d'un nouveau chef, mais la vie reste fondamentalement la même. Les habitants continuent de mener leurs affaires avec une frénésie rarement égalée. Avec plus de sept millions d'actifs sur à peine 300 km^2, Hong-Kong est une ville affairée, bruyante et frénétique.

La densité de population dans les rues est étourdissante. La foule est partout, de jour comme de nuit, achetant, travaillant, mangeant, marchant et bavardant bruyamment. L'agitation et l'affluence font partie du quotidien des habitants. Les visiteurs ont en revanche plus de mal à s'en accommoder.

ARGENT

Quel est donc le moteur de cette vitalité ? L'argent, tout simplement. Le système économique hongkongais incarne la forme la plus pure du capitalisme que l'on trouve nulle part ailleurs : un laisser-faire pratiquement exempt d'intervention du gouvernement dans les affaires. Ce contexte convient parfaitement aux Cantonais, industrieux et bons commerçants. Si leur obsession pour l'argent paraît souvent indécente aux yeux des étrangers, il ne s'agit pas pour autant de simple avidité. La population de Hong-Kong s'est formée avec les vagues successives d'immigrants qui arrivèrent sans le sou de la province voisine du Guangdong – de pauvres gens fuyant les famines, les guerres et le communisme. La sécurité financière, acquise à force de perspicacité et de dur labeur, devint leur priorité absolue.

L'aisance est également liée au concept de « face » qui correspond au fait d'être respecté. La richesse inspire un immense respect de la part des autres, car elle est attribuée à des qualités admirables : travail et persévérance. Une fois riche, il s'agit de le montrer afin d'obtenir des autres cette valeur essentielle de « face ». D'où l'étalage ostentatoire de voitures luxueuses, de montres et de bijoux, de vêtements de marques et de beaux appartements. Pour les Chinois, exhiber sa réussite est un art de vivre et l'argent fait le bonheur.

LA RENCONTRE DE L'ORIENT ET DE L'OCCIDENT

Hong-Kong réunit l'Orient et l'Occident avec maestria. En apparence, le territoire paraît très occidentalisé avec son aéroport ultramoderne, ses gratte-ciel étincelants du quartier de Central, ses transports publics performants,

Dans le marché de nuit de Temple Street, à Kowloon, les Hongkongais viennent marchander au milieu d'une foule de diseurs de bonne aventure et d'acheteurs.

大發麻雀
娛樂公司
發麻雀
娛樂公司
上海飯店
SHANGHAI
RESTAURANT
diadora
新鑽石餐廳
冷熱飲品
LEGO
良記

ses rues propres et ses parcs ombragés bien entretenus, ses hommes d'affaires élégamment vêtus et ses femmes soucieuses de la mode, portant des vêtements de créateurs, de même que ses galeries marchandes animées. Pourtant, au cœur de la vitalité hongkongaise, résident une culture et des traditions qui sont typiquement chinoises.

Ironiquement, c'est sous l'autorité britannique que Hong-Kong se mit à devenir la plus chinoise des villes chinoises. Alors que, durant les années 1960 et 1970, les Gardes rouges maoïstes s'employaient à balayer les traditions, les coutumes, les croyances et les fêtes en Chine, Hong-Kong fut pour l'essentiel épargnée par la Révolution culturelle.

Aujourd'hui, dans les rues sinueuses autour de Central, une multitude d'herboristeries vendent toujours des ingrédients traditionnels : musc de serpent, poudre de perle, peau de lézard et bois de cerf. Dans les petits ateliers-boutiques, les artisans fabriquent des jetons de

mah-jong, des sceaux, des baguettes décorées et des cercueils. Plus loin, les commerçants utilisent encore le boulier pour compter, devant des étagères débordant de diverses variétés de riz et de thés. Vous pouvez voir des bouchers découper des porcs et des femmes marchander le poisson sur les marchés. Dans les nombreux petits temples nichés entre les tours, des fidèles brûlent des bâtons d'encens et offrent des fruits aux dieux avant d'interroger les devins. Dans Victoria Park, plus grand espace vert de l'île de

Le Victoria Peak offre une vue fabuleuse au crépuscule.

Hong-Kong, des centaines de personnes se rassemblent à l'aube et au crépuscule pour pratiquer le *tai chi*, un art martial chinois.

Les nombreuses fêtes (voir p. 46-48) issues de traditions pluricentenaires participent aussi à la définition de l'esprit hongkongais. Hautes en couleur et raffinées, elles s'accompagnent invariablement d'une danse du dragon et de

Les boutiques de Tsim Sha Tsui regorgent de bonnes affaires en tous genres.

bruyants feux d'artifice, et soulèvent un enthousiasme qui a disparu sur le continent.

Contrairement aux autres villes d'Asie où la culture occidentale est souvent considérée comme une menace pour les croyances traditionnelles, il n'y a pas de conflit entre Orient et Occident sur le territoire. Bien au contraire, les deux cultures s'y mêlent comme nulle part ailleurs. Il n'est pas rare qu'un homme d'affaires averti en matière de commerce occidental loue les services d'un maître de *feng shui* (géomancien) pour concevoir son bureau de manière à faire prospérer son affaire. Il est fréquent aussi qu'une vieille femme fasse des offrandes dans un temple dans l'espoir que ses actions en Bourse continuent de grimper.

Cette heureuse synergie entre Orient et Occident et l'héritage d'un passé colonial toujours apparent confèrent au territoire une grande part de son charme. Grâce à sa volonté farouche de conserver les traditions et son acceptation franche de la culture occidentale, Hong-Kong s'avère un terrain idéal pour découvrir l'Orient.

LE HONG-KONG TOURISTIQUE

Étape incontournable, le Victoria Peak réserve un panorama imprenable sur tout le territoire. Le regard plonge des pentes boisées aux gratte-ciel de Central et Wan Chai, en passant par Victoria Harbor et la péninsule de Kowloon, jusqu'aux collines des Nouveaux Territoires. Faites le tour des replats du Peak pour admirer les collines verdoyantes, les vallées profondes et la côte entaillée de criques et de plages de Hong-Kong Island South. Après cette vue d'ensemble de Hong-Kong, il est temps d'entamer son exploration.

La topographie ramassée du territoire et la sécurité qui règne dans ses rues, associées à d'excellents transports publics et à de nombreux taxis bon marché, rendent Hong-Kong très agréable pour les visiteurs. De nombreux quartiers peuvent se découvrir à pied, notamment à Hong Kong Island North et dans certaines parties de Kowloon. Ainsi, vous aurez grand plaisir à vous perdre dans le dédale de ruelles du quartier de Western et Wan Chai, à Hong Kong Island North, ou encore de Yau Ma Tai et Mong Kok, à Kowloon. L'animation des rues se révèle sous son meilleur jour : la foule grouillante déambule devant les étals alimentaires, les enseignes lumineuses et l'alignement ininterrompu d'échoppes proposant toutes sortes de produits exotiques et mystérieux.

Ce monde est bien loin de l'élégance sophistiquée de Central où les gratte-ciel modernes des grandes sociétés hongkongaises côtoient les

Troisième plus grande île de Hong-Kong, Lamma permet d'échapper à la frénésie urbaine.

hôtels somptueux et les galeries commerçantes huppées, sur le terrain gagné sur la mer – entre Victoria Harbor et Victoria Peak. C'est ici que l'aisance matérielle de Hong-Kong se donne ouvertement en spectacle.

Si une rangée d'immeubles s'étire sur toute la longueur du corridor nord de l'île de Hong-Kong, le paysage change complètement, une fois franchis les sommets qui forment l'épine dorsale de l'île. Du côté sud, les villages se lovent dans de jolies baies, entre plages et collines boisées. Les routes qui parcourent ces hauteurs livrent de magnifiques panoramas sur la la mer de Chine méridionale. Quant à la partie sud de l'île, c'est là où les personnes aisées ont fait construire leurs villas.

Le métro, appelé Mass Transit Railway (MTR), chemine sous Victoria Harbor en trois endroits différents, ce qui facilite l'accès à Kowloon. Toutefois, si vous en avez le temps, effectuez la brève traversée du port à bord du pittoresque Star Ferry (voir p. 120) pour admirer le magnifique panorama sur Central, dominé par le Victoria Peak. Le Star Ferry conduit les visiteurs au quartier touristique de Tsim Sha Tsui, un exubérant ensemble d'hôtels, de bars, de restaurants, d'immenses centres commerciaux et d'innombrables boutiques se succédant dans les rues et les galeries marchandes.

Le visiteur est souvent surpris par la superficie des parcs régionaux – appelés country parks –, qui occupent environ 40% du territoire, principalement dans les Nouveaux Territoires. Ces paysages montagneux déchiquetés débouchant sur des vallées boisées et des côtes étincelantes sont sillonnés de kilomètres de sentiers de randonnées balisés et bien entretenus. Réservez une journée pour une excursion dans les Nouveaux Territoires, ne serait-ce que pour profiter de l'air, de la quiétude et de l'atmosphère décontractée. La péninsule de Sai Kung, à l'est des Nouveaux Territoires, est particulièrement agréable.

Consacrez également un jour ou deux aux îles environnantes, autres que celle de Hong-Kong même. Le territoire en compte 234, pour la plupart inhabitées. Une délicieuse traversée en ferry permet de rejoindre aisément les îles principales depuis Central. Les plus accessibles sont Lantau – la plus grande du territoire – et Lamma, la plus petite et la plus champêtre.

POPULATION

Sur les sept et quelque millions d'habitants de Hong-Kong, 98% sont Chinois et en grande majorité originaires du Guangdong voisin. Le dialecte, la gastronomie et la culture cantonaise marquent la structure sociale du territoire.

Depuis l'arrivée des Britanniques, dans les années 1840, Hong-Kong a constitué un pôle d'attraction pour les immigrants du continent en quête d'un avenir meilleur. Nombre d'entre eux connaissaient une vie extrêmement difficile en Chine et Hong-Kong représentait un endroit où ils pouvaient améliorer leur sort et celui de leurs enfants. Les réussites sociales spectaculaires sont ici fréquentes.

Cette volonté farouche de réussir remonte à ces temps difficiles et fait partie des valeurs transmises aux jeunes générations. Les Hongkongais ont développé un véritable culte du travail. Il n'est pas rare qu'ils travaillent 10 à 12 heures par jour, et ce six jours par semaine. Les habitants qui possèdent leur propre affaire, quelle qu'en soit la taille, y consacrent souvent encore plus de temps.

Ces longues heures de travail, l'affluence dans les rues et leurs conditions de vie dans cet espace surpeuplé – cinq ou six personnes partagent parfois un appartement minuscule – ont

doté beaucoup de Hongkongais d'un esprit de compétition et d'un caractère impétueux qui se manifeste souvent par une certaine brusquerie. Les sourires et les échanges de civilités dans les magasins ne sont pas systématiques, ni même les excuses en cas de coup ou de bousculade. Si le visiteur ne reçoit pas ici parfois l'accueil chaleureux qui leur est réservé dans de nombreuses villes d'Asie, il ne s'agit en aucun cas d'hostilité. Les Hongkongais font même preuve d'une grande générosité envers leurs proches et leurs amis, mais encore faut-il faire partie du « cercle ».

Hennessy Road, à Causeway Bay, l'un des quartiers commerçants les plus populaires du territoire.

Divers groupes d'étrangers sont également installés à Hong-Kong, ville cosmopolite. Ces immigrants ont apporté leur contribution au commerce, à la cuisine, à la culture et à la religion du territoire, lui conférant sa complexité et

Une soirée parmi la haute et riche société de Hong-Kong.

sa singularité. Les Philippins, au nombre de 140 000 environ, forment le principal groupe de ressortissants étrangers, composé essentiellement de femmes qui travaillent comme employées de maison pour les Chinois de la classe moyenne et aisée. Un grand nombre de Thaïlandaises et d'Indonésiennes occupent des emplois similaires.

Le monde des affaires réunit un grand nombre d'Américains, d'Australiens, de Canadiens, de Britanniques et d'autres Européens, désignés collectivement par le terme cantonais *gweilo* – « fantôme » ou « diable étranger » –, une expression péjorative dont le sens s'est progressivement adouci.

Hong-Kong accueille de même une importante population originaire du sous-continent indien. Il s'agit surtout d'Indiens et de Pakistanais installés sur le territoire depuis plusieurs générations. Parlant couramment le cantonais, ils possèdent un passeport hongkongais et travaillent généralement dans la vente au détail et le commerce.

COMPORTEMENT

Les relations permanentes entretenues avec les étrangers depuis 160 ans ont familiarisé la population hongkongaise avec les « étranges manières » des Occidentaux. Toutefois, le concept asiatique de « face » (témoigner du respect) et une approche non conflictuelle de la vie demeurent vivaces. Même s'il est somme toute rare que des visiteurs se heurtent à des situations difficiles ou à une bureaucratie tatillonne, il est fondamental de garder son calme. Perdre votre sang-froid ne résoudra rien, mais risque au contraire de vous faire passer pour un « stupide gweilo ».

Les Hongkongais accordent un grand soin à leur tenue et attendent la même chose des visiteurs. Un T-shirt et un short propres accompagnés de sandales conviendront, mais les tongs et les hauts sans manches sont mal vus. Une tenue décontractée propre vous ouvrira toutes les portes, à l'exclusion des restaurants les plus huppés.

LOISIRS

Les Hongkongais travaillent dur, mais savent aussi dépenser leur argent. Ils passent le plus clair de leur temps libre à manger, boire et faire des achats en famille ou entre amis. Le dimanche, unique jour de congé pour de nombreux résidents, s'articule souvent autour d'un brunch de *dim sum* dans un restaurant animé, suivi d'une séance de lèche-vitrine, puis éventuellement d'un film et d'un grand dîner à l'extérieur.

Vêtements traditionnels ou tenues plus sobres, tout se trouve à Kowloon.

Le cinéma est un loisir très populaire et les salles qui diffusent les films locaux (voir p. 146) affichent complet presque tous les soirs de la semaine.

La jeunesse et la classe moyenne fréquentent les bars huppés de style occidental, en nombre croissant, où ils se détendent quelques heures après une dure journée de labeur. Les discothèques branchées et onéreuses où ils peuvent exposer à loisir leurs richesses, connaissent aussi un vif succès. Des centaines de bars karaokés bruyants et de pubs à l'ambiance intime retiennent les jeunes en soirée, autour de rafraîchissements et de jeux de mourre tel que « pierre, papier, ciseaux ».

Les week-ends d'été, la foule s'empare des plages de Hong-Kong ou tente d'échapper à la frénésie urbaine sur les sentiers de randonnée et les aires de pique-nique des parcs nationaux des Nouveaux Territoires.

Les Hongkongais affectionnent les paris et jouent notamment aux courses hippiques et à la loterie Mark Six, deux divertissements légaux du territoire. Les courses de chevaux sont très populaires (voir p. 90). En saison, de mi-septembre à juin, des dizaines de milliers de parieurs se rassemblent dans les tribunes des hippodromes de Happy Valley et Sha Tin, ou affluent vers les centaines de bureaux de paris du territoire. Chaque course bi-hebdomadaire donne lieu à six millions de paris, un chiffre impressionnant pour une population d'à peine sept millions d'habitants, même si beaucoup de paris viennent de Chine populaire.

RELIGIONS ET SUPERSTITIONS

Les cyniques diront que la première religion de Hong-Kong est l'argent qui, il est vrai, fait ici l'objet d'un véritable culte. Le territoire détient néanmoins quelque 600 temples, sanctuaires et monastères, qui associent souvent le détachement du bouddhisme à l'humilité du taoïsme et aux grands principes du confucianisme.

Toutefois, la noblesse de ces philosophies cède souvent le pas à des nécessités qui s'avèrent plus temporelles. Les Chinois portent en effet une grande attention à l'apaisement des défunts – par le culte des ancêtres – et des esprits, dans le but d'améliorer leur propre sort qu'ils n'aiment pas laisser aux mains du hasard. Il s'agit de mettre la chance de son côté en apaisant nombre de dieux et d'esprits grâce aux présents et aux prières. S'assurer la protection des divinités ou maintenir à distance les esprits néfastes permet de s'adjoindre la chance et son corrélat, la richesse.

Parallèlement, les Hongkongais font souvent appel aux conseils des devins, générale-

ment installés dans les temples ou alentour, pour faire fortune et décider de l'orientation de leur vie. Les chiffres et les dates choisies en conséquence sont au cœur de nombreux actes. Les mariages, l'inauguration des bureaux et des restaurants, le début des chantiers et la mise à l'eau des bateaux se font à des dates fastes et garantes de succès.

Les chiffres sont chargés d'une grande symbolique en relation avec leur prononciation en cantonais. Le chiffre « huit » (*baat*), par exemple, rappelle le terme « prospérité » (*fat dat*) et il est de bon augure de compter un huit dans son numéro de téléphone ou d'immatriculation de sa voiture. Le « trois » (*saam*), proche du mot « vivant » ou « florissant » (*saan*), porte également bonheur. En revanche, il vaut mieux éviter le « quatre » (*say*), homophone du terme « mort » (*say*, avec un autre ton).

Ce principe phonétique s'applique de même aux aliments : le *fat choy*, légume sombre et filandreux, est souvent cuisiné pour le Nouvel

An chinois afin d'apporter la richesse (*fat*). Kung hei fat choy (« Meilleurs vœux, bonne fortune ») est la formule de vœux consacrée pour la nouvelle année.

La présence britannique a introduit à Hong-Kong une communauté chrétienne active de quelque 527 000 âmes, répartie à égalité entre protestants et catholiques. De nombreuses églises confessionnelles sont dispersées sur l'ensemble du territoire. Les 80 000 musulmans sont en majorité chinois, mais comptent aussi un grand nombre de Pakistanais et d'Indiens, arrivés avec l'armée et la police britanniques. Hong-Kong rassemble également 12 000 hindous et sikhs venus du sous-continent indien, ainsi qu'un millier de juifs. ■

Parmi les 600 et quelques temples hongkongais, nombre d'entre eux offrent un syncrétisme religieux associant le bouddhisme, le taoïsme et le confucianisme.

Gastronomie

MANGER CONSTITUE, AVEC LE SHOPPING, L'UN DES PRINCIPAUX PASSE-TEMPS DES HONGKONGAIS. Le repas est considéré comme un événement social, au cours duquel amis et proches se retrouvent autour d'une grande table pour porter des toasts, bavarder et plaisanter. Le territoire compte un restaurant pour 700 habitants – le plus fort rapport de la planète – et offre un choix cosmopolite digne d'une ville internationale.

SPÉCIALITÉS RÉGIONALES

Hong-Kong est le lieu idéal pour découvrir l'immense diversité de la gastronomie chinoise dont les mets varient en fonction de la région. Dans le Nord, région froide où est cultivé le blé, nouilles, raviolis et pains à la vapeur composent souvent l'alimentation de base et remplacent de fait le riz.

Le Sud, au climat chaud et humide, offre une abondance de riz et de fruits tropicaux. Dans les régions du littoral, les fruits de mer dominent la table, remplacés en général par le porc et le poulet dans l'intérieur des terres. Dans la cuisine de certaines régions comme le Sichuan, les épices sont abondamment utilisées dans la préparation des mets.

Cuisine de rue

Hong-Kong regorge d'étals en plein air qui proposent une grande variété de spécialités : boulettes de poisson, brochettes de seiche, saucisses, nouilles, marrons chauds, pattes de poulet, tofu fermenté et diverses grillades, fritures et plats cuits à la vapeur. Les *dai pai dong*, de minuscules restaurants qui installent quelques tables et chaises branlantes sur le trottoir, se trouvent sur tout le territoire. Certains d'entre eux servent d'excellentes soupes de nouilles, bien que la tripaille parfois suspendue au-dessus des cuisines ouvertes puisse décourager les âmes sensibles.

Cuisine cantonaise

Cette cuisine originale, originaire du Guangdong, la province voisine de Hong-Kong, est l'une des plus variées et des plus réputées de Chine. Elle met l'accent sur la fraîcheur des produits, en mariant les légumes, le poulet et les fruits de mer qui constituent les principaux ingrédients. Les mets sont cuits à la vapeur ou sautés dans un wok à feu très vif afin d'en rehausser le goût. Les plats sont rarement épicés, mais souvent accompagnés de sauces.

Parmi les meilleures spécialités cantonaises, on mentionnera les crevettes à la sauce pimentée, le crabe à la sauce aux haricots noirs, le poisson à la vapeur, le pigeon rôti, les nouilles sautées au bœuf et au poivron vert, les coquilles Saint-Jacques aux brocolis, les crevettes ivres (cuites à la vapeur dans de l'alcool de riz), ainsi que le porc grillé.

Un repas typique se compose de plusieurs plats à partager entre proches et amis.

Cuisine pékinoise

Le climat continental du nord est plus favorable à la culture du blé qu'à la riziculture, expliquant la prédominance des nouilles et des raviolis dans la cuisine pékinoise. Les convives assistent souvent à la fabrication des nouilles : le cuisinier fait tournoyer la pâte jusqu'à former des fils toujours plus fins.

La plus célèbre spécialité est le canard de Pékin, servi avec des crêpes et une sauce aux prunes. Autre plat délicieux, le « poulet du mendiant » serait l'invention d'un pauvre qui, n'ayant pas de récipient pour cuire son poulet volé, l'aurait enduit d'argile. Farcie de champignons, de choux en saumure, d'herbes et d'oignons, la volaille est enveloppée de feuilles de lotus, puis d'argile imbibée de vin, avant d'être cuite au four. La fondue mongole, dans laquelle les convives plongent de la viande d'agneau et divers légumes dans une marmite, est une spécialité incontournable en hiver.

Cuisine de Chiu Chow

La cuisine de Chiu Chow (Chaozhou) est originaire de la région côtière de Swatow (Shantou), dans la province du Guangdong. Elle est similaire à la cuisine cantonaise, avec une prédilection pour les fruits de mer et les sauces sucrées (mandarine et orange sont des classiques). Certaines spécialités peuvent rebuter les Occidentaux, notamment le sang de porc coagulé aux ciboules ou le sang de poulet émincé. Le canard et l'oie figurent souvent au menu, et le homard à la sauce au poivre est un véritable régal. Citons également la soupe d'aileron de requin ou de nid d'hirondelle, souvent servie avec du lait de coco.

Cuisine sichuanaise

Une myriade d'herbes et d'épices – tels que le piment, le poivre en grains, le fenouil, l'anis étoilé, la coriandre et l'ail – interviennent dans cette cuisine parmi les plus relevées de Chine.

Les aliments trempent et mijotent assez longtemps de sorte que le parfum des épices imprègne le plat.

La plupart des spécialités sont accompagnées d'une sauce pimentée ou épicée. La province du Sichuan étant éloignée de la côte, les fruits de mer sont rares ; le poulet et le porc dominent dans les plats.

Ce restaurant en plein air de Lamma Island sert des raviolis à la vapeur, un *dim sum* populaire.

Cuisine hunanaise

La cuisine du Hunan, aussi piquante que celle du Sichuan, utilise piments et ail. Elle accorde beaucoup d'importance à la fraîcheur des plats. Si le riz demeure l'aliment de base, les rouleaux au fromage de soja, les raviolis et les petits pains farcis sont aussi au menu. Le poisson, les crevettes et la tortue figurent parmi ses ingrédients. Les spécialités incluent le poulet de Dong'an, l'aileron de requin à la sauce rouge, le poulet piquant et épicé et les graines de lotus confites.

Dim sum

Ne manquez pas l'incontournable sortie dans un restaurant de *dim sum* le dimanche matin, ne serait-ce que pour assister à ces réjouissances animées. Dans un vacarme assourdissant, les convives commandent de délicieuses spécialités à la vapeur : raviolis, brioches, rouleaux de printemps et délicates bouchées farcies. Pour faire son choix, il suffit d'arrêter l'un des chariots qui transportent les paniers en bambou à travers le restaurant.

Autres spécialités

La scène culinaire hongkongaise ne se limite pas aux restaurants chinois, mais fait place aux spécialités d'Europe, du Moyen-Orient, d'Afrique ou du reste de l'Asie. Beaucoup d'établissements servent de la cuisine indienne, japonaise, vietnamienne, thaïlandaise, coréenne, malaisienne, indonésienne, singapourienne et philippine, tandis que les restaurants occidentaux offrent un large éventail de saveurs. Hong-Kong fait également place à la cuisine fusion, qui associe des mets orientaux et occidentaux, en les faisant revenir à la manière asiatique.

OÙ SE RESTAURER

Hôtels : ils abritent les meilleurs et plus luxueux restaurants de Hong-Kong et d'Asie. La cuisine – chinoise, asiatique et occidentale – est toujours d'excellente qualité et le service irréprochable.

Causeway Bay : Tang Lung Street, Matheson Street, Percival Street et Sunning Road accueillent une pléthore de restaurants chinois régionaux et de bars à sushi, ainsi que des enseignes spécialisées dans la soupe d'aileron de requin.

Kowloon : Nga Tsin Road et Nam Kok Road regroupent des dizaines de restaurants cantonais, chiu chow, vietnamiens, coréens et thaïlandais servant une cuisine bon marché.

Lan Kwai Fong et SoHo : ces deux quartiers surplombant Central District regorgent de bars et de restaurants branchés proposant une vaste gamme de plats étrangers : français, italiens, moyen-orientaux, espagnols, australiens, américains et mexicains.

Sai Kung, île de Lamma et Lei Yue Mun : ces communautés de pêcheurs sont réputées pour leurs fruits de mer frais. Vous pouvez acheter vos crustacés sur le marché et les faire cuisiner dans un restaurant.

Village de Stanley : partez à la découverte des bistrots qui jalonnent le front de mer avec leur atmosphère décontractée.

Tsim Sha Tsui : des spécialités chinoises vous attendent dans Hillwood Road et Austin Road.

BOISSONS

Thé

Il existe une grande diversité de thés chinois (voir p. 66-67), une évidence dans un pays qui a découvert le fameux breuvage. Les trois variétés de base sont le thé vert, le thé noir et le oolong. Non fermenté, le thé vert est souvent parfumé aux chrysanthèmes, à la rose ou au jasmin. Il est généralement servi gratuitement lors des repas, sans sucre, ni citron, ni lait.

Café

Hong-Kong a succombé au café. De nombreux *coffee shops* ont ouvert dans les quartiers les plus cosmopolites dans un cadre clair et spacieux, incitant à la détente avec ses bancs et ses canapés confortables. Un immense choix de breuvages est proposé dans ce type d'établissements. Des journaux sont à disposition.

Alcool

La bière locale, la San Miguel, séduit modérément les visiteurs et les expatriés. Les marques importées du continent chinois, Blue Girl et Tsingtao, sont en revanche très convenables. La Carlsberg est brassée sur place et la Heineken très répandue. De nombreux pubs et bars proposent des bières britanniques, irlandaises, hollandaises, américaines, australiennes et allemandes à la pression. Certains offrent une incroyable gamme de marques étrangères. Une microbrasserie locale produit des bières savoureuses dont la Dragon's Back.

Les Hongkongais apprécient le cognac et les eaux-de-vie coûteuses, souvent consommés en grande quantité avec du coca, de la limonade ou du soda. Commander une bouteille de bon cognac est prestigieux.

Si le vin est cher dans les restaurants, les supermarchés vendent des bouteilles bon marché importées d'Europe, de Californie, d'Australie, d'Afrique du Sud et du Chili. La plupart des restaurants permettent d'apporter sa bouteille, moyennant un droit de bouchon élevé (surtout s'ils proposent une carte des vins).

ÉTIQUETTE

Une fois cuits, les plats sont immédiatement servis à table. Ils sont consommés en commun – chaque convive a son bol. La politesse requiert d'attendre que quelqu'un entame le plat ou soit invité à le faire. L'hôte place parfois un peu de nourriture dans le bol d'un invité pour inaugurer les réjouissances.

Vous pouvez utiliser les baguettes pour saisir les aliments dans le plat et les tremper dans les sauces d'accompagnement. Vous pouvez aussi porter le bol à vos lèvres pour pousser le riz dans la bouche avec les baguettes. Une fois rongés, les os sont posés à côté de l'assiette, sur la nappe. Les Chinois n'étant pas friands de desserts, on sert rarement des gâteries à la fin du repas, à l'exception parfois de fruits.

La cuisine cantonaise inclut nombre de plats imaginatifs et délicieux à base de serpent.

La plupart du temps, du thé accompagne le repas (le breuvage sert également à laver les baguettes). Il est fréquent que les convives portent spontanément des toasts lors des repas arrosés. Si quelqu'un lève son verre en lançant un joyeux « *Yum seng !* » (« Cul sec ! »), les autres convives font de même. La bière, l'eau-de-vie et le cognac font partie des boissons favorites lors des libations. Sachez qu'un verre ne reste pas longtemps vide ! ■

Histoire de Hong-Kong

LORSQUE LE TERRITOIRE DE HONG-KONG DEVINT UN DOMINION BRITANNIQUE EN 1841, LA REINE Victoria se réjouit à l'idée que sa fille Victoria Adelaide Mary Louise puisse devenir « princesse de Hong-Kong ». Pour sa part, Lord Palmerston, alors ministre des Affaires étrangères, fut « grandement mortifié et déçu ». Il décida en conséquence de renvoyer le capitaine Charles Elliot, représentant de la Couronne britannique en Chine et responsable de l'acquisition du territoire.

Palmerston était plus intéressé par des profits substantiels sur la côte prospère de Chine que par ce « morceau d'île aride pratiquement inhabité ». Les Chinois étaient pour leur part perplexes. Les canons de la marine royale pointés sur les murs de Nankin n'eurent aucun mal à convaincre l'empereur de céder ce bout de terre insignifiant. Le détachement du souverain des Qing masquait néanmoins un fort sentiment de honte et de colère chez les Chinois – ce fut le premier morceau de Chine arraché par les puissances occidentales. Ce sentiment n'avait d'ailleurs pas complètement disparu au moment de la rétrocession, 156 ans plus tard. L'Union Jack fut déployé le 26 janvier 1841 à Possession Point, dans l'actuel quartier animé de Western District, sur l'île de Hong-Kong. La cession de Hong-Kong fut ratifiée par le traité de Nankin en août 1842.

À l'arrivée des Britanniques, l'île comptait environ 3 650 habitants répartis dans une vingtaine de villages, ainsi que 2 000 personnes vivant sur des bateaux dans le port. Le terrain aride et montagneux et le manque d'eau potable n'étaient pas favorables au développement d'une communauté importante.

Il existe néanmoins des preuves d'une implantation humaine remontant à 6 000 ans environ. Les objets exhumés sur la côte démontrent que les habitants du néolithique pêchaient et récoltaient le sel, et gravaient des motifs géométriques sur les rochers. Les fouilles ont permis de mettre au jour des armes, des couteaux, des pointes de flèche, des hameçons et des haches datant de 2000 ans av. J.-C. Sur les îles de Lantau et de Lamma, des moules en pierre attestent d'un travail du métal. En 1999, les archéologues ont découvert un atelier néolithique à Sai Kung, dans les Nouveaux Territoires, avec de nombreux éclats de roche, des outils en pierre (piques à huîtres et ciselets) et des instruments polis (herminettes et anneaux).

Une population croissante d'immigrants s'installa à Hong-Kong, sous les dynasties Qin (221-206 av. J.-C.) et Han (206 av. J.-C.-220 ap. J.-C.). Outre des pièces datant des Han, des reliques de la même période ont été exhumées dans un tombeau en brique excavé en 1955 dans le Lei Cheng Uk District, à Kowloon.

Sous la dynastie Tang (618-907), des navires marchands en provenance d'Inde, d'Arabie et de Perse faisaient le voyage vers la Chine. Les bateaux mouillaient dans les criques abritées de Hong-Kong, pendant que les commerçants achetaient soies et porcelaines dans les ports de la côte orientale de Chine et du delta de la rivière des Perles.

LES PREMIERS COLONS

Sous la dynastie Song (960-1279), des Punti (« locaux ») de la province du Guangdong commencèrent à émigrer vers le territoire de l'actuel Hong-Kong. Ils furent suivis par des marins hoklo du Fujian, plus au nord sur la côte, puis des Hakka qui arrivèrent du nord de la Chine plus tardivement. Ces peuples labourèrent le sol fertile des Nouveaux Territoires et édifièrent de robustes villages fortifiés dans le but d'ériger une protection face aux pirates, aux pilleurs et à leurs voisins. En 1069, un administrateur local du nom de Tang Fu-hip parcourut la zone, qui passa sous l'administration de Canton (Guangzhou). Subjugué par la beauté des paysages et du village de Kam Tin, l'administrateur y transféra sa famille, de même que les tombes de ces ancêtres. Ses fils devinrent par la suite de puissants propriétaires terriens. Quatre autres clans – les Hau, les Pang, les Lin et les Man – s'installèrent au cours des deux siècles suivants et se partagèrent le territoire.

Une vieille affiche dépeint les célébrations sino-britanniques organisées pour les noces d'or de la reine Victoria en janvier 1888.

LES EUROPÉENS

Les navires européens arrivèrent sur la côte sud de la Chine au début du XVIe siècle. Motivés par la perspective d'un commerce lucratif, les Portugais furent parmi les premiers arrivés. En 1517, une flottille remonta la rivière des Perles jusqu'à Canton. Le Portugal convainquit les autorités chinoises de leur céder Macao, petite enclave du delta des Perles où ils établirent un poste d'approvisionnement et une communauté en 1557. Sous la forte pression des puissances maritimes occidentales, la Chine fut contrainte d'accepter les bateaux étrangers dans quatre de ses ports. Après l'ouverture de Canton en 1699, la Compagnie britannique des Indes orientales y construisit un entrepôt. Les Européens suivirent son exemple, érigeant leurs « manufactures » dans les faubourgs de la ville. L'implantation fut cependant limitée à 13 *hongs* (sociétés commerciales).

Une pléthore de restrictions furent imposées aux étrangers qui vivaient à Canton : leur séjour était réduit à la saison commerciale (déterminée par les vents), d'octobre à janvier. Ils n'avaient pas le droit d'amener leurs épouses à terre, de s'éloigner des manufactures ou d'apprendre le chinois.

En dépit de ces mesures, le commerce était florissant et les Européens réalisaient d'immenses profits. Alors que les Européens ne pouvaient obtenir suffisamment de thé, de soie et de porcelaine, les Chinois restaient indifférents aux lainages, fourrures et épices des marchands étrangers, et préféraient les importantes quantités d'argent qui étaient obtenues en échange de leurs produits exotiques.

LE COMMERCE DE L'OPIUM

L'équilibre ne tarda pas à basculer. En 1773, la Compagnie des Indes orientales obtint le monopole sur le commerce de l'opium qu'elle vendait aux marchands britanniques à Calcutta. La même année, la première cargaison d'opiacés – 200 caisses contenant chacune 80 kg d'opium du Bengale – arriva à Canton où elle fut écoulée sans difficulté. L'opium était illégal en Chine depuis 1729, sauf pour usage médical, et fut une nouvelle fois interdit en 1800. L'interdiction fut contournée grâce à la connivence de fonctionnaires chinois corrompus. Les clippers qui accostaient à Canton déchargeaient leur marchandise illégale dans des entrepôts flottants, avant de passer les contrôles douaniers. La drogue était ensuite introduite clandestinement en Chine. La consommation d'opium se généralisa et, de 1810 à 1830, le volume annuel des cargaisons grimpa de 5 000 à 23 000 caisses. Au pic du commerce, le nombre d'opiomanes chinois aurait atteint un million : coolies, citoyens ordinaires, commerçants, marchands aisés ou fonctionnaires de l'empire.

William Jardine (1784-1843), de l'éminent hong Jardine, Matheson & Co. Ltd, déclara avec désinvolture que « l'opium étant le seul véritable produit monnayable en Chine », il devait entrer clandestinement.

Les principales dynasties chinoises

Xia vers 2207-1766 av J.-C.
Shang vers 1765-1122 av J.-C.
Zhou occidentaux vers 1121-771 av J.-C.
orientaux vers 770-222 av J.-C.
Qin 221-207 av J.-C.
Han occid. 206 av J.-C.-8 ap.J.-C.
Xin 9-25
Han orientaux 25-220
Trois Royaumes 222-265
Jin occidentaux 265-316
orientaux 317-420

Dynasties du Nord
Wei du Nord 386-534
Wei occidentaux 535-556
Wei orientaux 534-550
Qi du Nord 550-577
Zhou du Nord 557-581

Dynasties du Sud
Liu Song 420-479
Qi 479-502
Liang 502-557
Chen 557-589

Sui 589-618

Tang 618-907

Cinq Dynasties
Liang postérieurs 907-923
Tang postérieurs 923-936
Jin postérieurs 936-946
Han postérieurs 947-950
Zhou postérieurs 951-960

Song du Nord 960-1127
du Sud 1127-1279

Yuan 1277-1367

Ming 1368-1644

Qing 1644-1911

République de Chine 1911-1949 (transférée à Taiwan)

République populaire de Chine 1949-aujourd'hui

Les navires britanniques assiégèrent Canton (Guangzhou) pendant la première guerre de l'Opium afin d'obtenir des concessions commerciales.

Dès les années 1830, les considérables quantités d'argent consacrées à l'opium menaçaient la Chine d'une crise économique. En mars 1839, l'empereur Xuanzong des Qing chargea un haut fonctionnaire du nom de Lin Zexu (1785-1850) de régler la question. Celui-ci envoya ses troupes faire le siège des manufactures, restreignant les entrées et interdisant tout approvisionnement en nourriture jusqu'à ce que les marchands cèdent l'opium et fasse serment d'interrompre le commerce. Les Britanniques, menés par le capitaine Charles Elliot, résistèrent durant six semaines avant de céder 20 000 caisses d'opium. La drogue fut mélangée à de la chaux et jetée à la mer. Les Britanniques cessèrent tout commerce avec la Chine et se replièrent sur Macao.

LA PREMIÈRE GUERRE DE L'OPIUM

Les marchands d'opium firent pression pour obtenir l'aide du ministre des Affaires étrangères, Lord Palmerston, qui mobilisa un corps expéditionnaire en Inde pour faire le blocus de Canton. Il espérait ainsi aboutir à un traité commercial susceptible de faire pencher la balance en faveur de la Couronne ou d'accorder aux Britanniques une enclave protégée sur le territoire chinois. Entre-temps, un Chinois fut tué dans une bagarre avec un marin britannique sur la péninsule de Kowloon, mais le capitaine Elliot refusa de livrer le responsable à la justice chinoise. Furieuses, les autorités de Canton expulsèrent les Britanniques de Macao. 200 commerçants et leur famille furent entassés en août 1839 sur des bateaux dans le port de Hong-Kong sous les tirs des jonques chinoises.

Un corps expéditionnaire de 4 000 hommes arriva en juin 1840 et assiégea Canton. La première guerre de l'Opium (1840-1842) avait commencé. Après l'échec des négociations, les Britanniques lancèrent une action militaire d'envergure, tuant 600 soldats chinois sur une île à l'embouchure de la rivière des Perles. Face à la menace croissante exercée par les forces navales britanniques, la Chine accepta, lors de la convention de Chuanbi en janvier 1841, un avant-projet concédant Hong-Kong à la Couronne. Elliot, négociateur du traité, envoya immédiatement un émissaire hisser le drapeau britannique sur la côte occidentale de l'île de Hong-Kong. Quelques jours plus tard, il annonça une : « sécurité et protection totales pour tous les sujets britanniques et étrangers résidant et séjournant sur l'île, aussi longtemps qu'ils se conformeraient à l'autorité du gouvernement de sa Majesté ».

Les deux pays étaient néanmoins insatisfaits du traité. Palmerston reprocha à Elliot d'avoir été trop indulgent et de ne pas avoir obtenu suffisamment de concessions des Chinois. Le capitaine fut rappelé en Angleterre et remplacé par Henry Pottinger (1801-1875), premier gouverneur de Hong-Kong, qui exigea davantage de concessions.

Les Chinois cédèrent devant les nouvelles démonstrations de force – Dinghai, Xiamen et Ningbo tombèrent sous les canonnières de la Couronne ; Shanghai et Zhenjiang furent occupées et Nankin menacée. Le traité de Nankin fut signé le 29 août 1842 et ratifié dix mois plus tard. La Chine dut verser une indemnité à la Couronne, ouvrir aux étrangers Canton, Amoy (Xiamen), Fuzhou, Ningbo et Shanghai – les premiers ports accessibles par les traités – et céder Hong-Kong à perpétuité afin que les Britanniques puissent disposer d'un « port où abattre en carène et réarmer leurs navires, en cas de besoin, et établir des magasins dans ce but ».

LA NOUVELLE COLONIE

L'édification de Hong-Kong débuta peu après la cession du territoire. Les cinquante parcelles de terre délimitées sur le front de mer nord de l'île – la future Queen's Road – furent rapidement vendues aux hong qui avaient transféré leurs affaires de Canton à Macao. À la fin de 1841, vingt-huit commerçants étrangers étaient installés sur l'île, parmi lesquels la Jardine, Matheson & Co. Ltd. Celle-ci acquit le premier terrain pour 565 £ et y trouva un refuge sûr pour ses entrepôts d'opium. La marine royale s'établit également sur la côte, suivie de l'armée qui occupa les pentes inférieures du Victoria Peak. La communauté fut appelée Queen's Town, avant d'être renommée Victoria. Contre

toute attente, de nombreux Chinois émigrèrent vers Hong-Kong. L'île accueillit bientôt 12 000 ouvriers et marchands, qui s'installèrent juste à l'est et à l'ouest de l'implantation européenne. Quelques mois plus tard, un violent typhon balaya la plupart des bâtiments. Les épidémies firent rage et le paludisme emporta plusieurs centaines de soldats.

La population atteignit 25 000 habitants en 1845 et continua d'augmenter avec l'arrivée des Chinois fuyant la rébellion des Taiping (1850-1864) menée par Hong Xiuquan (1812-1864). Ayant dû renoncer à une carrière mandarinale, ce réformateur fut influencé dans les années 1830 par les missionnaires chrétiens de Canton.

Hong Xiuquan se voyait comme le frère de Jésus-Christ et le fils de Dieu envoyé sur terre pour anéantir les « démons » de la dynastie Qing. Ayant réuni une armée de fidèles fanatiques, il lança une rébellion et s'empara de grandes parties du sud et du centre du pays. Il établit un gouvernement théocratico-militaire

à Nankin, ville dont il fit sa capitale. La sévérité de sa morale et les désaccords politiques provoquèrent des dissensions qui affaiblirent les Taiping. En 1864, les Qing reprirent Nankin et 100 000 hommes de Hong se suicidèrent.

Les hong qui avaient engagé d'importantes dépenses pour transférer leurs affaires depuis Canton et Macao commençaient à s'impatienter car Hong-Kong tardait à s'ouvrir au commerce international. Les navires contournaient l'île pour rejoindre les ports chinois ouverts aux étrangers. Leur frustration était aggravée par l'obstination des fonctionnaires chinois qui ne tenaient guère compte du traité de Nankin.

LA SECONDE GUERRE DE L'OPIUM

La pression exercée par les hong pour la révision du traité entraîna la seconde guerre de l'Opium (1856-1858). Elle éclata suite à l'arrestation de l'équipage chinois de l'*Arrow*, navire hongkongais battant pavillon britannique. En août 1865, les Chinois s'emparèrent du bateau

Le port animé de Hong-Kong peu après l'implantation des Britanniques. Certains bateaux évitaient la colonie au profit des ports ouverts par les traités.

qui mouillait au large de Canton, pensant qu'un célèbre pirate se trouvait à bord. Les Britanniques furent outragés, affirmant que c'était une insulte à la Reine et à l'Angleterre.

Alors alliée à la France, la Couronne déploya ses forces navales le long de la côte chinoise. Les escarmouches s'achevèrent en 1858 avec la signature du traité de Tientsin (Tianjin) qui accorda aux Britanniques un bail sur Kowloon et une représentation diplomatique à Pékin. Mais la Chine se rétracta et les hostilités reprirent après l'assassinat du premier émissaire britannique envoyé à Pékin, Sir Frederick Bruce.

Les troupes britanniques et françaises s'emparèrent de la ville en octobre 1860. Les Chinois capitulèrent à nouveau et signèrent la convention de Pékin, cédant à perpétuité la péninsule

Chaises à porteurs et pousse-pousse étaient des modes de transport appréciés des colons.

de Kowloon (jusqu'à l'actuelle Boundary Road) et Stonecutter's Island. La convention permettait aux Britanniques d'importer de l'opium en Chine, moyennant une faible taxe. L'avenir de Hong-Kong parut soudain plus prometteur.

LA CROISSANCE

En 1865, Hong-Kong comptait 122 000 habitants. Elle avait l'aspect d'une ville coloniale, avec ses bâtiments officiels, son poste de police, sa prison, son bureau de poste et son hôpital. Les flèches de charmantes églises pointaient au-dessus des vastes entrepôts des hong, les pelouses de la résidence du gouverneur s'étiraient jusqu'au port et un somptueux club fut construit sur le front de mer. Des villas apparurent sur les flancs du Victoria Peak, ainsi qu'un terrain de cricket, un club de polo et un hippodrome.

Dans la pure tradition coloniale britannique, le snobisme et la distinction sociale devinrent la norme. L'élite profitait de la fraîcheur du Victoria Peak, tandis que les Européens moins privilégiés et les Chinois aisés occupaient les Mid-Levels. Portugais, Arméniens, juifs et parsis s'installèrent au pied du Peak, alors que la grande majorité des Chinois vivaient dans la misère des bas quartiers de Western et Wan Chai.

Les années 1890 furent assez tourmentées. La situation chaotique en Chine continentale affecta le commerce. Suite à la dépression économique mondiale, le bureau colonial exigea plus d'argent de Hong-Kong afin d'assurer sa protection militaire. La valeur de la livre chuta. En 1894, la colonie fut frappée par la peste bubonique et la moitié de la population chinoise (sur un total de 200 000 habitants) retourna sur le continent. Cinq cents personnes périrent, Hong-Kong fut déclaré zone contaminée et les bateaux rebroussèrent chemin. Durant les 12 ans qui suivirent, la peste emporta 13 000 personnes.

Les Britanniques craignaient que leur précieux port ne devienne vulnérable à mesure que les autres nations européennes exigeaient des concessions en Chine. Avec la seconde guerre de l'Opium, ils obtinrent les terres situées au nord de la péninsule de Kowloon, jusqu'à la rivière Shum Chum (Shenzhen), et les 234 îles alentour. Il s'agissait cette fois d'un bail de 99 ans et non d'une propriété définitive. Ce territoire et les îles, plus tard appelés Nouveaux Territoires, furent transférés le 1er juillet 1898.

Au tournant du XXe siècle, d'importants travaux publics furent entrepris pour répondre aux besoins de la population, qui avait atteint 325 000 habitants. On dota le front de mer d'une ligne de tramway, aménagea de nouveaux terrains sur la mer et des réservoirs, construisit des centrales électriques et modernisa les ins-

Après quatre ans d'occupation japonaise, les Britanniques reprirent Hong-Kong en août 1945.

tallations portuaires. En 1910, Hong-Kong était devenu le troisième plus grand port du monde et la voie ferrée entre Kowloon et la frontière chinoise était achevée.

Pendant ce temps, la Chine était en proie aux bouleversements politiques, au chaos économique, ainsi qu'à la guerre civile. Des vagues d'immigrants continuaient d'affluer vers Hong-Kong. En 1911, Sun Yat-sen, fondateur de la Chine moderne, dirigea un soulèvement nationaliste qui aboutit au renversement de l'Empire des Qing et à la fondation de la République de Chine en 1912.

Né dans une famille de paysans du Guangdong, Sun étudia à Hawaii et pratiqua la médecine avant de préparer la révolution à Hong-Kong. En 1913, son Parti nationaliste (Guomindang) obtint la majorité lors des premières élections nationales de Chine. Cependant, la même année, Sun fut contraint à l'exil par l'armée et son parti expulsé du Parlement. Soutenu par l'Union soviétique, Sun revint sur la scène politique et était sur le point d'aboutir lorsqu'il décéda à Pékin, en mars 1925.

Entre la Première et la Seconde Guerre mondiale, les Chinois de Hong-Kong commencèrent à faire leurs preuves dans les affaires. Leurs sociétés se détournèrent de l'assurance, la construction navale, le transport maritime et l'immobilier pour se consacrer à la banque, la finance et le transport. L'élite chinoise accumulait d'importantes fortunes, mais n'était pas acceptée par la haute société britannique du territoire. Tout l'or du monde n'aurait pu offrir une villa sur Victoria Peak à un Chinois. L'ordonnance de 1904, abrogée en 1945, interdisait en effet aux Chinois, à l'exception des domestiques des Européens, de vivre ici.

L'OCCUPATION JAPONAISE

En 1937, les Japonais, qui occupaient depuis 1931 la Mandchourie, au nord-est de la Chine, s'emparèrent de Pékin et de Shanghai. En 1938, ils contrôlaient la plupart des villes de la côte est, y compris Canton. Les réfugiés franchirent en masse la frontière avec la Chine et, au début de la Seconde Guerre mondiale, la population de Hong-Kong avait atteint 1,6 million d'habitants, dont 500 000 vivaient dans les rues. Le 8 décembre 1941, jour du bombardement de Pearl Harbor, les troupes japonaises entrèrent dans le territoire. Consciente qu'elle n'avait aucune chance de protéger la colonie, l'Angleterre avait refusé d'envoyer des renforts, mais le Premier ministre Winston Churchill lui avait néanmoins demandé de résister aussi longtemps que possible. Les forces britanniques stationnées à la frontière chinoise furent repoussées à travers les Nouveaux Territoires et Kowloon, les dernières troupes étant évacuées vers l'île de Hong-Kong le 13 décembre.

Avant d'attaquer l'île, le lieutenant général Takashi Sakai envoya au gouverneur Mark Young une proposition de reddition, dans laquelle il disait notamment : « [la reddition] serait honorable. Si ce n'est pas le cas, je serai contraint, refoulant mes larmes, de prendre des mesures pour vaincre vos forces. »

Après de violents bombardements, les Japonais assaillirent l'île le 19 décembre. Britanniques, Canadiens et soldats volontaires luttèrent courageusement ; beaucoup succombèrent. Le jour de Noël, le gouverneur Young traversa le port jusqu'au quartier général des Japonais, dans le Peninsula Hotel de Kowloon, pour signer la reddition.

Il s'ensuivit trois douloureuses années d'occupation. La plupart des Européens furent internés à Stanley et Sham Shui Po, tandis que les occupants terrorisaient les habitants. Le commerce cessa et la monnaie locale perdit toute sa valeur. Les coupures électriques étaient fréquentes et l'île vivait sous la menace constante de la famine. Les Japonais recoururent à des expulsions massives pour limiter l'épuisement des ressources. À la fin de la guerre, la population avait été réduite à 600 000 âmes.

Après l'annonce officielle de la capitulation des Japonais le 4 août 1945, le secrétaire de la colonie Frank Grimson – qui avait été interné à Stanley – établit un gouvernement provisoire. À l'instar d'Elliot un siècle plus tôt, il agit indépendamment de Londres, qui examinait les requêtes des États-Unis lui demandant de remettre Hong-Kong à la Chine nationaliste de Tchang Kaï-chek. L'autorité britannique fut rapidement rétablie.

LA CROISSANCE APRÈS-GUERRE

Les immigrants revinrent à Hong-Kong au rythme de 100 000 personnes par mois et, à la fin de 1947, la population atteignit 1,8 million. La défaite imminente des nationalistes face aux communistes de Mao Zedong (1893-1976) fit franchir la frontière à plusieurs centaines de milliers de Chinois. Lorsque Mao prit le pouvoir et fonda la République populaire de Chine, en 1949, les réfugiés continuèrent d'affluer, souvent en provenance de la ville de Shanghai. La fermeture de la frontière entre la Chine et les Nouveaux Territoires par les communistes mit fin à l'immigration.

En 1952, l'avenir de Hong-Kong, comme centre de commerce intermédiaire, semblait mal assuré du fait de l'embargo commercial imposé par les Nations unies à la Chine communiste. Par chance, beaucoup des nouveaux arrivants chinois étaient des hommes d'affaires et des entrepreneurs dotés d'un capital. Soutenue par une main-d'œuvre docile, la colonie se tourna vers l'industrie : le textile, puis le plastique, l'électronique et les montres. Pendant les années 1950 et 1960, la croissance économique atteignit 10% par an, favorisant nombre de réussites spectaculaires.

Si l'étiquette « made in Hong Kong » était parfois synonyme de produits bon marché et tape-à-l'œil, le territoire connaissait un essor sans précédent.

LA RÉVOLUTION CULTURELLE

Au milieu des années 1960, Mao lança la Révolution culturelle pour réassurer son pouvoir. Le mouvement donna naissance, au sein de la jeunesse, aux Gardes rouges qui semèrent le chaos à travers la Chine. Des millions de personnes furent persécutées, emprisonnées ou tuées, et le patrimoine culturel de la Chine fut gravement endommagé. Les troubles affectèrent également Hong-Kong. En 1966, la population se révolta contre une légère augmentation des tarifs du Star Ferry. Les syndiqués se mirent ensuite en grève et les sympathisants communistes manifestèrent. Compte tenu du nombre de bombes désamorcées (plus de 8 000), on dut imposer un couvre-feu en 1967. Plusieurs centaines d'engins explosèrent, faisant 50 morts et de nombreux blessés. Les communistes bénéficiaient toutefois d'un faible soutien parmi la population, surtout parce que beaucoup avaient fui le communisme. La Chine étant également peu favorable aux partisans de gauche, le mouvement s'essouffla à la fin de 1967.

À la fin des années 1960, la Chine populaire commença à assouplir sa politique isolationniste. Avec le soutien des États-Unis, elle obtint le siège de la Chine nationaliste (Taiwan) au Conseil de sécurité de l'ONU. En 1971, la levée des sanctions commerciales et le rétablissement des relations diplomatiques avec les Américains entraînèrent Hong-Kong sur la voie d'une croissance économique et d'une prospérité sans précédent.

Des manifestations à Hong-Kong suite aux événements de Tiananmen, à Beijing en 1989.

LES ANNÉES 1970 ET 1980

L'afflux de richesses dans les coffres du territoire améliora considérablement la qualité de vie des Hongkongais. Murray MacLehose, gouverneur du territoire de 1971 à 1982, lança un vaste programme de logements publics. Il relogea des centaines de résidents des bas quartiers dans des immeubles, et introduisit une éducation gratuite et obligatoire jusqu'au collège, ouvrant la voie à une future main-d'œuvre éduquée et qualifiée. En 1974, il créa la Commission indépendante de lutte contre la corruption, dotée d'importants pouvoirs en vue de combattre la corruption rampante au sein de la police et de l'administration. La commission se révéla d'une efficacité redoutable et joua un rôle capital dans l'attrait exercé par Hong-Kong sur le monde international des affaires. Passionné de randonnée, MacLehose fut aussi le fondateur du magnifique réseau de parcs régionaux (voir p. 39-41), qui couvrent aujourd'hui 40% du territoire.

À la fin des années 1970, la Chine poursuivit sa politique d'ouverture. De nombreuses usines hongkongaises de produits bon marché furent délocalisées au Guangdong. Le territoire se concentra dès lors sur le développement de la finance et des services. Il chercha aussi à attirer les sociétés internationales, désireuses de tirer profit des économies émergentes d'Asie et notamment de la politique commerciale libérale de la « porte ouverte », introduite en 1978 par le dirigeant chinois Deng Xiaoping (1904-1997). Les perspectives d'avenir ne furent jamais aussi prometteuses. L'économie était en pleine expansion et de nouveaux gratte-ciel étincelants transformaient l'horizon de Central District. Durant la première moitié des années 1980, le nouveau Hong-Kong résolument cosmopolite s'éleva au rang de ville internationale.

Le Premier ministre britannique Margaret Thatcher se rendit en Chine en 1982, inaugurant deux ans de négociations souvent âpres qui aboutirent à un accord pour la rétrocession de Hong-Kong à la Chine. L'accord fut scellé en 1984 par la Déclaration conjointe sino-britannique. Le 1er juillet 1997, jour de l'expiration du bail de 99 ans des Nouveaux Territoires, Hong-Kong retourna dans le giron chinois. Le territoire devint une Région administrative spéciale (RAS), dotée d'un haut degré d'autonomie. Elle était autorisée à émettre sa propre monnaie, élire son gouvernement et conserver son système judiciaire, son économie capitaliste et ses libertés pendant les cinquante années suivantes. Tous ces droits furent notifiés dans une constitution appelée Loi fondamentale. Deng résuma ces dispositions sous la formule : « Un pays, deux systèmes. » La déclaration conjointe visait à maintenir la confiance des Hongkongais, dont une bonne partie avaient justement fui le communisme du continent. Le Groupe conjoint de liaison, constitué de diplomates chinois et britanniques, fut chargé de trouver des accords pour la période de transition. Les promesses réitérées par les deux parties permirent de dissiper les doutes, mais l'inquiétude couvait.

LES ÉVÉNEMENTS DE TIANANMEN

Le doute se transforma quasiment en panique le 4 juin 1989, lorsque les soldats de l'armée chinoise écrasèrent violemment les manifestations démocratiques sur la place Tiananmen à Beijing (Pékin). Les semaines précédentes, des millions de Hongkongais étaient descendus dans la rue pour soutenir les manifestants. D'incroyables événements suivirent. Hong-Kong manifesta sa douleur comme jamais, lorsque des centaines de milliers de citoyens défilèrent dans les rues, affichant des brassards noirs et portant le deuil en hommage aux victimes de la place Tiananmen. La peur s'empara ensuite du territoire. Craignant qu'un drame similaire ne se produise à Hong-Kong, de nombreux habitants cherchèrent un nouveau refuge. La foule se pressa aux portes des consulats des États-Unis, d'Australie, du Canada et de Singapour pour demander des visas de séjour. Les petits pays du Pacifique et des Caraïbes vendirent pour 10 000 $ de visas. Le territoire fut pris d'assaut par des « consultants en immigration », qui firent fortune en offrant leur aide aux candidats à l'émigration.

Dans les années qui suivirent l'effusion de sang de Tiananmen, plus de 100 000 personnes quittèrent Hong-Kong. La situation s'apaisa peu à peu. Le territoire retourna à ses affaires et les Hongkongais reprirent progressivement confiance en l'avenir, fût-ce sous le drapeau chinois.

LA RÉTROCESSION

Chris Patten, dernier gouverneur de Hong-Kong, arriva en 1992 avec un agenda politique inédit. Cet ancien membre conservateur du Parlement britannique (il perdit son siège lors des élections de 1992) tenta d'instaurer des réformes politiques susceptibles de servir de garanties à Hong-Kong après la rétrocession. Le Conseil législatif, organe législatif du territoire,

était alors composé de membres désignés dans le cadre de circonscriptions socio-professionnelles et d'un tiers de membres directement élus au suffrage universel. Patten introduisit un ensemble de mesures permettant l'élection de tous les membres du conseil, indignant les Chinois qui y voyaient un démantèlement du processus politique institué par la Loi fondamentale. Les élections sous ces réformes eurent lieu en 1995, mais la Chine refusa de reconnaître l'autorité du nouveau conseil et nomma son propre organe législatif provisoire.

Initialement très apprécié du commun des Hongkongais pour ses réformes sociales et sa simplicité, Patten déplaisait en revanche au puissant monde des affaires, plus enclin à séduire les futurs patrons de Beijing. Il fut régulièrement mis au pilori par les autorités chinoises pour sa défense des réformes politiques.

Une jonque chinoise, illuminée à l'occasion de la cérémonie de rétrocession, le 1er juillet 1997.

À l'approche de 1997, l'opinion publique se rangea du côté des hommes d'affaires, estimant qu'il valait mieux s'accommoder de la situation plutôt que de s'attirer les foudres de la Chine. Patten fut remplacé par le premier chef de l'exécutif de la RAS, Tung Chee-hwa, au soir du 30 juin 1997, après une cérémonie de passation en quelque sorte assez mitigée.

Riche magnat du transport maritime, Tung était considéré comme le meilleur pour ce poste, bien qu'il ait été choisi par un comité de sélection nommé par la Conférence consultative politique du peuple chinois. Très populaire après l'euphorie de la rétrocession, il perdit peu à peu son crédit après un premier mandat de cinq ans. La population estimait que nombre de ses décisions politiques n'avaient pas été adoptées dans l'intérêt du peuple de Hong-Kong, mais sur les ordres des dirigeants chinois. Son gouvernement fut néanmoins applaudi pour sa maîtrise de la crise économique asiatique de 1997-1999, qui affecta gravement Taiwan, la Corée et les pays du Sud-Est asiatique.

La cote de popularité de Tung Chee-hwa continua toutefois de chuter. Sur l'ordre de Beijing, il tenta d'introduire une loi de sécurité nationale, conduisant des milliers de Hongkongais dans les rues en 2003.

Le projet de loi fut suspendu, mais les manifestations massives contre le chef de l'exécutif se poursuivirent, le contraignant à se retirer au milieu de son second mandat, début 2005. Il fut remplacé, en juin 2005, par le secrétaire des Finances du territoire, Donald Tsang. ■

Géographie

Hong-Kong se situe dans le prolongement du Guangdong. Le territoire occupe la pointe de la province chinoise, à l'est de sa principale voie navigable, l'estuaire de la rivière des Perles, et au sud du tropique du Cancer, à la même latitude que Hawaii. En dépit de sa modeste superficie (1 098 km²), Hong-Kong offre une remarquable diversité topographique : pics escarpés plongeant dans de profondes vallées sillonnées de cours d'eau, côtes rocheuses dentelées et îles innombrables.

Les sommets, qui culminent souvent à plus de 500 m d'altitude, forment le paysage naturel le plus caractéristique de Hong-Kong. Il est quasiment impossible de regarder l'horizon sans croiser le flanc abrupt d'une montagne. Le plus célèbre panorama de Hong-Kong, la vue sur les gratte-ciel de Central District (île de Hong-Kong) par-delà Victoria Harbor, est impressionnante avec le Victoria Peak (552 m) en toile de fond. Au détour des crêtes et des pentes souvent enveloppées de brume, le visiteur est surpris de découvrir des zones urbaines surpeuplées, entrecoupées de luxuriants paysages montagneux.

À l'arrivée des Britanniques, dans les années 1840, les collines de l'île de Hong-Kong plongeaient dans Victoria Harbor. Par la suite, le comblement d'une partie du port permit de repousser les côtes de l'île. Les gratte-ciel du quartier de Central furent érigés sur ce terrain gagné sur la mer. La majorité du 1,5 million d'habitants de l'île vivent sur l'étroit corridor du littoral nord.

La péninsule sans relief de Kowloon a également vu sa superficie augmenter grâce au gain de terrains sur la mer. Le quartier clinquant de Tsim Sha Tsui East faisait partie de Victoria Harbor jusque dans les années 1980, lorsqu'un important projet permit de combler une autre partie du port à l'ouest de la péninsule. Ce secteur et le quartier voisin de New Kowloon affichent l'une des plus fortes densités de population du monde.

Les Nouveaux Territoires demeurent faiblement peuplés, même si plusieurs « villes nouvelles » construites depuis les années 1970 ont provoqué un important accroissement démographique. Cette partie du territoire est dominée par des pics élevés – le Tai Mo Shan, plus haut sommet de Hong-Kong, culmine à 957 m – qui débouchent sur des vallées isolées et des côtes jalonnées de baies, de criques, de plages et de ports naturels. Le nord-ouest des Nouveaux Territoires abrite la seule véritable plaine du territoire, un bassin alluvial qui s'étire du Tai Mo Shan à la mer de Chine méridionale.

Hong-Kong compte 234 îles périphériques, en grande majorité non habitées, qui totalisent une superficie de 175 km². La plus vaste, Lantau, est deux fois plus grande que l'île de Hong-Kong et abrite l'aéroport international de Hong-Kong. Ces îles ponctuées de bourgs et de villages offrent un havre de paix loin de l'effervescence urbaine.

PARCS RÉGIONAUX

Hong-Kong compte 23 parcs régionaux, qui occupent 40% de sa superficie. Pour l'essentiel, la création de ces parcs est davantage le fruit du hasard que d'un effort concerté pour la protection du patrimoine naturel. Durant les années 1950 et 1960, les principaux centres urbains furent étendus jusqu'aux zones escarpées. Celles-ci furent progressivement intégrées aux parcs régionaux au cours des années 1970.

Dans chaque parc, un réseau de sentiers de randonnée et de parcours nature conduit à travers de beaux paysages jusqu'aux sommets balayés par le vent, plonge dans les vallées boisées et longe les côtes rocheuses. Quatre grands itinéraires, reliés aux chemins locaux, sillonnent les parcs. Le plus long est le MacLehose Trail (100 km), qui traverse les Nouveaux Territoires. Le Hong Kong Trail (50 km) parcourt l'île de Hong-Kong. Le Lantau Trail (70 km) serpente à travers l'île de Lantau, et le Wilson Trail (78 km) s'étire vers le nord depuis Hong Kong Island South. Tous les sentiers sont balisés et bien entretenus. L'entrée aux parcs comporte des plans signalant les chemins et, parfois, un centre d'accueil. De nombreuses promenades

Le Mirror Pool, dans le Plover Cove Country Park, offre une nature préservée.

faciles vous attendent sur les sentiers de découverte de la nature.

FAUNE ET FLORE

Hong-Kong abrite 47 espèces de mammifères endémiques, dont beaucoup sont nocturnes – il existe 22 espèces de chauve-souris. On y trouve notamment des muntjacs, des macaques à longue queue, des mangoustes, des léopards, des pangolins ressemblant aux tatous, des civettes, des écureuils, des porcs-épics chinois et des sangliers. L'avifaune est, elle aussi, étonnamment riche, avec plus de 440 espèces, soit un tiers du nombre total d'espèces de Chine. La Mai Po Nature Reserve, s'étendant sur une zone marécageuse protégée du nord-ouest des Nouveaux Territoires, accueille une multitude d'oiseaux aquatiques, notamment en hiver, lorsque 70 000 volatiles appartenant à 300 espèces s'y rassemblent.

Les eaux hongkongaises étant dans leur majeure partie gravement polluées ou surex-

ploitées par les pêcheurs, il est difficile d'y maintenir une vie marine saine et florissante. Faisant figure d'exception, le Hoi Ha Wan Marine Park, aménagé dans une baie abritée à la pointe nord de la péninsule de Sai Kung, est remarquablement préservé. La qualité de l'eau a permis la croissance des coraux de pierre, dans une zone qui regroupe 39 des espèces de corail présentes à Hong-Kong.

Des dauphins blancs de Chine continuent de peupler les eaux au nord de l'île de Lantau, bien qu'ils soient menacés par la pollution et la surpêche. Les autorités y ont créé le Sha Chau and Lung Kwu Chau Marine Park afin de maintenir leur population. Tung Ping Chau, réserve marine aménagée autour de l'île de Ping Chau dans la Mirs Bay, à la lisière nord-est du territoire, abrite 124 espèces de poissons de récifs et diverses variétés de corail. ■

Le Pokfulam Country Park, sur l'île de Hong-Kong, marie les paysages urbains et bucoliques.

Les arts et les fêtes

DANS LES ANNÉES 1960 ET 1970, LE CATACLYSME DE LA RÉVOLUTION CULTURELLE SONNA LE GLAS des traditions qui faisaient autrefois partie intégrante de la vie sur le continent. Hong-Kong a en revanche maintenu nombre de ces coutumes et continue de les pratiquer avec force clameurs et couleurs lors de spectacles passionnants.

OPÉRA CHINOIS

Il faut parfois beaucoup de temps à un Occidental pour s'habituer aux sonorités de l'opéra chinois. Les acteurs chantent d'une voix de fausset perçante, accompagnés de coups irréguliers et assourdissants frappés sur les tambours et les gongs, ainsi que des vibrations et grincements des instruments à corde et à vent traditionnels. Au milieu de cette cacophonie, parés de costumes recherchés, les héros luttent contre l'adversité, les esprits éloignent le mal et les amants agissent en cachette.

Chants, dialogues, mimes, jeux d'épée et acrobaties complètent le spectacle. Des scènes improvisées et des chaises sont installées sur les places publiques pour les grandes fêtes. Traditionnellement, les opéras duraient six heures, mais aujourd'hui, ils dépassent rarement trois heures. Le public n'est pas contraint de rester assis, mais va et vient à sa guise, bavarde, se promène et mange.

Trois formes d'opéra chinois sont régulièrement proposées. L'**opéra de Pékin**, très raffiné, est joué en mandarin. Le plus populaire à Hong-Kong est l'**opéra cantonais**, qui utilise la langue locale pour développer des thèmes plus quotidiens. La forme traditionnelle dite de **Chiu Chow (Chaozhou)** conserve nombre d'éléments originaux issus des représentations devant la cour de la dynastie Ming.

Outre le chant, l'opéra chinois s'appuie aussi sur les costumes, le maquillage et la gestuelle pour conter une histoire. Un acteur dont les mains et le corps tremblent exprime la colère. Un petit coup de manche symbolise le dégoût, une main qui balaye l'air et revient vers soi, la surprise. La gêne est indiquée par un visage caché derrière une manche. Pour montrer de l'inquiétude, l'acteur se frotte les mains pendant plusieurs minutes.

Un maquillage élaboré remplace les masques d'autrefois. Dans l'opéra de Pékin, un visage peint en rouge signale un personnage loyal et droit. La couleur bleue désigne un caractère courageux et audacieux. Le blanc est synonyme de ruse, le jaune d'intelligence et le noir d'honnêteté. Le brun est souvent attribué aux personnages tenaces et obstinés. Le bouffon porte une touche de blanc sur le nez.

Les couleurs des costumes et les coiffes revêtent également une symbolique. Les barbares sont vêtus de violet, les empereurs de jaune. Plus la coiffure est ornementée, plus le personnage est important.

Décors et accessoires sont réduits au minimum, mais les acteurs recourent à l'amplification de leurs mouvements et au symbolisme de certains accessoires. Un personnage tenant une cravache indique qu'il se déplace à cheval. Un petit groupe de soldats peut représenter une armée entière. Un individu qui fait le tour de la scène entreprend un long voyage. Des mouvements stylisés permettent de décrire les diverses actions : ouvrir une porte, marcher de nuit, canoter, manger, boire, etc. Les acteurs usent également de mimiques qui permettent de véhiculer certains messages.

DANSES DU LION ET DU DRAGON

Le lion n'existe pas en Chine, mais il y est un animal hautement symbolique. Les Chinois le considèrent comme une créature divine, douée de noblesse et de dignité, capable de faire triompher la vérité et de chasser le mal. Des paires de lions en pierre gardent souvent l'entrée des grandes demeures et des immeubles, éloignant les démons et attirant la chance. Des danses du lion sont organisées lors des fêtes et des événements, comme les mariages ou les inaugurations de magasins ou d'entreprises. Il s'agit d'un spectacle très athlétique dans lequel deux personnes enveloppées dans un même costume portent une tête articulée et colorée.

Les acteurs d'opéra chinois portent des costumes sophistiqués et colorés, et arborent un maquillage élaboré. Les représentations ont lieu à l'occasion des fêtes.

Un accompagnement musical suit leurs mouvements. La tête du fauve, ornée d'une crinière, peut bouger les yeux, ouvrir et fermer la gueule, et remuer la tête de droite à gauche. Les danses du dragon ont généralement lieu pendant les fêtes et nécessitent un plus grand nombre de participants. Le premier danseur porte la tête multicolore d'un dragon souriant au bout d'une perche, tandis que les autres, en partie dissimulés par un tissu, le suivent en ondulant pour symboliser le vol du dragon.

MUSIQUE

La scène musicale populaire de Hong-Kong est dominée par la « pop canto » (pop cantonaise, voir l'encadré p. 131). Ce genre entraînant, faisant l'objet de mises en scène de qualité, s'appuie sur des textes en cantonais destinés aux adolescents. Les chanteurs beaux et célèbres évoquent l'amour sans retour et la solitude à travers des paroles connues de tout le jeune public du territoire. Les concerts ont lieu au Hong Kong Coliseum ou au Queen Elizabeth Stadium et affichent généralement complet. Nombre de tubes sont des versions locales de chansons américaines et anglaises traduites en cantonais – la pop occidentale séduit très peu les Hongkongais. Les vedettes de la canto pop font de fréquentes apparitions dans les jeux télévisés et les émissions de variétés. Beaucoup font aussi du cinéma, ce qui a pour effet d'accroître la popularité des films hongkongais qui bénéficient de leur prestation. Les chanteurs les plus connus sont Leon Lai, Jackie Cheung, Andy Lau et Aaron Kwok.

CINÉMA

Le cinéma hongkongais se classe en troisième position mondiale derrière les États-Unis et l'Inde. La production se fait à un rythme effréné (voir pp. 146-147). Certains films, bien accueillis sur la scène internationale, ont décroché des prix dans des festivals à l'étranger. Le genre le plus apprécié à Hong-Kong demeure toutefois fondé sur des scripts médiocres, assortis d'une violence sanglante, des films de kung fu ou des films d'amour larmoyants. Le cinéma local attire toujours davantage de public que les grandes productions hollywoodiennes dans les salles du territoire. Le récent succès du réalisateur de films d'action John Woo et des acteurs comme Jackie Chan, Michelle Yeo, Chow Yun-fat et Jet Li à Hollywood ont accru l'intérêt de l'Occident pour le cinéma hongkongais. Le territoire a créé sa propre version des Oscars, avec le festival annuel des Hong Kong Film Awards.

ARTS SCÉNIQUES

Bien que les Hongkongais accordent davantage d'importance aux affaires et à la réussite matérielle qu'aux subtilités des arts scéniques, le territoire compte véritablement plusieurs formations de qualité. Parmi les troupes de danse figurent la Hong Kong Dance Company, qui exécute des danses chinoises traditionnelles et modernes, la City Contemporary Dance Company, spécialiste de la danse moderne, et la Hong Kong Ballet Company.

L'excellent Hong Kong Chinese Orchestra joue de la musique chinoise et moderne avec des instruments traditionnels, tandis que le

Un grand tambour, un gong et des cymbales accompagnent la danse du lion, exécutée lors des occasions favorables pour attirer la chance et le bonheur.

Hong Kong Philharmonic Orchestra est l'orchestre officiel du Hong Kong Cultural Center. Les troupes de théâtre comprennent la Hong Kong Repertory Theater Company, qui met essentiellement en scène des pièces chinoises, et la Chung Ying Theater Company, vers laquelle se tournent les dramaturges prometteurs de Hong-Kong. Beaucoup de ces troupes se produisent au Hong Kong Cultural Center et à la Hong Kong Academy for Performing Arts, deux excellentes salles.

ART ET ARTISANAT

Les Européens s'intéressèrent à l'art et à l'artisanat chinois dès le XVIe siècle. Les soies et les porcelaines constituaient les denrées les plus prisées.

Les broderies et les brocarts de soie sont réputés pour leur excellente façon et dominent le marché de l'artisanat. Les meilleures soies proviennent du sud-est et de l'est de la Chine, les régions les plus favorables à la culture des mûriers, dont les feuilles servent à nourrir les vers à soie. Les « bleu et blanc » de Jingdezhen, dans la province du Jiangxi, font partie des plus belles porcelaines du pays en raison de leur texture et de la complexité de leurs motifs.

Les objets sculptés – jade, ivoire, bois, corne de bœuf, carapaces de tortue et pierre – sont très recherchés. Le jade est la matière la plus appréciée et la plus chère. Les formes et les sujets sont très divers, des petites figurines aux immenses sculptures. L'ivoire sert souvent de support à l'art minutieux de la sculpture et de la

peinture miniatures. Le choix est aussi très vaste, des babioles et figurines aux tableaux complets, réalisés dans des défenses d'éléphant montées sur bois.

Les meilleurs endroits de Hong-Kong pour acheter ces pièces sont les magasins d'art et d'artisanat chinois. Vous en trouverez dans le China Resources Building, 26 Harbour Road, à Wan Chai (*tél. 2827-6667*) et la Star House, face à l'embarcadère du Star Ferry à Tsim Sha Tsui (*tél. 2735-4061*).

FÊTES

Janvier

City Fringe Festival : festival des Arts alternatifs d'un mois, dans divers lieux du territoire. Théâtre non conventionnel, one man show comiques, art vivant, mime, danse et expositions d'art réunissent des artistes locaux et internationaux (*tél. 2521-7251, www.hkfringe.com.hk*).

Janvier/février

Nouvel An chinois : premier jour du pre-

Les pagayeurs d'un bateau dragon se rafraîchissent pendant la course annuelle du mois de juin.

mier mois de l'année lunaire chinoise (la date calendaire change tous les ans). Nombre de commerces et d'entreprises prolongent le congé officiel de trois jours jusqu'à une semaine ou plus. Les Hongkongais voyagent alors à l'étranger ou sur le continent. C'est la seule période de l'année durant laquelle les magasins ferment. Le début de la nouvelle année étant l'occasion de faire table rase du passé, les gens règlent leurs dettes et mettent un terme aux querelles. Un somptueux feu d'artifice illumine Victoria Harbor, tandis que les gratte-ciel de l'île de Hong-Kong se parent de décorations colorées.

Fête des Lanternes (Yuen Siu) : survenant le 15e jour de la nouvelle année, elle marque la fin du Nouvel An chinois. Tout Hong-Kong brille sous les feux des lanternes traditionnelles, suspendues dans les maisons, les restaurants et les temples.

Février/mars

Hong Kong Arts Festival : les grands artistes internationaux convergent vers Hong-Kong pour l'un des plus prestigieux festivals artistiques d'Asie pour un mois de symphonies, de théâtre, de ballets, d'opéra chinois, de jazz et de concerts de musique traditionnelle asiatique (*tél. 2824-3555, www.hk.artsfestival.org*).

Mars/avril

Ching Ming : les familles se rendent sur la sépulture de leurs ancêtres pour nettoyer les tombes, allumer de l'encens, brûler de la monnaie en papier pour les esprits et déposer des offrandes de fruits et de vin. Traditionnellement, la fête a lieu au début du troisième mois lunaire, mais la date est généralement fixée à début avril.

Avril

Anniversaire de Tin Hau : des rassemblements de bateaux dans le port et des cortèges animés et colorés célèbrent la divinité la plus populaire de Hong-Kong, Tin Hau, déesse de la mer et des marins (voir encadré p. 93). Environ 300 temples lui sont consacrés sur le territoire. Traditionnellement construits au bord de l'eau, beaucoup occupent les terres suite à l'extension des terrains sur la mer. Les festivités se déroulent principalement dans les Nouveaux Territoires et les îles alentour. Bien souvent, une chaise à porteurs promène l'effigie de Tin Hau à travers les rues, accompagnée de feux d'artifice. De l'opéra chinois et des danses du lion complètent cette fête débridée, qui se tient le 23ᵉ jour du troisième mois lunaire.

Festival international du Film à Hong-Kong : des centaines de films du monde entier, certains de réalisateurs indépendants, sont projetés durant ces deux semaines de festival. C'est l'une des meilleures occasions de découvrir le cinéma asiatique (*www.hkiff.org.hk*).

Mai

Festival des Arts French May : le plus important festival français d'Asie accueille de grands artistes de l'Hexagone autour du théâtre, de la chanson, de la danse et d'expositions d'art. Cette manifestation constitue un événement majeur pour l'art et la culture françaises (*tél. 3196-6209, www.frenchmay.com*). Depuis 2000, le French May est également organisé en partie à Macao.

Juin

Fête des Bateaux dragons : le 5ᵉ jour du 5ᵉ mois, des régates opposent des équipes de pagayeurs (une vingtaine) qui se sont entraînés plusieurs semaines pour faire avancer ces bateaux décorés, de 15 m de long. Les battements du tambour installé au bout du bateau donnent le rythme. Les courses rendent hommage à Qu Yuan, poète et héros de l'époque des Royaumes Combattants (Vᵉ-IIIᵉ siècle av. J.-C.).

Juillet

Le premier jour du mois est férié pour fêter la rétrocession de l'ancienne colonie britannique à la Chine, en 1997. Un immense feu d'artifice illumine le port, magnifique depuis Victoria Peak ou des quais du Hong Kong Harbor.

Août/septembre

Fête des Esprits affamés : les Hongkongais brûlent des liasses de faux billets sur le bord des routes, habituellement au crépuscule, afin d'apaiser les esprits, ces fantômes affamés qui hanteraient la terre pendant tout le 7ᵉ mois lunaire. Certaines communautés organisent aussi des cortèges dans les rues qui s'achèvent par des offrandes de nourriture.

Septembre/octobre

Fête de la Mi-Automne : cette fête, appelée également fête de la Lune, a lieu le 15ᵉ jour du 8ᵉ mois lunaire pour célébrer les moissons et la pleine lune qui ne manque pas de faire son apparition à Hong-Kong à cette période. Les familles entières gagnent les parcs, les collines et les plages avec des lanternes colorées. C'est à cette occasion que l'on consomme les gâteaux de lune (*yue bing*), de copieux gâteaux ronds.

Octobre/novembre

Festival des Arts chinois : dédié à la culture et à l'art chinois, ce festival d'un mois accueille des œuvres d'art et des spectacles de Chine, de Taiwan, de Singapour et de diverses communautés chinoises de l'étranger. Cette manifestation fait partie des plus grands festivals de ce type dans le monde. ■

Autrefois une « île désertique pratiquement inhabitée », la partie nord de l'île de Hong-Kong est devenue une métropole effervescente dont l'horizon de gratte-ciel est unique au monde.

Hong Kong Island North

Sceaux en jade, en ivoire et en bois.

Hong Kong Island North

La fondation de Hong-Kong ne fut pas placée sous les meilleurs auspices. Le 26 janvier 1841, le capitaine britannique Edward Belcher de la Royal Navy planta négligemment un Union Jack sur le site de l'actuelle Possession Street (Western District), avant de porter un toast à sa Majesté la reine Victoria. L'acquisition de cette « île désertique pratiquement inhabitée », fut saluée avec mépris par le ministre des Affaires étrangères, Lord Palmerston (1784-1865), pour lequel il semblait « évident que Hong-Kong ne sera pas un Centre du commerce ».

Les générations ultérieures firent peu de cas du pessimisme de Palmerston et transformèrent la partie nord de l'île de Hong-Kong en l'une des cités les plus animées de la planète. Aujourd'hui 1,5 million de personnes vit sur cette île de 78 km², soit 7% de la superficie du territoire.

La plupart des habitants de l'île se pressent dans l'étroit corridor sans relief, situé au nord. Un haut mur de gratte-ciel se dresse de Kennedy Town, à la pointe ouest, à Causeway Bay, à mi-parcours. À Central, les travaux de comblement ont permis de gagner 180 m de berges sur le port afin d'accueillir les tours modernes actuelles. De Tsim Sha Tsui, une vue époustouflante embrasse Victoria Harbor jusqu'aux gratte-ciel, avec le Victoria Peak en toile de fond.

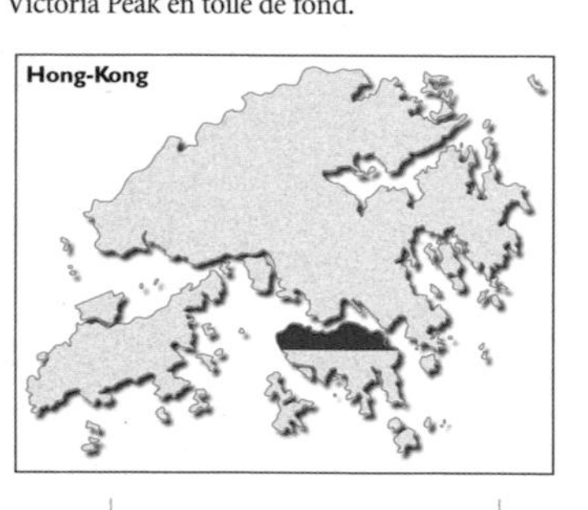

Les convives du Café Deco, au sommet du Peak, profitent d'une belle vue.

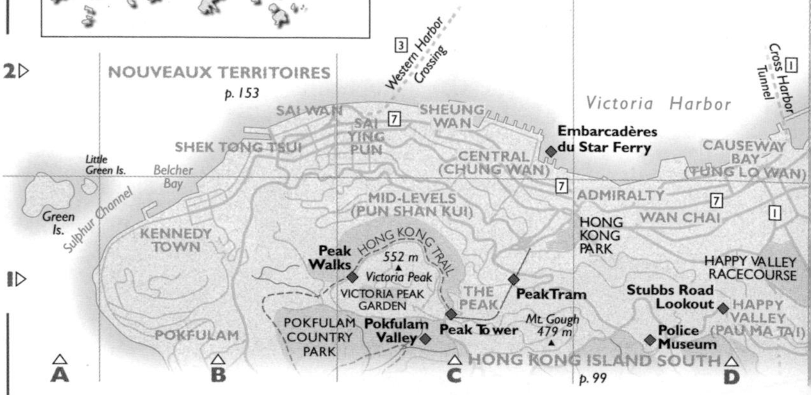

Derrière cet horizon d'immeubles s'étendent des secteurs résidentiels et commerciaux plus anciens – Central, Western et Wan Chai –, dont les rues étroites et animées sont envahies par la foule. À Causeway Bay, les acheteurs arpentent les grands magasins modernes pour trouver les dernières collections à la mode. À quelques minutes de là, des routes et des sentiers grimpent les collines boisées vers des faubourgs résidentiels huppés. Vous y découvrirez une campagne étonnamment paisible et un panorama inégalé sur les zones urbaines. En dépit de la foule et de la chaleur parfois étouffante, cette partie de Hong-Kong se découvre agréablement à pied. La topographie ramassée du quartier et les multiples attraits de ses rues rendent la promenade très divertissante. Si la fatigue se fait sentir, vous pouvez monter dans l'un des tramways à impériale qui parcourent toute la côte nord de Kennedy Town, à l'ouest, à Shau Kei Wan, près de la pointe nord-est de l'île. ■

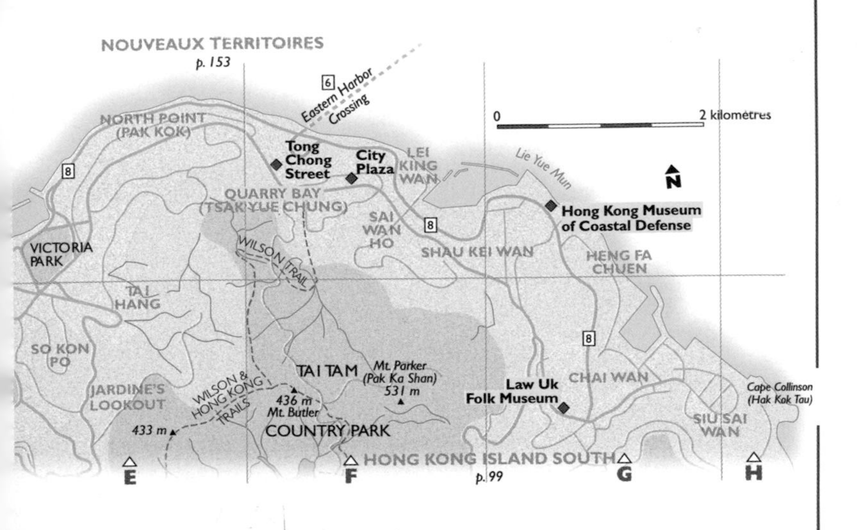

De Central au Peak

Central est le quartier qui définit Hong-Kong. C'est ici que naquit la cité britannique, dans les années 1840, et que le dynamisme actuel est le plus visible.

Une danse du lion célèbre l'ouverture d'une banque à Central.

Lorsque le banquier Sir Catchick Paul Chater (1842-1923) arriva à Hong-Kong en 1864, Victoria Harbor bordait le quartier bondé de Central, le long de Queen's Road, au pied du Victoria Peak. Le seul moyen de désengorger le quartier était d'aménager des terres gagnées sur les eaux du port. Le comblement du Victoria Harbor commença en 1889. Aujourd'hui, ce terrain correspond à une demi-douzaine de rues, dont la valeur immobilière est parmi la plus élevée du monde. Les autorités décidèrent de boiser les pentes désertes du Victoria Peak. Les arbres, plantés sur la colline, forment une magnifique zone naturelle aux portes de l'effervescence du centre-ville.

Central livre un spectacle superbe. Des dizaines de tours de bureaux se pressent sur le terrain gagné sur la mer, tandis que les immeubles résidentiels occupent la partie inférieure du Victoria Peak, appelée Mid-Levels. Au-delà, le paysage urbain s'éclaircit progressivement jusqu'au milieu du Peak et égrène ses luxueuses villas et ses résidences.

Quelques vestiges du passé colonial se blottissent entre les gratte-ciel scintillants. Les rues situées à l'écart regorgent de marchés animés, d'étals de nouilles, de restaurants, d'échoppes et d'immeubles décrépits. À l'est, les Victoria Barracks, qui accueillaient autrefois le Hong Kong Regiment, ont laissé la place aux beaux jardins paysagés du Hong Kong Park.

Devant le parc, le Peak Tram, un funiculaire vieux de 115 ans entreprend son incroyable ascension du Victoria Peak. Du sommet, la vue se révèle stupéfiante. Une marche autour du pic dévoile la façade verte de l'île de Hong-Kong et révèle sa végétation tropicale, ses vallées verdoyantes et son panorama sur la mer de Chine méridionale. ■

Aberdeen St.
Hollywood
Staunton
SoHo
Caine
Robinson Road
Conduit Road
Jamia Mosque
Central to Mid-Levels Escalator
MID-LEVELS (PUN SHAN KUI)
Lugard Road
552 m Victoria Peak (Che Kei Shan)
Mount Austin Road
Victoria Peak Garden
Hong Kong Trail
Old Peak Road
Le Peak
Harlech Road
Peak Tower
Lion's Pavilion & Lookout
Peak Galleria
Peak Road
Findlay Road

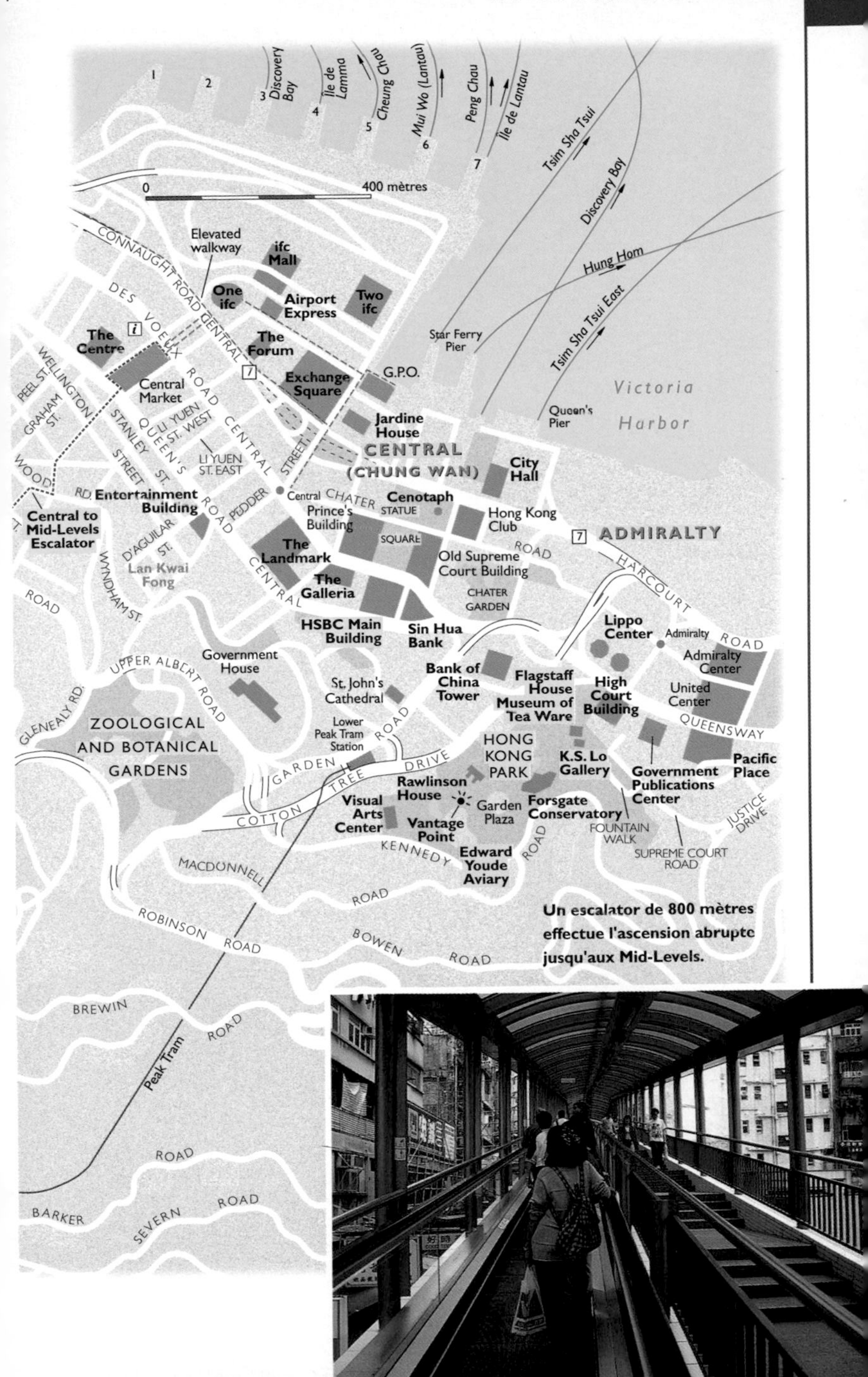

Un escalator de 800 mètres effectue l'ascension abrupte jusqu'aux Mid-Levels.

Le Landmark, temple du shopping chic.

Le quartier de Central

CETTE PETITE POCHE DE TERRE GAGNÉE SUR LA MER, PARFOIS SPECTACULAIREMENT bondée, abrite le siège du gouvernement, les bureaux de centaines d'établissements financiers et plusieurs centres commerciaux haut de gamme.

Central District
Plan p. 53

De Tsim Sha Tsui, à Kowloon, prenez le Star Ferry (voir p. 120) pour traverser Victoria Harbor jusqu'au débarcadère de Central, trajet qui offre une splendide introduction au quartier. Juste à l'ouest du ponton, près du Connaught Garden et du bronze de Henry Moore *Double Oval*, se dresse **Jardine House**. Ce bâtiment à la façade métallique et aux fenêtres en forme de hublot était, avec ses 201 mètres, le plus haut de Hong-Kong, lors de sa construction en 1973. Entrez dans le hall, prenez l'escalator jusqu'au premier étage et suivez la passerelle qui mène à

Les rickshaws

Sur le débarcadère du Star Ferry, vous croiserez des conducteurs de rickshaw qui vous proposeront de vous emmener faire un tour ou de les photographier devant leur véhicule moyennant une somme tout à fait modique.

D'origine japonaise, le rickshaw était un mode de transport très utilisé à Hong-Kong dans la première moitié du XXe siècle. D'environ 5 000 avant la Seconde Guerre mondiale, leur nombre décrut, puis remonta durant les difficiles années d'après-guerre pour atteindre 8 000, avant de baisser à nouveau à mesure que les véhicules à moteur gagnaient en popularité. Relégués au rang d'attraction touristique depuis les années 1960, ils ne sont plus aujourd'hui qu'une poignée, tous installés devant le Star Ferry. ■

Exchange Square. Ce groupe de trois immeubles qui regroupent des bureaux semi-circulaires accueille le Stock Exchange de Hong-Kong, la plus grande bourse d'Asie après le Japon. Sa silhouette en verre et granit poli, couleur bronze doré, évoque une pile de pièces de monnaie. À l'entrée, un autre bronze de Henry Moore, *Oval with Points*, trône dans un bassin circulaire, entouré de jets d'eau. Juste derrière, vous apercevrez d'autres sculptures : *Taichi* du Taiwanais Chu Ming, un bronze massif et gracieux figurant des exercices de *tai chi*, et *Water Buffaloes* de Dame Elisabeth Frink. L'ensemble, qui occupe différents niveaux, s'inscrit dans la cour du **Forum**, une agréable esplanade dotée de fontaines jaillissantes et de cafés en plein air.

En face d'Exchange Square, l'**ifc** (International Finance Centre) réunit le centre commercial ifc Mall, le One ifc, un bâtiment de 39 étages, le Two ifc, qui, avec ses 88 étages, est l'un des plus hauts du monde, et le Four Seasons Hotel Hong Kong.

Dans un espace carrelé et chromé très lumineux, l'**ifc Mall** regroupe plusieurs cinémas, des boutiques de luxe et des restaurants. Vous y trouverez la station MTR Hong Kong, d'où part la ligne Airport Express.

Juste devant Exchange Square, une passerelle rejoint le Macau Ferry Terminal, au Shun Tak Center, environ 1 km plus à l'ouest. Prenez la passerelle vers la gauche après Exchange Square, traversez Connaught Road Central pour gagner Pottinger Street et descendez au niveau du sol. Suivez Pottinger Street au sud jusqu'à Des Voeux Road Central, puis parcourez un pâté de maisons vers l'est jusqu'à **Li Yuen Street East** et **Li Yuen Street West**. Animées et un peu décrépites, ces deux rues parallèles coupent au sud vers Queen's Road. Elles sont bordées de stands de vêtements, de tissus, de sacs à main et de quantités d'autres produits vendus à des prix bien inférieurs à ceux pratiqués par les centres commerciaux huppés du Prince's Building (*angle Ice House St. et Chater Rd.*) et du **Landmark**. Limité par Pedder Street, Des Voeux Road Central et Queen's Road Central, le Landmark fut bâti en 1980. Il comporte cinq étages de boutiques de marque encadrant un atrium très grand dont le centre est occupé par une agréable fontaine.

À un pâté de maisons à l'est de Li Yuen Street, remontez D'Aguilar Street jusqu'à Lan Kwai Fong. Ce centre de la vie nocturne concentre dans deux ruelles pavées des dizaines de restaurants, de bistros, de bars et de discothèques fréquentés par les Hongkongais branchés.

De style pyramidal, l'**Entertainment Building** (*angle de Queen's Rd. Central et de Wyndham St.*) affiche une certaine créativité qui transcende sa façade en granit beige et verre gris. Notez les grands balcons du dernier étage et le motif Art déco de la frise courant autour du bâtiment. À l'intérieur se trouve une élégante galerie commerciale à colonnades.

Une boutique haut de gamme à Central.

STATUE SQUARE ET EST

Suivez Queen's Road Central vers l'est et coupez par l'esplanade située sous le Hongkong and Shanghai Bank Building (voir p. 62) pour atteindre les jardins, les bassins et les fontaines de **Statue Square**. Ce petit parc doit son nom aux statues coloniales britanniques qu'il renfermait jadis, notamment celle de la reine Victoria (r. 1837-1901) et du roi Édouard VII (r. 1901-1910). Les Japonais déboulonnèrent les statues pendant la Seconde Guerre mondiale (la reine Victoria se trouve aujourd'hui dans Victoria Park, à Causeway Bay, voir p. 93-94). La seule statue encore présente ici est celle de sir Thomas Jackson (1841-1915), ancien directeur de la Hongkong and Shanghai Bank dont l'imposant siège

La plupart des tours les plus célèbres de Central dominent les Zoological and Botanical Gardens.

se dresse en face, dans Queen's Road Central. Vous ne manquerez pas de remarquer les deux splendides lions de bronze placés devant le bâtiment – celui de l'extrémité porte de nombreux impacts de balles, vestiges de l'occupation japonaise durant la Seconde Guerre mondiale. Au nord de Chater Road, dans Statue Square, un **cénotaphe** datant de 1923 est aujourd'hui dédié aux victimes des deux guerres mondiales. Entouré d'une splendide pelouse, il s'élève devant le Hong Kong Club, vénérable club de gentlemen.

Juste à l'est de Statue Square, du côté opposé du siège du gouvernement, se dresse le Legislative Council Building de style néoclassique (également appelé Old Supreme Court Building, voir p. 60). Derrière lui s'étend **Chater Garden**. Conçu dans le même esprit que Statue Square, il s'agrémente d'allées carrelées et pavées de briques, d'abris, de bassins et de pelouses. C'est un endroit où il fait bon se réfugier lors des chaleurs d'été. Jusqu'en 1975, il était occupé par le très sélect Hong Kong Cricket Club. Grimpez le sentier qui le borde du côté est pour contempler les 396 mètres de la **Bank of China Tower**. Dessinée par le célèbre architecte I.M. Pei en 1982, cette tour de 70 étages avec ses lignes acérées et sa façade immaculée domine, de sa présence massive, le paysage urbain du quartier de Central. Prenez l'ascenseur jusqu'au 43e étage pour admirer le panorama sur la ville et le port. À côté, l'ancien bâtiment de la Bank of China, de style Art déco, accueille aujourd'hui la **Sin Hua Bank**. Datant de 1951,

Bank of China Tower
- Plan p. 53
- 1 Garden Rd., Central
- 2826-6888

elle est la plus ancienne tour de bureaux de Central.

De Statue Square, un souterrain passe sous Connaught Road pour ramener les visiteurs au ponton du Star Ferry. De là, vous pouvez faire une balade en suivant le front de mer vers l'est jusqu'au Queen's Pier – une petite jetée abritée où des jonques et des yachts embarquent leurs passagers pour des croisières sur le port. En face, de l'autre côté de l'eau, la vue s'étend sur Tsim Sha Tsui sans ne rencontrer de quelconque obstacle. Derrière la jetée se dresse le **City Hall**, un bâtiment d'allure banale qui abrite un théâtre et une belle salle de concert. Vous pouvez vous informer sur les spectacles à venir, acheter et réserver des billets. Le petit parc attenant est apprécié des jeunes mariés, qui viennent s'y faire photographier en sortant du bureau de l'état-civil.

ZOOLOGICAL AND BOTANICAL GARDENS

Avec leur végétation tropicale luxuriante, leurs jardins de style victorien, leurs belvédères et leurs enclos, les Zoological and Botanical Gardens sont un endroit agréable à visiter, bien que l'on puisse déplorer le peu d'espace réservé à certains animaux.

Ouverts en 1864 et couvrant une superficie de 5 ha, ces jardins sont les plus anciens de Hong-Kong. La partie est, baptisée Old Gardens, comprend une aire de jeu pour les enfants, des volières, une enceinte à jaguars qui présente un aspect un peu pitoyable, une serre et un jardin en terrasses doté de fontaines. La majorité des animaux du zoo se trouvent dans les New Gardens, qui sont aménagés à l'ouest.

Malgré l'allure tristounette de certains enclos, le zoo permet d'observer une grande variété d'espèces animales asiatiques. C'est aussi l'un des plus grands centres d'Asie pour l'élevage des espèces menacées.

Les jardins, qui sont bordés par Garden Road, Robinson Road, Glenealy Road et Upper Albert Road, sont divisés en deux par Albany Road et reliés par un métro. ■

Zoological & Botanical Gardens

Plan p. 53
Albany Rd., Central
2530-0154
Bus : 3B, 12M

City Hall

Plan p. 53
3 Edinburgh Pl., Central
2921-2840

Employées de maison

Chaque dimanche, les alentours de Statue Square et de Chater Garden deviennent le point de rendez-vous de la communauté philippine. Les milliers de jeunes femmes, qui se pressent dans les parcs et les rues avoisinantes pour profiter de leur seul jour de congé, donnent pour quelques heures un air festif et animé au quartier.

Hong-Kong compte 140 000 immigrés philippins. Il s'agit surtout de femmes dont la plupart œuvrent comme employées de maison pour les familles hongkongaises aisées, à un salaire que leur envieraient bien des travailleurs qualifiés de leur pays.

Des employées de maison philippines se détendent à Central pendant leur jour de congé.

Central to Mid-Levels Escalator
Plan p. 52

Le Central to Mid-Levels Escalator et alentour

C'EST À QUEEN'S ROAD CENTRAL QUE DÉBUTE L'ASCENSION VERS LE quartier résidentiel de Mid-Levels, le long de rues étroites et parfois si abruptes que la chaussée est remplacée par un escalier. Aux gratte-ciel rutilants succèdent des magasins et des restaurants plus modestes, dotés de logements à l'étage.

Les rues de Central abritent des boutiques de nouilles et des petits marchés à l'atmosphère animée.

Démarrez votre visite par le premier étage de Central Market, une arcade donne accès à l'escalator couvert le plus long du monde (800 mètres). Le Central to Mid-Levels Escalator (*descente 6h-22h, montée 10h-23h*) fut construit en 1993 afin de faciliter la vie des habitants qui étaient obligés de rentrer chez eux en taxi ou en minibus par les rues tortueuses reliant Central à Mid-Levels. L'escalator grimpe Cochrane Street à la hauteur du second étage des immeubles et des boutiques pour gagner Hollywood Road (voir p. 74). Il fait ensuite un coude vers l'ouest, puis continue au sud dans Shelley Street, avant d'atteindre son étape finale dans Conduit Road, au cœur de Mid-Levels. En chemin, plusieurs sorties clairement indiquées permettent d'aller explorer les rues étroites et les petites allées.

Stanley Street mérite le détour pour les effluves alléchants de ses étals de nouilles et de pâtisseries. À une rue à l'ouest, **Graham Street** regroupe des boutiques d'herbes médicinales chinoises et des marchands de produits frais. Prenez à gauche dans **Gage Street**, une autre rue marchande animée. Continuez à monter par **Peel Street** et ses magasins d'articles religieux jusqu'à Hollywood Road que vous emprunterez vers l'est jusqu'à **Lyndhurst Terrace**, un pâté de maisons plus haut. Poursuivez à l'est dans Lyndhurst pour regagner l'escalator. Au carrefour des rues Staunton, Elgin et Shelley, le **SoHo** – abréviation de South of Hollywood Road – est un ensemble de discothèques et de restaurants branchés qui fait concurrence à Lan Kwai Fong (voir p. 55). En montée, le trajet en escalator dure environ 20 minutes. Pour redescendre, empruntez l'escalier qui le longe. ■

Admiralty

ADMIRALTY ABRITAIT JADIS LES VICTORIA BARRACKS DU RÉGIMENT DE Hong-Kong et, jusqu'en 1997, date de la rétrocession à la Chine, le siège de la Royal Navy, à Tamar. Après la rétrocession, le site de Tamar fut repris par l'Armée de libération du peuple et rebaptisé Central Barracks. On peut encore admirer quelques-uns des bâtiments d'origine dans Hong Kong Park (voir p. 64-65).

L'armée quitta le site des Victoria Barracks dans les années 1970, libérant un espace précieux où apparurent bientôt des hôtels, des centres commerciaux, ainsi que des tours de bureaux. Admiralty est accessible depuis Central par la passerelle surélevée qui part de l'extrémité est de Chater Garden. Elle passe par la double tour du **Lippo Center**, un immeuble de bureaux reconnaissable à ses « fenêtres célestes », sortes de protubérances formant saillie sur ses flancs. Le bâtiment a été surnommé « l'arbre à koalas », car sa forme évoque vaguement des koalas agrippés à un tronc. Sur les murs du hall d'entrée courent deux bas-reliefs qui furent exécutés par l'un des artistes les plus connus de Hong-Kong, Gerard D'Henderson.

À côté du Lippo Center, les galeries commerçantes du United Center et de l'Admiralty Center rejoignent une passerelle surélevée qui mène à **Pacific Place**. Des centres commerciaux, des grands magasins, des boutiques, des bars, des cinémas, des bureaux, des hôtels de luxe et des restaurants occupent ce complexe. Lors de sa construction dans les années 1990, cet ensemble reflétait, par son audace et son dynamisme, la richesse croissante de l'Asie. Il inspira d'autres projets similaires dans toute la région. Sa taille et son clinquant justifient à eux seuls la visite.

Jouxtant Pacific Place, le **High Court Building** n'a rien d'exceptionnel sur le plan architectural. Cependant, ses galeries permettent au public d'assister aux audiences, durant lesquelles avocats et juges en robe et perruque débattent avec une solennité toute britannique.

Entre Pacific Place et la High Court, le **Government Publications Center**, installé au rez-de-chaussée, est idéal pour se procurer de la documentation et des cartes sur Hong-Kong. ■

Admiralty
Ⓜ Plan p. 53

High Court Building
✉ 38 Queensway
☎ 2869-0869

Government Publications Center
✉ Pièce 402, Murray Bldg., Garden Rd., Central
☎ 2537-1910

L'audacieux Lippo Center.

Le French Mission Building, qui abrite aujourd'hui la Court of Final Appeal, est l'un des bâtiments coloniaux de Central.

À la découverte du patrimoine colonial de Central

Si Hong-Kong possède peu de bâtiments anciens présentant un intérêt architectural, les quelques vestiges historiques, dispersés dans le quartier de Central, donnent une idée du passé colonial du territoire.

Partez de l'**Old Supreme Court Building** ❶ (*8 Jackson Rd.*), entre Statue Square et Chater Garden. Ce beau bâtiment néoclassique de 1912, coiffé d'un dôme, accueille depuis 1985 le conseil législatif hongkongais.

Traversez Des Voeux Road Central, passez de l'autre côté du Hongkong Bank Building et franchissez Queen's Road Central pour gagner les marches de **Battery Path**. Cette allée bordée d'arbres fut aménagée en 1841 pour permettre aux troupes britanniques de hisser leurs canons. Une montée de cinq minutes vous conduira au **French Mission Building** ❷. Rénové en 1917, ce bâtiment en brique rouge de style néoclassique abrite la Court of Final Appeal qui fut créée après la rétrocession de Hong-Kong en 1997.

Continuez dans Battery Path jusqu'à Garden Road et la **St. John's Cathedral** ❸ *(4-8 Garden Rd., tel 2523-4157)* de 1849. Plus ancien bâtiment anglican de Hong-Kong, la cathédrale possède une architecture de style gothique, un plan en croix latine et un clocher au-dessus de l'entrée principale.

Remontez Garden Road en passant devant la Lower Peak Tram Station, dans le St. John's Building. Au bout de cinq minutes, vous verrez le **Helena May Building** ❹ *(35 Garden Rd.)*, édifié en 1916 à la demande de l'épouse de Francis Henry May, gouverneur de 1912 à 1917, pour loger les jeunes femmes fraîchement arrivées dans la colonie, une fonction qu'il remplit encore de nos jours. Traverser Garden Road est parfois difficile ; restez à droite et continuez jusqu'à Upper Albert Road et la **Government House** ❺, résidence officielle des gouverneurs britanniques de 1855 à 1997. L'ajout d'une tour rectangulaire à corniche pendant l'occupation japonaise a modifié l'allure coloniale de cette bâtisse. Utilisée pour les cérémonies officielles, elle est fermée au public. Du portail, on a une belle vue sur la propriété. Le nouveau chef de l'exécutif, Donald Tsang, habita ici, contrairement à son prédécesseur. Le jardin est ouvert au public six fois par an, généralement lors des vacances officielles. À cette occasion, les visiteurs peuvent habituellement voir le salon, la salle à manger et la salle de bal.

Rebroussez chemin jusqu'à Lower Albert Road que vous suivrez jusqu'à Ice House Street. Devant vous se dresse l'**Old Dairy Farm Building** ❻ *(Lower Albert Rd.)*, une structure de deux étages bâtie en 1892 et rénovée entre 1912 et 1917. Notez ses murs en briques rouges et stuc blanc dessinant des rayures horizontales, ses fenêtres en forme de hublot, ses bardeaux décorés et ses angles arrondis. Elle abrite le bar du Foreign Correspondents Club, l'un des plus connus de Hong-Kong.

En face, près de l'angle entre Lower Albert Road, Glenealy Road et Wyndham Street, la **Bishop's House** ❼ *(1 Lower Albert Rd.)* date de 1848. Dotée d'une tour de guet circulaire, elle abrite la demeure de l'évêque anglican de Hong-Kong. En regardant vers Glenealy Road, au sud, on aperçoit la flèche d'inspiration gothique de St. Paul's Church, édifiée au début du XXe siècle.

De l'Old Dairy Farm Building, redescendez à Queen's Road Central par Wyndham Street. ■

Voir plan p. 53
- Old Supreme Court Building
- 2,5 km
- 2 heures
- Angle de Wyndham St. et Queen's Rd. Central

À NE PAS MANQUER
- Old Supreme Court Building
- Battery Path
- St. John's Cathedral
- Government House

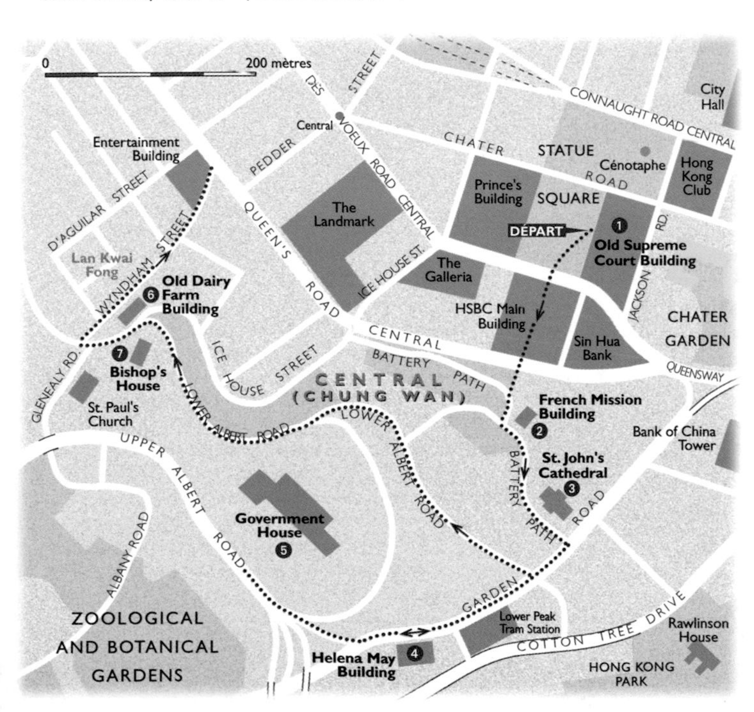

HSBC Main Building
Plan p. 53
1 Queen's Rd., Central
2822-1111
Fermé sam. 13h et dim.
MTR : Central

HSBC Main Building

LORSQUE LE SIÈGE DE LA HSBC (ANCIENNEMENT APPELÉE HONGKONG & Shanghai Banking Corporation) fut achevé en 1985, il avait coûté un milliard de dollars, le budget le plus élevé de l'époque. Pour les directeurs de la banque, l'investissement en valait cependant la peine : par son futurisme et sa sophistication, c'est l'un des bâtiments les plus emblématiques du monde.

La structure en « cintre à vêtements » est clairement visible.

Pour l'architecte, Sir Norman Foster (né en 1935), le défi majeur consistait à faire tenir le nouveau bâtiment dans l'espace libéré par la démolition de l'ancien, au 1 Queen's Road Central (la structure actuelle est la quatrième depuis la fondation de l'établissement en 1865). La banque voulait en effet bâtir une immense tour de bureaux dans un espace qui, normalement, ne se prêtait guère à ce type de projet.

Plutôt que d'adopter une structure interne, Foster conçut cinq suspensions gigantesques, soutenues par huit groupes de quatre piliers d'acier enveloppés d'aluminium. L'ensemble donne une allure de « cintre à vêtements » au bâtiment, avec ses étages qui semblent être en suspension et non empilés les uns au-dessus des autres. Cette conception permit également d'aménager un immense atrium inondé de lumière, effet encore accentué par des miroirs commandés par ordinateur, qui renvoient la lumière du jour à l'intérieur de la structure.

L'usage du verre non réfléchissant dans la structure donne toute sa lisibilité à la technologie de la tour, ce qui lui a valu le surnom de « bâtiment robot ». Les engrenages, les chaînes, les moteurs et les autres parties mobiles des escalators et des ascenseurs sont en effet visibles.

Le projet, s'il souffrit au départ de son emplacement, bénéficia en revanche de largesses budgétaires. La banque se faisait fort d'obtenir un bâtiment exceptionnel, sans se soucier du coût. La tour devait symboliser la puissance, la stabilité et la maîtrise technologique de l'établissement. Le fait qu'elle soit « la plus chère du monde » devint une source de fierté et la banque ne conçut aucun embarras face à ce qui aurait pu passer pour un gaspillage de la part des investisseurs.

Le rez-de-chaussée est un espace public que l'on peut traverser sans pénétrer dans la tour. Il possède deux escalators accédant à la principale salle bancaire. Leur emplacement est le fruit d'une réflexion visant à faire circuler le maximum de *qi* ou de *chi* (énergie), une des concessions faites aux principes du *feng shui* (voir p. 110-111). Deux lions de bronze, provenant de l'ancien siège de la banque, trônent à chaque extrémité de la tour, assurant son harmonie. ■

L'allure futuriste du siège de la HSBC le distingue des autres prouesses architecturales du quartier.

Sa végétation luxuriante et son architecture coloniale font du Hong Kong Park un lieu agréable où se soustraire à l'agitation de Central.

Hong Kong Park
50 D1
19 Cotton Tree Dr.
2521-5041
MTR : Admiralty, sortie F

Flagstaff House Museum of Tea Ware
10 Cotton Tree Dr.
2869-0690
Fermé mar. et certains jours fériés
MTR : Admiralty, sortie F

Hong Kong Park

NICHÉ ENTRE UN MUR DE GRATTE-CIEL ET UNE FORÊT DE TOURS, LE HONG Kong Park regroupe sur 10 ha des jardins, des cascades, des lacs et bassins artificiels, des aires de jeu, des serres, des musées, des galeries et des volières. Cet ensemble d'aménagements artificiels, de monuments anciens et de splendeurs naturelles offre un îlot de calme bienfaiteur dans la cohue de Central.

À Pacific Place (voir p. 59), des escalators rejoignent l'entrée principale du parc, dans Supreme Court Road (Cotton Tree Drive dispose de deux autres entrées). La **Fountain Walk** mène à l'intérieur du parc par la porte principale.

Contournez le restaurant par la droite et longez un lac artificiel pour prendre une allée couverte jusqu'à **Rawlinson House.** Datant du XIXe siècle, ce bâtiment des Victoria Barracks abrite aujourd'hui le Cotton Tree Drive Marriage Registry. En face, le **Garden Plaza** est construit à flanc de colline dans le style d'un amphithéâtre grec. Il accueille des concerts, des pièces et des spectacles de marionnettes le dimanche et les jours fériés. On peut aussi y suivre des cours gratuits de *tai chi* (*Hong Kong Tourism Board Visitors Hotline, tél. 2508-1234*).

Entre le Marriage Registry et le Garden Plaza, des marches conduisent à la tour circulaire de **Vantage Point**. Montez son escalier en spirale pour atteindre la plate-forme d'observation, qui bénéficie d'un point de vue extraordinaire sur le quartier de Central, avec quelques échappées sur Victoria Harbor. Traversez ensuite le Tai Chi Court, un espace clos investi tôt le matin et tard dans l'après-midi par les adeptes du tai chi (voir p.136).

Derrière se tient l'élément le plus impressionnant du parc : l'**Edward Youde Aviary** constitue l'une des plus grandes volières du monde et fut baptisée du nom d'un gouverneur colonial de Hong-Kong féru d'ornithologie. Cet immense enclos grillagé où vivent 800 oiseaux appartenant à 100 espèces, est à l'image d'une forêt tropicale humide. On peut s'approcher des oiseaux grâce à une promenade en bois surélevée qui chemine à travers la volière au niveau de la canopée. À 15 mètres au-dessous serpente un ruisseau qui traverse la forêt.

À la lisière sud du parc, le **Visual Arts Center** (*tél. 2521-3008, fermé lun.*) occupe l'ancien Cassels Block des Victoria Barracks. Aujourd'hui restauré, il constitue l'un des bâtiments coloniaux les plus élégants de Hong-Kong, avec son toit à plusieurs niveaux, ses vérandas et son jardin. Agrémenté d'une annexe moderne à armature métallique et toit en verre, il sert de galerie d'exposition mais renferme aussi des studios pour les artistes locaux.

Repartez vers l'entrée principale en laissant derrière vous le Garden Plaza et la volière pour atteindre l'impressionnant site du **Forsgate Conservatory**. Cette serre, la plus vaste d'Asie de l'Est et du Sud-Est, permet d'observer plusieurs types d'écosystèmes. Citons notamment une forêt tropicale humide où poussent une végétation dense et des plantes à fleurs, ainsi qu'une serre « sèche » imitant un environnement désertique. On y trouve aussi une salle d'exposition.

FLAGSTAFF HOUSE MUSEUM OF TEA WARE

À la périphérie nord du parc, ce musée occupe l'un des plus anciens bâtiments coloniaux de Hong-Kong encore debout. Construite au départ dans le style Greek Revival, la Flagstaff House a connu plusieurs transformations. Aujourd'hui, avec sa façade sans décoration et passée à la chaux, sa forme rectangulaire toute simple, ses vérandas à colonnades, ses immenses fenêtres à volets et sa position en hauteur, elle constitue l'un des plus beaux exemples d'architecture coloniale hongkongaise du milieu du XIXe siècle. L'agencement intérieur a peu changé, même si les chambres du commandant en chef des forces armées, les dressings, la bibliothèque, le salon et les quartiers des domestiques abritent aujourd'hui des galeries.

Un goura de Victoria dans la volière tropicale du parc.

Le clou de la collection permanente se compose de 600 ustensiles à thé, datant des Zhou occidentaux (v. 1122-771 av. J.-C.) à nos jours. Parmi les objets de la dynastie Song, on admirera une élégante tasse posée sur une console en porcelaine Yingqing, une aiguière gravée de pivoines et des bols brun-roux vernissés et ornés de motifs en relief.

Au rez-de-chaussée, l'exposition « Chinese Tea Drinking » retrace les diverses méthodes de préparation du thé à travers l'histoire chinoise. Elle présente également de ravissants services à thé de l'époque Tang (618-907) à l'ère Qing (1644-1911). Des expositions temporaires sont organisées à l'étage. La boutique située à l'entrée vend des services à thé, du thé chinois, des livres d'art et les catalogues de l'exposition.

Attenante au musée, la **K.S. Lo Gallery** renferme des céramiques chinoises de la dynastie Song (960-1279) à la dynastie Ming (1368-1644), ainsi que des sceaux datant de la fin de l'ère Ming à nos jours. ■

Le thé chinois

Les textes chinois attribuent la découverte du thé à l'empereur Shen Nung, qui régna vers 2737 av. J.-C. Selon la légende, il buvait de l'eau bouillie dans son jardin quand une feuille de théier tomba dans sa tasse. Après avoir humé l'infusion, il constata que son parfum surpassait de loin celui de l'eau chaude. Une longue tradition venait de naître.

Le Western District recèle des boutiques qui vendent d'innombrables variétés de thé.

Cette tradition mit du temps à s'imposer dans la vie quotidienne. Bien que le thé soit cultivé et bu depuis 2 000 ans, ce n'est que depuis les dynasties Tang et Song qu'il a acquis sa dimension culturelle. L'ouvrage *Classique du thé*, véritable bible rédigée par Lu Yu à l'époque Tang, contribua à propager cette pratique dans toute la Chine. Sous les Song, la consommation du thé fit l'objet de nombreux livres, poèmes et peintures vantant son aspect culturel. Li Ri Hua, un lettré de l'époque Ming, donna des instructions sur la façon de savourer le thé et le meilleur moment de le boire :

« Il faut vider une pièce de sa maison et n'y placer qu'une table et une chaise, avec de l'eau bouillie et du thé. Ensuite, s'asseoir et laisser son esprit devenir tranquille, léger et naturel. »

Selon les Chinois, le mode de dégustation du thé reflète l'attitude équilibrée qu'ils adoptent dans différentes situations et circonstances. C'est ainsi que l'on considère que leur ouverture d'esprit trouve son origine dans l'interprétation de l'art du thé.

Contrairement aux Japonais, qui privilégient une cérémonie rigide, les Chinois se concentrent sur la préparation, le goût et la dégustation, placés sous la responsabilité d'un maître de thé. Traditionnellement, on se sert d'une théière en argile rouge. Le maître de thé rince les tasses minuscules (elles ne contiennent que deux ou trois gorgées) et la théière. Puis il y dépose les feuilles qu'il recouvre d'une eau de source chauffée dans une bouilloire en verre, jusqu'à parvenir au débordement de la théière. Cette première eau, qui est rapidement jetée, sert à rehausser l'arôme. La théière est de nouveau remplie d'eau. On laisse alors infuser la préparation, et ce moins d'une minute, avant de verser le thé dans les tasses. Une grande attention est portée à la quantité de feuilles utilisée, à la température de l'eau (variable selon le thé) et au temps d'infusion ; trop long ou trop court, il risque de dénaturer l'arôme et le goût.

Variétés de thé

Les centaines de variétés de thés chinois, dont beaucoup sont en vente dans les boutiques du Western District, se classent en six grands types :

Le **thé vert** possède la plus longue histoire et reste le plus apprécié pour sa fraîcheur et son parfum naturel. Les variétés Longjing, le Maofeng, le Yinzhen et le Yunwu comptent parmi les plus célèbres.

Le **thé noir**, également très apprécié, surtout hors de Chine, subit une fermentation qui fait passer sa couleur du vert au noir et lui donne un goût plus prononcé.

Le **Wulong** allie la fraîcheur du thé vert à la robustesse du thé noir. Réputé favoriser la perte de poids, il a gagné en popularité. Difficile à cueillir car poussant sur les falaises, il figure parmi les thés chinois les plus chers.

Le **thé blanc**, de couleur argentée, ne trouble pas l'eau dans laquelle on le fait infuser.

Le **thé parfumé** s'obtient en mélangeant du thé vert à des pétales de fleurs (osmanthe

odorant, jasmin, rose, orchidée ou prune) par un procédé complexe.

Le **thé compressé** est du thé noir ou vert tassé sous forme de briques, de galettes ou de balles. Facile à stocker, il est apprécié des minorités ethniques de Chine, surtout des bergers nomades des régions frontalières. ■

Ci-dessus et ci-dessous : presque éradiquée par la Révolution culturelle, la dégustation du thé connaît une mini-renaissance à Hong-Kong. Pour goûter ce délicieux breuvage préparé avec art par un maître de thé, rien ne vaut une maison de thé traditionnelle, comme ici à Kowloon.

Vue sur l'île de Hong-Kong et au-delà depuis le fameux Peak.

Le Peak

Du haut du Peak, le panorama donne sur la majeure partie de l'île de Hong-Kong, Kowloon, une bonne part des Nouveaux Territoires, les îles avoisinantes, la Chine continentale et Macao. Une visite du Peak devrait constituer une étape indispensable pour celui qui arrive à Hong-Kong, non seulement pour jouir du point de vue, mais aussi pour se familiariser avec la ville. Choisissez une journée sans nuage et faites deux trajets, l'un pendant la journée, l'autre le soir pour contempler le spectacle féerique d'un Hong-Kong illuminé.

Peak Tower
- 50 C1
- 128 Peak Rd.
- 2849-0668
- Bus : 15
  Minibus : 1

Le Peak constitue un lieu de résidence recherché depuis l'arrivée des Britanniques en 1841. Pour échapper à la chaleur étouffante de l'été – il fait plus frais ici en raison de l'altitude que sur l'île de Hong-Kong –, les hauts fonctionnaires et les *taipans* (marchands européens) y firent bâtir leurs demeures. On raconte qu'ils se firent transporter le long des pentes escarpées par des coolies chinois dans des chaises à porteurs. C'est ici que se trouvait la résidence d'été du gouverneur ; l'autorisation de ce dernier était indispensable pour quiconque désirait s'installer dans ce cadre d'exception. Jusqu'en 1945, les Chinois n'avaient pas le droit de vivre sur le Peak. Aujourd'hui, l'endroit reste prestigieux et les prix de l'immobilier sont parmi les plus élevés du monde.

La plupart des visiteurs qui désirent se rendre au Victoria Peak empruntent le Peak Tram (voir l'encadré p. 70). Ce funiculaire part de Central et grimpe une pente impressionnante jusqu'à la gare supérieure installée dans la **Peak Tower**, une tour métallique épousant la forme d'un bol. De la terrasse située au 5e étage, vous bénéficierez d'une vue extraordinaire. Elle embrasse en effet les montagnes, les immeubles d'habitations de Mid-Levels, la forêt de gratte-ciel de Central, et, plus loin, Victoria Harbor, Tsim Sha Tsui et Kowloon, avec en toile de fond les

montagnes vertes et accidentées des Nouveaux Territoires.

La Peak Tower renferme des boutiques de souvenirs, des restaurants, un musée de personnages en cire, le **Madame Tussaud's**, et un manège sur simulateur, appelé **Peak Explorer**. Un splendide panorama s'ouvre également depuis la **Peak Galleria** attenante. Cette galerie regroupe un complexe de magasins et de restaurants où l'on peut s'asseoir en plein air.

PROMENADES SUR LE PEAK

C'est depuis Victoria Peak que la double physionomie, rurale et urbaine, de l'île de Hong-Kong se manifeste le plus distinctement. Côté nord, les pentes verdoyantes viennent buter sur de hautes tours d'habitation et de bureaux. Côté sud s'étendent des vallées boisées, des îles paisibles et de petites bourgades blotties au bord de l'eau.

Tous les sentiers commencent au carrefour situé à côté de la Peak Tower et de la Galleria. Ils sont indiqués par des panneaux où figure le temps de marche approximatif pour chaque itinéraire.

Le sommet de Victoria Peak se trouve 500 mètres plus à l'ouest en montant Mount Austin Road, en face de la Peak Tower. La demeure du gouverneur a disparu, rasée par les Japonais durant la Seconde Guerre mondiale. Il ne reste aujourd'hui qu'un plaisant **jardin** d'où l'on jouit d'une vue magnifique sur les résidences néoclassiques de la haute société hongkongaise.

L'une des promenades les plus appréciées est le tour du Peak par **Lugard Road** et **Harlech Road**. Ce parcours de 3,5 km, pratiquement plat, se fait en 70 minutes. Depuis la Peak Tower, suivez Lugard Road à l'ouest en traversant des bosquets de fougères, de pins chinois rabougris, de rhododendrons, de bambous et d'hibiscus. En chemin, alors que vous progressez à l'ouest, la vue s'ouvre sur Victoria Harbor, l'immense projet de poldérisation de West Kowloon, l'abri antityphon de Yau Ma Tei, Green Island et l'île de Peng Chau. Lantau, la plus grande île hongkongaise, apparaît à l'ouest, de même que Macao (voir p. 216-217). Plus loin à l'ouest se profile l'île de Cheung Chau et, au

Madame Tussaud's

✉ Peak Tower, niveau 2

☎ 2849-6966

€ €€

Peak Explorer

✉ Peak Tower, entrée niveau 4

☎ 2849-0668

€ €

sud-ouest, vous découvrirez les silhouettes des deux grandes cheminées de la centrale électrique de Lamma (voir p. 204-205). Le parcours oblique ensuite vers le sud de l'île. Vous bénéficierez d'un beau panorama sur la verdoyante Pokfulam Valley, les jonques et les sampans amarrés dans l'abri antityphon d'Aberdeen, avant de revenir à la Peak Tower.

À 2,3 km du départ de la marche, il est possible de suivre un sentier qui descend les pentes fortement boisées de la **Pokfulam Valley** pour rejoindre le Pokfulam Reservoir. Ce trajet de 1,9 km demande environ 40 minutes. Juste après le réservoir, vous pourrez prendre un bus pour rentrer à Central.

Pour contempler la côte est et sud-est de l'île, prenez Peak Road à partir de la Galleria et faites 1 km au sud jusqu'à Plunket Road, qui bifurque à gauche pour mener à Plantation Road. Suivez celle-ci jusqu'au croisement avec **Severn Road**, puis tournez à droite. Commencez à descendre en décrivant un demi-cercle autour du Peak. L'abri antityphon d'Aberdeen s'offre à la vue. Plus loin à gauche se profilent Ocean Park (voir p. 112-113), la zone résidentielle de Deep Water Bay et Repulse Bay, plage préférée des Hongkongais.

Severn Road vire brusquement à gauche, offrant un vaste panorama sur la partie est de l'île de Hong-Kong et Victoria Harbor. L'abri antityphon de Causeway Bay et North Point sont sur la droite, tandis que de l'autre côté du port se dessine le paysage urbain de Tsim Sha Tsui et, à sa droite, l'aéroport de Kai Tak, remplacé en 1998 par l'aéroport international de Chek Lap Kok. Remontez vers le Peak en suivant Severn Road vers l'ouest et gagnez Findlay Road, puis la Galleria. Comptez environ 90 minutes pour cette balade de 5 km.

Vous pouvez de même descendre vers les Zoological and Botanical Gardens (voir p. 57) et Central, en suivant les méandres escarpés d'**Old Peak Road** qui part entre la Peak Tower et la Galleria. Faites une pause 90 mètres plus bas, au **Lion's Pavilion and Lookout** de style chinois, pour contempler Central, le port et Tsim Sha Tsui. ■

Sensations fortes garanties dans le tramway qui s'élève à un angle vertigineux jusqu'en haut du Peak.

Le Peak Tram

Grimper en haut du Peak en empruntant le Peak Tram à la gare de Murray House, dans Garden Road, à Central, est une expérience à ne pas manquer. Achevé en 1888, ce tramway fut le premier mode de transport terrestre mécanique de la colonie. Il répondait aux besoins des colons aisés, soucieux de remédier au manque de confort des palanquins bringuebalants qui les ramenaient chez eux en remontant Old Peak Road. Cinq gares furent construites sur le parcours afin de permettre aux passagers de descendre pour gagner leurs demeures à pied ou en chaise à porteurs – voire, pour l'un d'eux, à dos dechameau. Aujourd'hui, les rames partent de Central et traversent l'élégant quartier de Mid-Levels. Elles gravissent une pente très raide pour arriver à la gare supérieure, dans la Peak Tower. À mi-hauteur du Peak, lorsqu'on quitte la ligne des arbres, on bénéficie d'un panorama saisissant sur Central, le port et la péninsule de Kowloon.

En fonctionnement depuis plus d'un siècle, le funiculaire n'a jamais connu d'accident. Il circule toutes les 15 minutes, et ce tous les jours de 7h à minuit. Comptez 12 minutes pour le trajet. ■

Hong Kong Trail

Les magnifiques panoramas sont le point fort du Hong Kong Trail.

L'ÎLE DE HONG-KONG COUVRE UNE SUPERFICIE DE 78 KM², DONT UN PEU plus d'un tiers est occupé par des parcs nationaux, reliés par le Hong Kong Trail. Ce sentier de 50 km traverse l'île sur toute sa longueur en passant par quatre de ses six parcs nationaux (voir p. 38-40). Il permet de découvrir une surprenante diversité de sites naturels et des points de vue saisissants sur le paysage urbain.

À l'arrivée des Britanniques en 1841, l'île de Hong-Kong était quasi désertique. La reforestation entreprise dans les années 1870 donna des résultats appréciables, comme en témoignent les randonnées le long du Hong Kong Trail.

Le sentier part du Victoria Peak (voir p. 68-70), suit Lugard Road vers l'ouest et descend au Pokfulam Reservoir. Puis il oblique à l'est pour traverser l'intérieur accidenté de l'île en suivant les crêtes jusqu'au village de **Shek O** (voir p. 103). Le sentier épouse les lignes de fuite des montagnes qui divisent l'île d'est en ouest. Dans les hauteurs, les prairies descendent vers des maquis. Plus bas, on trouve des forêts épaisses entaillées par des ravins et des vallées. Sur les pentes, le panorama donne sur une côte ponctuée de criques et de baies.

Chaque parc possède ses propres caractéristiques. Les pics de **Pokfulam** offrent une vue splendide sur l'océan, l'île et la vallée. Des cours d'eau sillonnent la végétation dense d'**Aberdeen**. **Tai Tam** (voir p. 102) allie les forêts et le plus grand lac (artificiel) de Hong-Kong, tandis que Shek O s'étend jusqu'aux rives de la mer de Chine méridionale.

Faire la totalité du sentier en un jour nécessite un effort soutenu (on peut camper en chemin). Mieux vaut prévoir plusieurs étapes ou ne choisir qu'un tronçon. L'itinéraire figure sur des cartes publiées par le Government Publications Center (*Room 402, Murray Bldg., Garden Rd., Central, tél. 2537-1910*). ■

Hong Kong Trail
- 50 C1
- Démarre à Lugard Road, le Peak
- 2708-8885 (Country Parks Management Ofc.)
- Bus : 15
  Minibus : 1

À l'ouest de Central

Peu après l'arrivée des Britanniques, le gouvernement colonial réserva la zone située à l'ouest de Central aux milliers d'immigrants chinois qui affluaient à Hong-Kong. Artisans, boutiquiers, marchands et coolies s'établirent dans Western, qui devint un quartier bruyant et fourmillant d'activité. Dans des ateliers faisant office de boutique, les artisans et les commerçants fabriquaient et vendaient leurs marchandises, tandis que d'autres passaient leur temps dans les fumeries d'opium, les bars et les maisons de jeu.

Malgré l'urbanisation qui s'étend à l'ouest à partir de Central, le quartier de Western est parvenu à conserver une grande partie de son caractère. Les fumeries d'opium, les bars et les salles de jeu ont beau avoir disparu, l'animation bat toujours son plein.

Ici, ruelles et petites allées abritent un mode de vie plus traditionnel. Western est l'un des rares quartiers de Hong-Kong où l'on peut encore voir des artisans chinois fabriquer dans leurs ateliers des objets de toutes sortes, des jeux de mah-jong aux sceaux (voir l'encadré p. 75), en passant par les cercueils. Dans les boutiques d'apothicaire, étagères et placards débordent de potions et d'ingrédients exotiques : musc de serpent, poudre de perle, peau de lézard, racines de ginseng ou encore bois de cerf.

Les habitants prennent leurs repas, assis sur des tabourets dans des *dai pai dongs* (restaurants sur le trottoir). D'autres s'adonnent au *yum cha* (dégustation du thé) dans des maisons de thé au confort spartiate. Des grossistes achètent et vendent une prodigieuse diversité de riz et de thés en faisant claquer leurs bouliers.

Certaines des maisons les plus anciennes de Hong-Kong bordent l'escalier abrupt de Ladder Street.

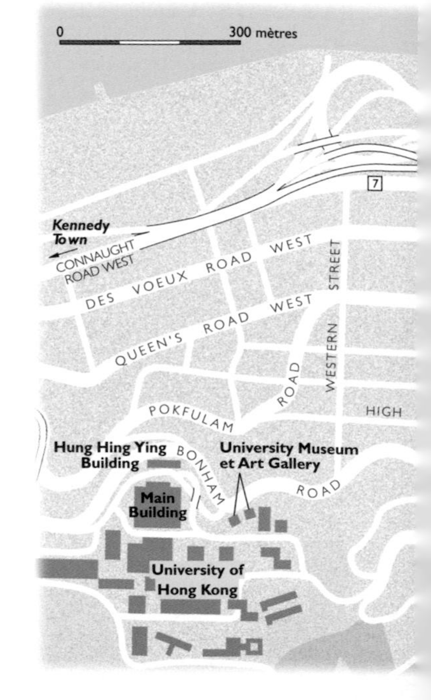

De solides vélos « Flying Pigeon » se frayent un passage dans les rues encombrées de Western pour livrer à domicile des paniers en osier débordant de marchandises. Des vieilles femmes ratatinées poussent des chariots chargés de cartons et de métaux recyclables, des porteurs musclés propulsent leurs véhicules à vive allure, tandis que des tramways aux couleurs vives font retentir leurs sonnettes.

Au cœur de cette atmosphère bruissante d'activité, le quartier séduira les amateurs de shopping. Hollywood Road et les rues latérales sont bordées de brocanteurs proposant vraies et fausses antiquités, de vendeurs de tapis et de soieries, de galeries d'art et de magasins exigus regorgeant de bric-à-brac bon marché. C'est un endroit idéal pour se procurer un exemplaire du *Petit Livre rouge* de Mao Zedong (1893-1976), ainsi que toutes sortes d'objets en rapport avec l'ancien dirigeant communiste chinois. ■

Bâti avant l'arrivée des Britanniques en 1841, le temple de Man Mo, à Western, est le plus ancien lieu de culte de Hong-Kong.

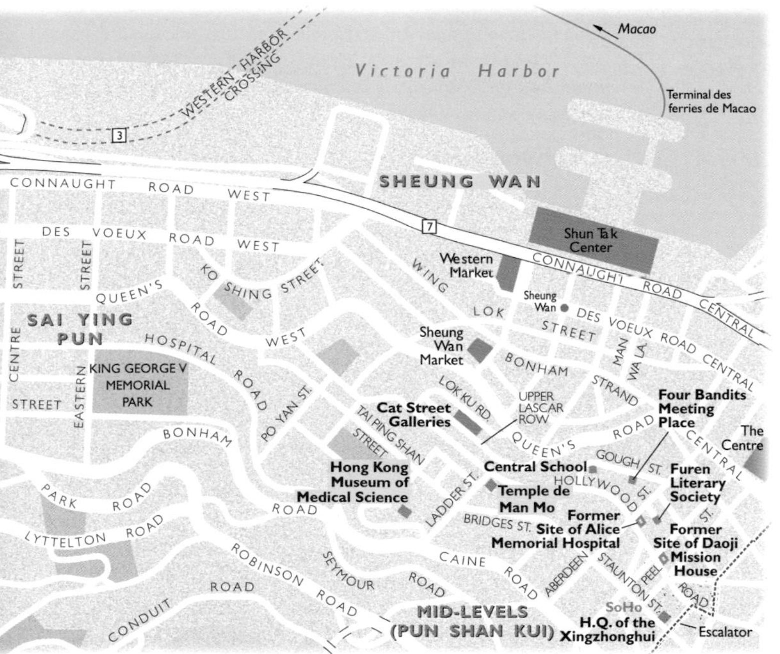

Cat Street, à Western, accueille un véritable marché aux puces regorgeant de bric-à-brac et d'antiquités.

Le quartier de Western

WESTERN EST SOUVENT APPELÉ LE « CHINATOWN » DE HONG-KONG. Le surnom peut sembler absurde sur ce territoire où 98% de la population est chinoise, mais il n'est pas tout à fait faux. Avec son dédale de ruelles étroites, ses vieux bâtiments, ses trottoirs fourmillant de monde et le bourdonnement incessant de son activité commerçante, le quartier déborde de pittoresque.

Cat Street Galleries
- Plan p. 73
- 38 Luk Ku Rd., Sheung Wan
- 2543-1609
- Bus : 26

HOLLYWOOD ROAD

Tracée à flanc de colline au-dessus de Western, en 1844, pour installer le régiment britannique, Hollywood Road doit son nom aux houx (*holly wood tree*) qui bordaient jadis la rue. Descendant en zigzags depuis Central jusqu'à Queen's Road West, au cœur de Sheung Wan, elle se prête à une agréable promenade.

Dans la rue et ses alentours se tiennent des dizaines de boutiques d'antiquités (attention ! les marchandises ne sont pas toujours authentiques) et des magasins vendant des bouteilles de tabac à priser, des tapis, des cages à oiseaux, des sceaux, des peintures et des théières.

La plupart des magasins qui jalonnent la partie est de Hollywood Road s'adressent aux vrais collectionneurs. Plus à l'ouest, les boutiques exposant dans leurs vitrines des marchandises coûteuses cèdent la place à des maisons de commerce plus modestes. Celles-ci vendent et fabriquent des bibelots, des cercueils, des ornements funéraires et des reproductions d'antiquités.

AU-DELÀ DE HOLLYWOOD ROAD

En face du temple de Man Mo, à une rue au nord de Hollywood Road, Cat Street (Upper Lascar Row) était autrefois célèbre pour ses chambres de marins et ses maisons closes. Elle est bordée d'étals proposant bric-à-brac et fausses antiquités. Derrière Cat Street, à une rue plus au nord, Lok Ku Road abrite les **Cat Street Galleries**. Ces cinq étages d'antiquités et de souvenirs sont aménagés dans le Casey Building. À l'extrémité de Hollywood Road, continuez vers l'ouest et perdez-vous dans le labyrinthe de rues et d'allées des abords de Queen's Road West, dans le quartier de **Sai Ying Pun**. Vous aurez ici un aperçu étonnant du Hong-Kong d'antan, avec ses vieux bâtiments de quatre étages aux balcons décorés et ses allées piétonnes où se succèdent restaurants, minuscules ateliers d'artisans et magasins vendant des ailerons de requin, du poisson séché, du riz, du thé et des herbes chinoises. Des cordonniers, des graveurs de clés et des barbiers officient dans la rue.

SUN YAT-SEN HISTORICAL TRAIL

Ce circuit vous fait marcher sur les pas de Sun Yat-sen (1866-1925), qui vécut plusieurs années à Hong-Kong avant de fonder la République chinoise en 1912 (voir p. 33). Une plaque rouge donne des explications sur chaque site. Beaucoup ayant malheureusement été démolis au fil des ans, la promenade a perdu une partie de son intérêt. Elle vaut cependant la peine pour les rues animées, les marchés, les boutiques insolites et les ateliers d'artisans que l'on découvre en chemin.

Prenez le Central to Mid-Levels Escalator (voir p. 58) et descendez à Stanley Street, que vous suivrez vers l'est jusqu'au n°15. Ici se tient le **siège de la Xingzhonghui** (Association pour la renaissance de la Chine) fondée par Sun Yat-sen en 1895. C'est dans ce lieu qu'il prépara, avec ses collègues, la chute du gouvernement Qing.

Retournez à Hollywood Road et prenez-la vers l'ouest. Au n°59, près du carrefour avec Peel Street, se dresse la **Daoji Mission House** où Sun Yat-sen, qui était chrétien, assistait aux services religieux. Plus loin, à l'intersection avec Aberdeen Street, une autre plaque indique **l'Alice Memorial Hospital and Hong Kong College of Medicine** où il obtint son diplôme de médecine en 1892. Tournez à droite dans Aberdeen Street, puis encore à droite dans Pak Tze Lane. Un escalier mène à la **Furen Literary Society** où se réunissaient ses camarades révolutionnaires. Revenez dans Aberdeen Street, continuez à descendre la colline et prenez Gough Street à gauche. Au n°24, le **Four Bandits Meeting Place** est une boutique dont un étage était utilisé par Sun Yat-sen et d'autres révolutionnaires. Un peu plus loin à l'ouest, le bâtiment qui fait face au 51A Gough Street abritait la **Central School** où il fut scolarisé. ■

Des sceaux très travaillés peuvent être réalisés à la demande.

Les sceaux

Souvent en bois, parfois en pierre ou en jade, les sceaux sont des cachets dont la base porte un nom gravé en chinois. On les trempe dans l'encre avant de les appliquer sur un document pour y apposer sa signature. Employés à l'origine par les peintres pour signer leurs œuvres sur papier ou sur soie, ils sont toujours utilisés à Hong-Kong par les entreprises et les boutiquiers pour marquer leurs reçus, factures et autres documents. Si vous voulez en acquérir un, comme souvenir ou cadeau, rendez-vous à Man Wa Lane, dans le quartier de Sheung Wan. ■

Les boutiques de Sheung Wan vendent des poissons séchés et des herbes à usage médicinal.

Une promenade dans Sheung Wan

Sheung Wan, le Chinatown de Hong-Kong, permet de découvrir un pan intéressant de l'histoire du territoire. Plusieurs rues quelque peu raides jalonnent ce circuit. Mieux vaut effectuer le parcours dans la fraîcheur du petit matin – moment idéal pour voir un des quartiers les plus fascinants de Hong-Kong se préparer pour la journée.

Partez de la **Central Police Station** ❶ *(10 Hollywood Rd.)*. Cet imposant bâtiment bleu et blanc de quatre étages fut construit en 1919 dans le style néoclassique et agrémenté de colonnes à l'entrée, comme cela se faisait à Hong-Kong à l'époque. Le complexe accueille aujourd'hui le siège de la police hongkongaise à Central, mais un projet, dont les détails restent à établir, prévoit de récupérer pour un usage touristique les bâtiments historiques qui font partie du site.

Dirigez-vous vers l'ouest et arrêtez-vous pour visiter le **temple de Man Mo** ❷ (voir p. 78), le plus ancien lieu de culte de Hong-Kong qui occupe l'angle de Hollywood Road et de Ladder Street. Puis grimpez l'escalier abrupt de **Ladder Street** qui se trouve au croisement de Bridges Street. Admirez les volets, les balcons de bois et les sculptures travaillées de la plupart de ses maisons qui comptent parmi les plus anciennes du territoire. Tournez à droite pour rejoindre la **Chinese YMCA** ❸, une grande bâtisse en briques rouges alliant architecture européenne et chinoise. À l'extrémité ouest de Bridges Street, suivez l'allée jusqu'à Tai Ping Shan Street et le **Blake Garden** ❹ ; à côté de l'entrée du jardin, une plaque commémore l'épidémie de peste de 1894.

Suivez Tai Ping Shan Street à l'aspect délabré vers l'ouest jusqu'au **Kwong Fook I Tze** ❺, ou temple de Tai Ping Shan. Édifié dans les années 1850, il est doté d'une façade rouge en béton, dépourvue d'ornements religieux. La salle du fond renferme les tablettes ancestrales (voir encadré p. 162) des Chinois du continent morts à Hong-Kong. La salle de devant est dédiée au Bodhisattva Ksitigarbha dont la bénédiction permet aux esprits de reposer en paix.

À l'extrémité ouest de Tai Ping Shan Street, tournez à droite dans Po Yan Street vers Hollywood Road et les pelouses ombragées du **Hollywood Road Park** ❻. Ce dernier occupe le site de Possession Point où les

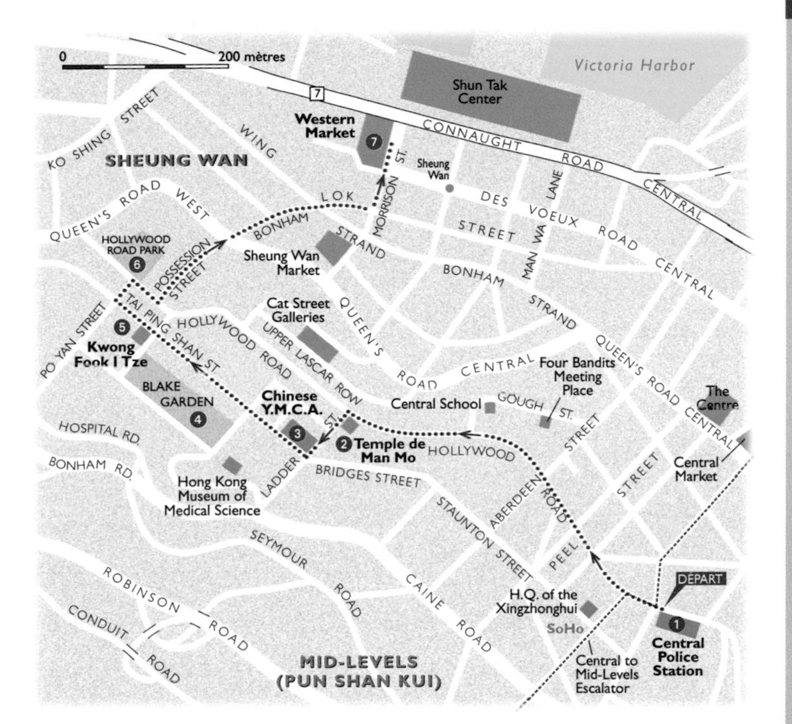

Britanniques plantèrent leur drapeau le 26 janvier 1841. Le parc est bordé à l'est par Possession Street, une rue piétonne fermée à la circulation où se bousculent rabatteurs et diseurs de bonne aventure. Prenez Possession Street au nord, franchissez Queen's Road West et suivez Bonham Strand, puis Morrison Street jusqu'au **Western Market** ❼. Bâti en 1906, cet impressionnant bâtiment édouardien, fut rénové en 1991. Des galeries commerciales vendent des tissus, de l'artisanat et des souvenirs. ■

Voir plan p. 72-73
➤ Central Police Station
1,6 km
1 heure 30
➤ Western Market

À NE PAS MANQUER

- Temple de Man Mo
- Ladder Street
- Western Market

Nombre de magasins d'antiquités, comme celui-ci, dans Cat Street, proposent des objets assortis d'un certificat d'authenticité.

Temple de Man Mo

LE TEMPLE DE MAN MO CONSTITUE L'UN DES PLUS ANCIENS ET, MALGRÉ SA taille modeste, l'un des plus importants lieux de culte de Hong-Kong. Man Mo (littéralement « courtoisie » et « militaire ») est dédié à deux divinités : Man, dieu des fonctionnaires et de la littérature, et Mo (ou Kuanti), dieu de la guerre et des arts martiaux. Le farouche Mo est également le saint patron des triades et de leur ennemi naturel, la police.

Man Mo Temple

- Plan p. 73
- Angle de Hollywood Rd. et Ladder St., Sheung Wan
- Don
- Bus : 26

On ignore la date exacte de l'édification du temple mais il était sans doute déjà bien établi lors de l'arrivée des Britanniques en 1841. Le site subit d'importants travaux de rénovation dans les années 1850.

À l'entrée, quatre plaques dorées sont attachées à des perches que l'on porte lors des processions. Deux d'entre elles décrivent les deux divinités, tandis que les deux autres requièrent le silence aux visiteurs et demandent aux femmes de ne pas entrer en période de menstruation.

À l'intérieur, la statue de Man, vêtue d'une robe rouge brodée, un pinceau de calligraphe à la main, se tient à droite de l'autel principal. À gauche, Mo, le visage rouge, habillé de vert et portant une coiffure en perles, brandit une grande épée.

Les murs sont décorés d'objets religieux. Des volutes de fumée d'encens s'échappent d'énormes spirales en forme de cône suspendues au plafond, tandis que des bâtonnets se consumant dans des pots en cuivre poli participent aussi à l'atmosphère enfumée. Les ampoules électriques de faible intensité, les cierges votifs tremblotants et les rayons de soleil donnent à la salle une ambiance irréelle.

Le temple renferme aussi deux cerfs de cuivre représentant la longévité. Près de l'autel principal, décoré avec recherche, sont posés deux palanquins qui servent à porter les divinités au moment des fêtes. Vous apercevrez également un petit autel dédié à Pao Kung, dieu de la justice, et des statues des Huit Immortels (êtres qui ont atteint l'immortalité et vivent dans les Montagnes Sacrées de Chine).

Du fait de sa situation centrale, le temple de Man Mo accueille un flot constant de touristes et de fidèles, mais reste à tout moment paisible et pittoresque. Comme dans beaucoup de temples hongkongais, il est de bon ton de laisser quelques pièces, une fois la visite finie. Une boutique attenante vend des souvenirs. ■

Les principales divinités

La religion chinoise (mélange de bouddhisme, de taoïsme et de confucianisme) possède plus de cent divinités. Certaines sont plus appréciées que d'autres et chacune vénérée pour ses qualités propres par différents segments de la population. Les étudiants honorent certains dieux considérés comme cultivés ; les boutiquiers, ceux qui peuvent leur apporter la richesse ; les pêcheurs, ceux qui les protègent contre les dangers de l'océan ; les malades, ceux qui rétablissent la santé.

Les principales divinités de Hong-Kong sont Tin Hau, reine du ciel et protectrice des marins ; Kwun Yam, déesse de la miséricorde ; Wong Tai Sin, garant de la prospérité ; Pak Tai, gardien de la paix et de l'ordre, et Kuanti (ou Mo), protecteur des soldats et des policiers. ■

Ci-contre : les immenses spirales d'encens qui pendent du plafond dans le temple de Man Mo peuvent brûler pendant des semaines.

Médecine traditionnelle chinoise

Entrer dans une pharmacie chinoise à Hong-Kong revient à visiter un musée d'histoire naturelle en miniature. Dans les tiroirs et les bocaux en verre s'aligne un assortiment prodigieux d'ingrédients : serpents, tortues, sauterelles, poissons séchés, cornes de rhinocéros, bois de cerf, testicules et pénis de divers animaux, sans parler des variétés d'herbes, racines, baies, plantes et champignons. Rares sont les animaux, les minéraux et les plantes à ne pas être utilisés dans la pharmacopée traditionnelle chinoise. Millénaire après millénaire, les Chinois ont recensé plus de 7 000 produits possédant des vertus curatives.

Les hippocampes séchés font partie des milliers de produits utilisés dans la pharmacopée chinoise.

Si les habitants de Hong-Kong et du reste de la Chine s'adressent généralement à un médecin de type occidental pour les maladies graves, ils préfèrent la médecine chinoise traditionnelle pour les problèmes mineurs et les soins préventifs. Une fois le diagnostic posé, le médecin chinois donne à son patient une ordonnance à faire préparer par un pharmacien. Celui-ci choisit les ingrédients nécessaires parmi les centaines de produits de sa boutique. Ces ingrédients sont bouillis et consommés par le malade sous forme de soupe.

Alors que la médecine occidentale se concentre sur le traitement de la zone affectée, la médecine chinoise traditionnelle privilégie l'équilibre du corps tout entier pour retrouver et garder la santé. Elle se fonde sur la force négative du yin, la force positive du yang et les cinq éléments naturels : métal, bois, eau, feu et terre.

Le corps humain est composé des forces antagonistes et complémentaires du *yin* et du *yang* : on tombe malade lorsque l'équilibre entre les deux est rompu. De même, il existe parmi les cinq éléments des interdépendances et des inter-restrictions qui déterminent leur état constamment changeant. Les cinq éléments correspondent au foie, au cœur, à la rate, aux poumons et aux reins. Par exemple, le foie est mis en relation avec le bois, qui peut être embrasé par le feu. Ainsi, une personne souffrant d'une maladie du foie se met facilement en colère. La maladie s'explique par les changements qui surviennent dans la nature. Pour rétablir l'équilibre affecté par la maladie, le médecin met l'accent sur le traitement du corps dans son ensemble. Il prête attention à la saison, à l'environnement et aux conditions de vie du patient. Deux personnes ayant la même affection peuvent se voir prescrire deux traitements différents, en fonction de leur état interne et des conditions externes.

Une autre théorie de la médecine chinoise traditionnelle s'appuie sur les méridiens – *jing* et *luo* –, à l'origine de traitements, comme l'acupuncture et la moxibustion (application de « moxa », feuilles d'armoise broyées et chauffées, sur les points d'acupuncture du corps). Les organes internes et les membres sont reliés par des méridiens qui permettent la circulation du sang et du *chi* (énergie vitale ou force de vie). Les principaux méridiens sont appelés *jing*, tandis que les ramifications portent le nom de *luo*. Tout blocage dans les uns ou les autres entrave la circulation du sang et du chi, nuisant à la santé de la personne. Éliminer ce blocage par le biais de l'acupuncture et de la respiration constitue l'étape première et fondamentale du traitement. ■

À droite (en haut et en bas) : la médecine chinoise traditionnelle jouit d'une grande popularité et des boutiques comme celle-ci, à Central, font des affaires florissantes.

University of Hong Kong

CETTE UNIVERSITÉ EST LA PLUS ANCIENNE ET LA PLUS PRESTIGIEUSE DU territoire. Son campus renferme plusieurs bâtiments imposants. Il abrite aussi l'un des musées les moins visités mais certainement le plus étonnant de Hong-Kong : la pièce maîtresse est une collection de croix nestoriennes en bronze provenant du nord de la Chine.

University of Hong Kong

Plan p. 72
94 Bonham Rd.
2241-5500
Bus : 3B, 23, 40, 40M, 43, 103
Minibus : 8, 10, 11, 22, 28, 31

Face au bâtiment principal de l'université, le **Hung Hing Ying Building** date de 1919. Cette structure de deux étages en briques rouges est dotée d'un immense dôme blanc et d'un grand portique à colonnades. De belle facture également, le **Main Building** (1912) possède des clochers à plusieurs niveaux coiffés d'une coupole et de colonnes romaines qui donnent un côté flamboyant à son architecture édouardienne. À l'extérieur du campus, University Hall bâti en 1861 dans un style mi-gothique, mi-Tudor servit de dortoir, de chapelle, de bibliothèque et d'imprimerie, avant que l'université en fasse l'acquisition en 1954.

Le Main Building de l'University of Hong Kong incarne l'élégance séculaire du campus.

UNIVERSITY MUSEUM ET ART GALLERY

Le musée occupe une plaisante bâtisse de style édouardien. La galerie d'art est logée dans un bâtiment attenant. Le 1er étage du musée renferme 467 croix nestoriennes en bronze, la plus grande collection du monde. Elles appartenaient à une secte chrétienne hérétique venue de Syrie en Chine sous les Tang (618-907). Datant de la dynastie Yuan (1277-1367), elles ne font que 2,5 cm et leur forme va du crucifix à la svastika. Le 1er étage accueille aussi des bronzes datant des dynasties Shang et Zhou (Xe-VIIIe av. J.-C.), des armes et des vases rituels. Vous y verrez une série de miroirs en bronze de l'époque des Royaumes combattants (475-221 av. J.-C.).

Les céramiques du 2e étage couvrent une période de 5 000 ans. Admirez la poterie néolithique peinte, les figurines et animaux en argile et les maisons funéraires à glaçure plombifère de la dynastie Han (206 av. J.-C.- 220). De même, vous verrez des objets cuits au four de l'époque Song (960-1279), des crachoirs de l'ère Sui (589-618) et de la poterie vernissée tricolore de la dynastie Tang. Parmi les œuvres récentes, mentionnons les statuettes de moines bouddhistes du début du XXe siècle et les poteries chinoises de Shiwan et Jingdezhen. La galerie d'art est consacrée aux peintres Ming, Qing et contemporains. Elle abrite également plusieurs expositions temporaires.

Les visiteurs peuvent boire une tasse de thé dans la réplique d'une maison de thé traditionnelle. ■

Les tramways de Hong-Kong

Le tramway, un mode de transport pittoresque.

UN TRAJET EN TRAMWAY EST UNE MANIÈRE IDÉALE ET AMUSANTE DE découvrir l'animation des rues qui émaillent la partie nord de l'île de Hong-Kong. Ces charmants véhicules à deux étages parcourent 14,5 km entre Kennedy Town, dans Western, et le vieux village de pêcheurs de Shau Kei Wan, à l'extrémité est de l'île. Sur leur chemin, ils traversent des zones résidentielles et des quartiers commerçants.

Le tramway hongkongais fut lancé en 1904 avec quelques craintes. On invoqua les difficultés de circulation dans les rues étroites et le sort des conducteurs de rickshaw qui allaient se trouver sans travail. Farouchement opposés au projet, les journaux de la colonie changèrent d'avis lors de l'inauguration, à l'image du *Hong Kong Daily Press*, qui écrivit : « Le trajet a été au moins trois fois plus rapide qu'avec le meilleur rickshaw, à l'étonnement des spectateurs chinois et au désespoir des conducteurs de rickshaw. »

Le tronçon le plus intéressant suit les rues bondées de piétons de Western pour rejoindre les tours étincelantes de Central. Montez au terminus de Kennedy Town et placez-vous à l'étage, sur le siège avant, pour profiter du meilleur panorama. Le tramway passe près du port en empruntant Connaught Road jusqu'à Western Market, avant d'obliquer au sud vers Des Voeux Road, puis Central. Vous pouvez faire le trajet en sens inverse, entre Des Voeux Road Central (devant le Hongkong Bank Building) et Kennedy Town ou Western Market.

Le billet ne coûte que 25 cents. Entrez à l'arrière du véhicule et déposez la somme dans une boîte, lors de la descente. Hong Kong Tramways modernise progressivement sa flotte : saisissez l'occasion d'emprunter les vieux véhicules avant qu'ils ne disparaissent. Vous pouvez louer des tramways privés décorés à l'ancienne avec une profusion d'éléments en teck rutilant. ■

Hong Kong Tramways

50 B1

Whitty St. Tram Depot, Connaught St.

2548-7102

À l'est de Central

Les quartiers situés juste à l'est de Central représentent la quintessence de Hong-Kong. Modernité et traditionalisme cohabitent en un contraste saisissant ; les tours de verre et d'acier qui bordent le port cèdent la place à des rues animées, jalonnées de magasins, d'étals et de marchés. Les centres culturels et les salles de théâtre côtoient des bars à hôtesses sinistres. Ici se masse une foule dense, attirée par les centres commerciaux modernes, les magasins discount et l'un des hippodromes les plus célèbres du monde.

À Wan Chai, le tramway qui longe Hennessy Road et Johnston Road opère une séparation entre le moderne et l'ancien. Au nord, du côté du port, s'élèvent les gratte-ciel construits pour compenser les loyers élevés de Central. Au sud de la voie, les piétons se bousculent sur les trottoirs des rues étroites et bondées qui serpentent le long d'innombrables immeubles et maisons de commerce. Un trajet en tramway, à l'étage, est le meilleur moyen de profiter de cette animation.

À côté de Causeway Bay et de Victoria Park s'étend un quartier de commerces, de loisirs et d'habitations florissant. Il se caractérise par sa foule permanente, ses grands centres commerciaux, ses restaurants, ses marchés et ses magasins à bas prix. L'endroit est plus propice au shopping que Tsim Sha Tsui (voir p. 122-123).

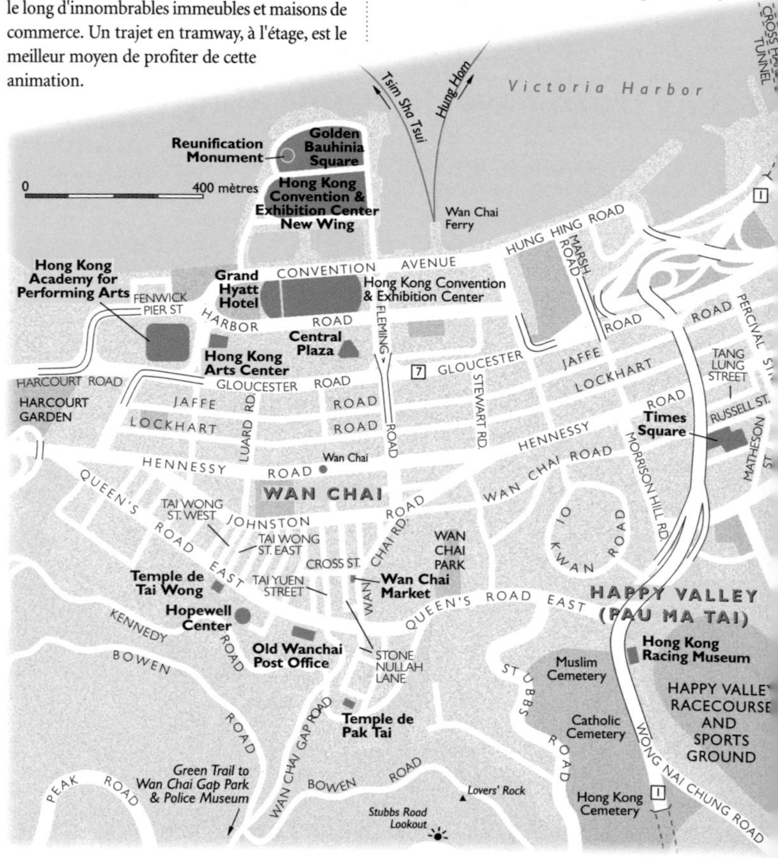

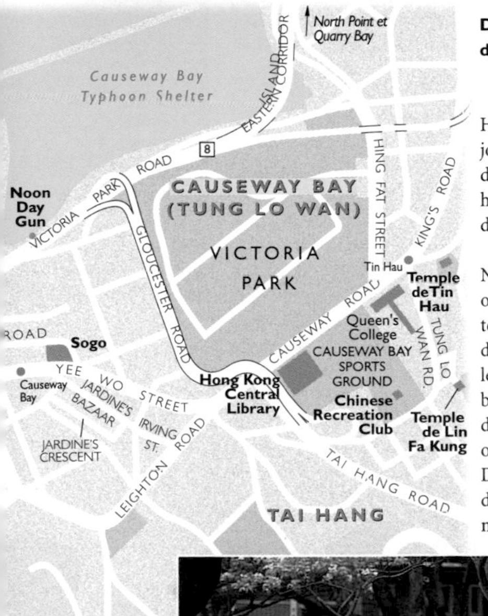

De vieux sampans et des yachts luxueux dans le Causeway Bay Typhoon Shelter.

La pittoresque Happy Valley abrite le Happy Valley Racecourse, qui est investi les jours de courses par des dizaines de milliers de parieurs passionnés. Une soirée sur cet hippodrome est une étape incontournable d'un séjour à Hong-Kong.

Plus loin à l'est, les zones résidentielles de North Point, Quarry Bay et Wan Chai offrent peu de sites intéressants pour le visiteur. Cependant, elles donnent un aperçu des conditions de vie des Hongkongais, avec leurs centaines de tours d'habitation, dont beaucoup dépassent les 40 étages, dressées dans l'étroite partie est de l'île. À la pointe orientale, le Hong Kong Museum of Coastal Defense est un peu excentré. Il mérite le détour, car il permet de découvrir le passé maritime mouvementé du territoire. ■

Le splendide Victoria Park est l'une des oasis de Hong-Kong.

Wan Chai

WAN CHAI, L'UN DES QUARTIERS LES PLUS CÉLÈBRES DE HONG-KONG, doit sa réputation sulfureuse à ses bars et maisons de passe jadis fréquentés par les soldats américains en permission pendant la guerre du Vietnam, dans les années 1960 et au début des années 1970. Même si le temps a tempéré cette image tumultueuse, la vie nocturne de Wan Chai est toujours animée. C'est également un quartier résidentiel et commerçant dynamique, de même qu'un centre d'affaires où Hong-Kong se révèle dans toute sa vitalité.

Le quartier peut se diviser en trois parties. Entre Victoria Harbor sur le front de mer et Hennessy Road se dressent les gratte-ciel et les centres commerciaux de Wan Chai North, bâtis pour la plupart dans les années 1980 et 1990. Au sud, la zone située entre Hennessy Road et Queen's Road East regroupe des rues étroites et des allées bordées d'immeubles d'habitation, d'ateliers et de magasins d'artisans, de marchés et de petits temples. À partir de Queen's Road East, rues et chemins grimpent la colline pour s'élever vers des zones résidentielles chic, jouissant de points de vue panoramiques.

WAN CHAI NORTH

Pour démarrer, allez au **Grand Hyatt Hotel** *(1 Harbor Rd., tél. 2588-1234)* et admirez l'opulence Art déco de son magnifique hall en marbre et granit. De là, rejoignez le front de mer et l'impressionnante **Hong Kong Convention and Exhibition Center New Wing** (*tél. 2582-2888*), construite sur un espace de 6,5 ha gagné sur la mer devant le palais des congrès d'origine. Avec son élégant toit en forme d'aile et ses murs vitrés de cinq étages offrant une vue dégagée sur le front de mer de Wan Chai et de Central, c'est l'un des bâtiments phares de la ville. Achevé en 1997, il accueillit la cérémonie de rétrocession de Hong-Kong. Cet événement est commémoré par le **Golden Bauhinia Square**, situé au bord de l'eau, juste à droite en quittant le centre, et le **Reunification Monument** à gauche. Ces deux sites sont très photographiés par les visiteurs du continent. On trouve plusieurs restaurants et cafés donnant sur le port.

Derrière le palais des congrès, le **Central Plaza** (*18 Harbour Rd.*) est, avec ses 374 m et ses 78 étages, la plus haute tour de Hong-Kong. Sa façade aux panneaux de céramique argent et or reflète les rayons de soleil, donnant un aspect étincelant à l'ensemble. Au rez-de-chaussée, des colonnades en marbre mènent à un vaste hall également habillé du même matériau. Le Sky Lobby, au 47e étage, bénéficie d'un point de vue imprenable sur Kowloon, par-delà Victoria Harbor.

Suivez les passerelles au sud jusqu'à **Lockhart Road**. Cette artère fut jadis fréquentée par les soldats américains et autre personnel militaire en quête de distractions. Elle tomba en déclin dans les années 1980, puis reprit vie dans les années 1990 avec l'ouverture de restaurants, bars et discothèques branchés. On trouve encore de nombreux établissements louches, surtout des bars à hôtesses, à éviter du fait de leurs prix excessifs et des risques de vol.

AU SUD DE HENNESSY ROAD

Au sud de Hennessy Road et de Johnston Road, Wan Chai adopte une physionomie plus traditionnelle, avec quantité de petites rues à explorer. Le marché aux oiseaux de **Tai**

Derrière le Convention Center et son rideau de verre, Central Plaza domine de sa hauteur la ligne d'horizon de Wan Chai.

Wong Street West vend des cages en bambou, dotées pour certaines d'un toit en forme de pagode et de dragons gravés. Vous pourrez acheter de minuscules bols à eau en porcelaine. À l'angle de Tai Wong Street East et Queen's Road East, les diseurs de bonne aventure attendent le client dans le **temple de Tai Wong**, ou temple de Hung Shing. Bâti vers 1847, il honore Hung Lei, vertueux fonctionnaire de la dynastie Tang qui encouragea l'étude de l'astronomie, de la géographie et des mathématiques.

À un bloc à l'est, le long de Queen's Road East, dépassez les fabricants de meubles. Vous arriverez au **Hopewell Center** (*183 Queen's Rd. East, tél. 2527-7292*), jadis le bâtiment le plus élevé de Hong-Kong. Ses ascenseurs extérieurs semblables à des bulles de verre mènent au restaurant tournant du dernier étage d'où l'on jouit d'une vue magnifique sur le port et le Victoria Peak.

Parcourez un bloc vers l'est pour gagner l'**Old Wanchai Post Office** (*221 Queen's Rd. East, tél. 2893-2856, fermée mer.*). Cette bâtisse de 1912, blanchie à la chaux, abrite l'Environmental Resource Center. Cette organisation gouvernementale vous renseignera sur les mesures de sauvegarde et de préservation de l'environnement du territoire.

Franchissez Queen's Road East et perdez-vous dans **Tai Yuen Street**. Cette rue regorge de magasins vendant des poissons rouges, des aquariums et des herbes chinoises. Regardez les vendeurs de serpents qui préparent leurs produits pour la cuisson en les battant contre le trottoir.

L'une des nombreuses boutiques d'herbes médicinales de Wan Chai.

Bien des marchands, occupant jadis cette rue et la rue transversale, Cross Street, se sont repliés sur le vaste **Wan Chai Market**, à l'angle de cette dernière et de Wan Chai Road.

AU SUD DE QUEEN'S ROAD

À une rue à l'est du bureau de poste, remontez Stone Nullah Lane à droite jusqu'au **temple de Pak Tai**. Bâti en 1863, ce temple ombragé de banians a trois salles. Il abrite une statue en cuivre de Pak Tai, Suprême Empereur du Ciel noir, haute de 3 mètres et fabriquée à Guangzhou en 1604. Une seconde statue de Pak Tai porte une barbe de crin noir. Les fidèles font brûler des offrandes de papier et de bambou pliées en forme d'avion, de voiture et de maison.

Retournez à la poste pour gagner le point de départ du **Wan Chai Green Trail** qui grimpe à travers une jolie forêt sur 1,6 km jusqu'au **Wan Chai Gap Park**. La vue est splendide mais la montée peut être rude. Sinon, prenez le bus 7 ou le minibus 15 à Central, pour rejoindre le haut de Wan Chai Gap Road. Puis descendez à pied jusqu'au parc, au coin de Bowen Road, et suivez le sentier en sens inverse. Avant d'entamer la descente, arrêtez-vous au **Hong Kong Police Museum**. Ses quatre galeries renferment une intéressante collection de pièces diverses : la tête du « tigre de Sheung Shui », abattu en 1915 après avoir dévoré un policier, des armes, des uniformes, la reconstitution d'une fabrique d'héroïne et une galerie sur les infâmes triades qui dirigent la pègre hongkongaise.

En descendant Wan Chai Gap Road, prenez à droite dans Bowen Road. À l'origine, cet ancien aqueduc alimentait Central depuis le Tai Tam Reservoir (voir p. 102) pour rejoindre **Lovers' Rock**, rocher de forme phallique dressé sur un escarpement. Le 6e, 16e et 26e jour de chaque mois lunaire, des centaines de femmes viennent prier en vue d'obtenir un mariage heureux pour elles et leurs enfants. Elles brûlent également des bâtons d'encens, placent des moulins en papier dans des bacs à sable, suspendent des bouteilles de vin à un arbre proche et se font prédire l'avenir par des diseurs de bonne aventure. De là, le panorama sur Wan Chai et Happy Valley est spectaculaire. ■

Hong Kong Police Museum

- Plan p. 84
- 27 Coombe Rd. (à l'angle de Peak, Stubbs et Wan Chai Gap Rds.)
- 2849-7019
- Femé lun., mar. matin
- Bus : 1, minibus : 15

Happy Valley

Le quartier résidentiel de Happy Valley remonte à la fondation de la colonie de Hong-Kong dans les années 1840. Le choix de ce site s'avéra désastreux. Les soldats britanniques cantonnés ici moururent en masse du paludisme. Les premiers colons délaissèrent la zone au profit des hauteurs de Central, avant que les marais infestés de moustiques ne soient asséchés et qu'un hippodrome ne soit construit.

Happy Valley est synonyme de sport hippique depuis la première course disputée en 1845.

Les Hongkongais donnent libre cours à leur passion pour le jeu et les paris hippiques au **Happy Valley Racecourse** (*tél. 2966-8345*) où des courses sont organisées depuis décembre 1845. Le mercredi soir et le samedi de mi-septembre à juin, jusqu'à 40 000 personnes se massent ici, le visage marqué par la joie ou la déception, tandis que des millions de dollars changent de mains.

Présentez votre passeport au Badge Office, à l'entrée principale du Members Enclosure. Vous obtiendrez un badge touristique de 50 $HK qui vous donnera accès aux restaurants, aux bars et aux tribunes. Le Come Horseracing Tour, qui est organisé par le Hong Kong Tourism Board (*Hong Kong Tourism Board Visitors Hotline, tél. 2508-1234*), comprend le transport, le dîner et une place dans le Visitors' Box.

Doté de huit galeries et d'une salle de cinéma, le **Hong Kong Racing Museum** est le lieu idéal pour se plonger dans l'histoire du sport hippique à Hong-Kong.

Face à la tribune principale, dans Wan Nai Chung Road, se trouvent plusieurs cimetières (*fermés au crépuscule*) : un **catholique**, un **musulman** et le **Hong Kong Cemetery**, le plus vaste et le plus intéressant où reposent colons protestants, missionnaires, soldats, marchands et fonctionnaires de nationalité russe, allemande, américaine, britannique ou française emportés tragiquement par le paludisme, le choléra et la dysenterie ou, pour les femmes, mortes en couche. ■

Hong Kong Racing Museum

- Plan p. 84
- 2/F Happy Valley Stand
- 2966 8065
- Fermé lun.
- Happy Valley Tram

Les courses de chevaux

Les Hongkongais suivent les courses hippiques avec une passion sans égal. Le mercredi soir et le samedi (parfois le dimanche également), entre mi-septembre et juin, ils sont des dizaines de milliers à envahir les hippodromes de Happy Valley et de Sha Tin. Les amateurs qui ne peuvent se rendre sur place vont parier dans les bureaux gérés par le Hong Kong Jockey Club qui compte plus de 125 officines.

Dans les bars, les parcs et les restaurants, les joueurs étudient les pronostics à la loupe. Dans les taxis, la radio est branchée sur les courses. À la télévision, les émissions de retransmission en direct enregistrent des audiences record. Plus de 550 000 personnes détiennent un compte de pari par téléphone et le nombre de paris placés à chaque rencontre atteint le chiffre stupéfiant de six millions, soit près d'un par Hongkongais.

Cette ferveur tient plus à l'amour du jeu qu'à l'amour des sports équestres. Les courses de chevaux et la loterie Mark Six sont les seules formes de jeu légales sur le territoire. Le Hong Kong Jockey Club, organisation de tutelle des courses hippiques et plus importante association de bienfaisance de Hong-Kong, propose de nombreux types de paris pour inciter les amateurs à dépenser leur argent et, pour les plus chanceux, à gagner gros. L'argent perdu par les turfistes finance des programmes caritatifs. Certains paris « locaux », comme le double quinella, le tiercé, le triple tiercé et le six-up peuvent rapporter des centaines de milliers de dollars pour une faible mise. Chaque saison, les turfistes dépensent quelque 13 milliards de dollars américains, la somme la plus élevée au monde en matière de courses hippiques.

Le sport est presque aussi ancien que la colonie elle-même. La première course s'est tenue en 1845 à Happy Valley sur le site d'un hippodrome conquis sur un marais asséché. Durant les premières années de courses, les montures étaient des chevaux arabes, des chevaux de chasse et de cavalerie. Bientôt apparurent des poneys mongols, petits mais robustes, qui dominèrent le sport pendant près d'un siècle.

Dans les années 1850, un reporter du *Times* de Londres en visite à Hong-Kong écrivit : « Aucun Londonien ne peut imaginer l'effervescence que suscite dans l'île la semaine des courses [...] Véhicules, cavaliers et piétons prennent d'assaut le kilomètre et demi de route qui sépare Happy Valley de la ville de Victoria [...] »

Le mercredi soir, jusqu'à 40 000 spectateurs se bousculent dans les tribunes de Happy Valley (voir p. 89). Sur l'hippodrome plus vaste de Sha Tin (voir p. 176), ouvert en 1978, les amateurs sont parfois 75 000. Les parieurs ont accès à des installations luxueuses et une technologie dernier cri, notamment des guichet automatisés, un écran vidéo géant indiquant les cotes et d'immenses écrans de 20 mètres sur 6 où sont diffusés courses, ralentis et pronostics.

De même, les chevaux jouissent d'un sort tout à fait enviable. Entre les épreuves, ces élégants et coûteux purs-sangs se reposent, sur fond de musique douce, dans des écuries climatisées, dotées de piscine. ■

Ci-dessus : le Sha Tin Racecourse date de 1978. À droite : chevaux à l'entraînement dans un espace exigu. Ci-dessous : la lecture du programme des courses, un rituel incontournable.

Yachts de luxe et autres bateaux se pressent dans le Causeway Bay Typhoon Shelter.

Causeway Bay

APPELÉE EN CHINOIS TUNG LO WAN (« BAIE DU GONG DE CUIVRE »), Causeway Bay fut l'une des premières zones d'habitation de la colonie. Cette baie alors très découpée était un havre pour les bateaux de pêche. C'est sur ce site que les *hongs* (sociétés commerciales) bâtirent leurs *godowns* (entrepôts). Néanmoins, les programmes de mise en valeur du sol, entrepris dans les années 1950, contribuèrent à aplanir le littoral.

Causeway Bay
Plan p. 85

Victoria Park
Plan p. 85

Le « hong princier » – Jardine, Matheson & Company (voir p. 30) – acheta des terres, bâtit des bureaux et des logements, et s'imposa comme la principale entreprise marchande de la colonie. De nombreux noms de rues rappellent sa présence ici. **Jardine's Bazaar**, ancien marché créé pour les employés de la société, est bordé de magasins d'alimentation, de commerces à l'ancienne, de boutiques de nouilles et de cafés végétariens. Dans **Jardine's Crescent**, des étals vendent des habits bon marché.

Suivez Jardine's Crescent jusqu'à Irving Street. Traversez le pont piétonnier vers Tung Lo Wan Road qui suit le tracé original du littoral, en laissant derrière vous le **Chinese Recreation Club** (*123 Tung Lo Wan Rd., tél. 2577-7376*). Derrière se tient le **Causeway Bay Sports Ground** (*tél. 2890-5127*) dont l'angle nord-est est occupé par la Central Library. Juste après le terrain de sport, une petite allée à droite, Lin Fa Kung Street, mène au **temple de Lin Fa Kung** de 1864, dédié à la déesse de la miséricorde. Notez les motifs d'oiseaux et de fruits de couleurs vives qui ornent ses murs extérieurs.

Tung Lo Wan Road continue vers l'est en formant une boucle. Passez devant les cafés shanghaiens, musulmans et végétariens, les églises et le Queen's College pour rejoindre l'artère de Causeway Road et la Tin Hau Temple Road. Suivez cette dernière sur une courte distance jusqu'à la jonction avec Dragon Road et un

temple de Tin Hau. Dédié à la reine taoïste du ciel et protectrice des marins, il fut bâti il y a 200 ans sur une plate-forme de pierre surélevée. Avant la mise en valeur de la baie, ce minuscule temple se trouvait au bord de l'eau.

Tin Hau

Tin Hau, reine du ciel et protectrice des marins, était la fille d'un haut fonctionnaire de la province du Fujian au Xe siècle. On lui prêtait un grand savoir et la capacité de guérir les maladies et de prévenir les marins des dangers imminents. À sa mort, on lui éleva un temple et son culte se propagea le long de la côte chinoise.

Tin Hau est l'une des principales divinités de Hong-Kong et les régions peuplées par les pêcheurs comptent des dizaines de temples en son honneur. Si tous furent bâtis près de l'eau, beaucoup se trouvent maintenant à l'intérieur des terres, conséquence des programmes de poldérisation. ■

De là, retournez à Causeway Road vers le **Victoria Park** (*tél. 2570-6186*), le plus vaste espace public de Hong-Kong, baptisé en l'honneur de la reine Victoria. Une statue à son effigie trône dans le parc, le visage sévère, face à

De l'encens brûle dans un temple en l'honneur de Tin Hau, protectrice des marins.

Causeway Road. Très apprécié le matin par les amateurs de *tai chi*, le parc compte des courts de tennis, une piscine, des aires de jeu pour les enfants, un café, des terrains de boules et de football, ainsi que des espaces pour les rollers. Un marché aux fleurs animé s'y installe durant le Nouvel An chinois, tandis que la fête de la Mi-Automne (voir p. 48) attire des milliers de personnes.

À la sortie nord-est du parc, une passerelle mène à une promenade au bord de l'eau. Des jonques, des sampans et les luxueux yachts du Hong Kong Yacht Club tout proche se blottissent dans le **Causeway Bay Typhoon Shelter**. Cet abri protégé par une digue de rochers sert de refuge aux bateaux en cas de typhon. Suivez la promenade à l'ouest jusqu'au **Noon Day Gun** de Jardine Matheson, immortalisé par l'humoriste britannique Noel Coward dans sa chanson de 1924, *Mad Dogs and Englishmen*, satire des colons qui s'aventurent dehors avec imprudence dans la chaleur de la journée.

Au XIXe siècle, la société Jardine provoqua la colère d'un officier de marine britannique en accueillant les navires à coup de canon. En guise de punition, il dût donner quotidiennement le signal de l'embarquement. Tous les jours à midi, on perpétue la tradition en faisant sonner un clocher et tonner le canon.

À côté du canon, un passage souterrain traverse Gloucester Road. Prenez à l'ouest et tournez à gauche dans Percival Street, que vous suivrez en franchissant Hennessy Road menant à Russell Street. Vos pas vous conduiront jusqu'à **Times Square**, célèbre pour son écran vidéo extérieur géant, ses horloges qui carillonnent, ses food halls, ses restaurants et ses boutiques chic.

Les centres commerciaux et les boutiques d'électronique et de vêtements d'ici offrent de meilleures affaires que Tsim Sha Tsui. La principale zone commerçante se situe aux alentours de Lockhart Road et de Yee Wo Street et comprend le grand magasin japonais **Sogo**. ■

Le célèbre Noon Day Gun tonne tous les jours de l'année.

Hong Kong Museum of Coastal Defense

Reflétant la longue histoire de la défense côtière, le musée occupe une ancienne redoute navale.

L'HISTOIRE DE LA DÉFENSE CÔTIÈRE DE HONG-KONG EST ILLUSTRÉE DANS ce merveilleux musée perché sur un promontoire à la pointe nord-est de l'île. Il fut aménagé sur le site de l'ancien fort de Lei Yue Mun, construit par la British Navy en 1887 pour défendre les voies d'accès orientales vers le Victoria Harbor.

Quel meilleur endroit, pour un musée de la défense côtière, qu'un lieu qui servait autrefois cet objectif ? Le musée fut achevé en 1999, sa partie principale occupant une redoute superbement restaurée, point fort des anciennes fortifications de Lei Yue Mun. Un circuit à vocation historique descend de la redoute par des tunnels. Il vous fera découvrir des dépôts de munitions et des *caponiers* (bunkers), des fossés défensifs, de nombreux emplacements de canons partiellement restaurés et d'autres fortifications.

La redoute se situe au point le plus élevé du fort, à l'extrémité est. Prenez l'ascenseur dans le hall près de l'entrée de l'enceinte. Vous passerez sur un pont étroit, qui offre un point de vue splendide sur le port, pour atteindre l'entrée principale du bâtiment. Les expositions sont aménagées dans d'anciens baraquements, salles des moteurs, magasins de canons, dépôts d'obus et de cartouches, qui entourent une vaste cour de rassemblement. De là, un escalier mène à une galerie supérieure.

L'exposition permanente, intitulée « 600 ans de défense côtière à Hong-Kong », suit une présentation chronologique au cœur d'une succession de petites galeries, chacune consacrée à une époque donnée.

Après l'**Orientation Gallery**, juste à l'entrée, vous parviendrez à la **Ming Period Gallery** (1368-1644). Elle présente des armures portées par les officiers de haut rang

Hong Kong Museum of Coastal Defense

- 51 G2
- 175 Tung Hei Rd., Shau Kei Wan
- 2569-1500
- Fermé jeu.
- €
- MTR : Sha Kei Wan, sortie B

Les armes de guerre, les uniformes et les photographies anciennes exposés au musée font découvrir la riche histoire maritime de Hong-Kong.

de l'époque, notamment des manteaux en satin bleu, des cottes de maille, ainsi que des tuniques arborant de petites plaques de métal cousues dans la doublure. Des pièces similaires sont exposées dans la **Qing Period Gallery** (1644-1911), de même que des arcs et des pointes de flèches décorées.

Passez ensuite à la visite de la **First Opium War Gallery** (1840-1842) qui renferme une collection de pipes à opium et une maquette du navire britannique Nemesis face à une jonque de guerre chinoise. Un diorama détaille la bataille de Shajio, à Humen, qui se déroula dans l'estuaire de la rivière des Perles, en janvier 1841, et se solda par la victoire du 37th Madras Native Infantry sur la garnison chinoise. Vous pourrez voir également une copie du fameux traité de Nankin, aux termes duquel Hong-Kong fut cédée aux Britanniques le 29 août 1842. Un court documentaire retrace la guerre de l'opium.

La **British Period Gallery** (1841-1860) possède de nombreuses armes et une maquette détaillée de Murray House (voir p. 106), premier bâtiment militaire édifié à Hong-Kong (1846). Deux salles adjacentes forment la seconde **British Period Gallery** (1861-1941) qui donne à voir des uniformes militaires, des épées, des armes à feu et de vieilles photographies. Un diorama grandeur nature présente un soldat britannique du XIXᵉ siècle dans une caserne typique de l'époque.

La **Battle for Hong Kong Gallery** (décembre 1941) expose des armes et des médailles. Elle diffuse un excellent documentaire audiovisuel consacré à l'invasion japonaise, avec des images d'époque soulignant la bravoure des troupes britanniques et canadiennes inférieures en nombre. Dans la **Japanese Occupation Gallery** (1941-1945), le visiteur peut, grâce aux téléphones, écouter de poignants témoignages évoquant la souffrance des habitants de Hong-Kong.

La **Volunteers Gallery** (1854-1995) retrace l'histoire des Hong Kong Volunteers, ou Royal Hong Kong Defense Force, depuis leur formation comme auxiliaires de l'armée britannique jusqu'à leur démantèlement en 1995, date à laquelle ils étaient presque entièrement composés de Chinois de Hong-Kong. Vous pourrez voir ici un diorama grandeur nature d'un poste de mitrailleuse de la Deuxième Compagnie des Hong Kong Volunteer Defense Corps.

Quelque peu décevante, la dernière galerie, la **Hong Kong Garrison of the PLA**, présente des uniformes, un drapeau chinois sans importance historique, deux maquettes de navires et une exposition historique complaisante.

À l'étage, le **Coastal Defense Weapons Theater** passe un court documentaire sur la défense côtière de Hong-Kong. À l'extérieur, observez les emplacements de canons et les tunnels menant au North Caponier avant de regagner l'entrée par le Historical Trail. ■

Des acteurs interprètent une adaptation chinoise de la pièce anglaise *The Rivals* à l'Academy of Performing Arts, grande salle de théâtre et de danse.

Autres sites à visiter

HONG KONG ACADEMY FOR PERFORMING ARTS

Fondée par le Hong Kong Jockey Club (voir p. 90) en 1985, l'académie est à la fois un centre de formation et l'une des principales salles de théâtre et de danse du territoire. Elle comprend un **théâtre lyrique** doté de 1 200 places, une salle de théâtre plus petite, une salle de concert où se produisent les groupes instrumental et choral, une salle de récital, un studio et un théâtre en plein air aménagé dans les jardins attenants. L'académie propose également des cours de danse, de théâtre, de musique, d'arts techniques et de télévision. De même, elle organise régulièrement des spectacles.

Plan p. 84 1 Gloucester Rd.
2584-8500 MTR : Wan Chai

HONG KONG ARTS CENTER

Faisant face à l'Academy for Performing Arts, ce centre date de 1977. Il fut le premier établissement polyvalent, destiné à soutenir les groupes artistiques locaux et à encourager et promouvoir diverses disciplines à Hong-Kong. On mentionnera ainsi les arts visuels, les arts de la scène, le cinéma, la vidéo et les médias. De nombreux spectacles, expositions, concerts, séminaires et festivals cinématographiques se tiennent ici. Le centre possède plusieurs salles d'exposition, dont les imposantes galeries Pao Sui Loong et Pao Yue Kong, aux 4e et 5e étages. Elles présentent les œuvres d'artistes contemporains locaux et internationaux dans le domaine de la peinture, du graphisme, de la sculpture, de la photo, de l'artisanat et de la calligraphie. Le sous-sol abrite le Lim Por Yen Film Theater, le cinéma d'art et d'essai le plus actif de Hong-Kong, et le Shouson Theater dédié au théâtre, à la danse, aux concerts et aux films.

Plan p. 84 2 Harbour Rd.
2582-0200 MTR : Wan Chai

HONG KONG MUSEUM OF MEDICAL SCIENCE

Installé dans l'ancien Pathological Institute de style édouardien, qui fut fondé en 1906 pour lutter contre l'épidémie de peste bubonique qui s'était déclarée dans la colonie en 1894, voici un musée fascinant, quoique parfois morbide. Niché dans une petite rue à l'écart de Mid-Levels, il retrace l'histoire des sciences de la médecine à Hong-Kong à travers une salle d'autopsie, un laboratoire équipé de matériel ancien et d'autres salles consacrées à la dentisterie et à la radiologie. Une exposition particulièrement intéressante compare la médecine chinoise traditionnelle et occidentale, et fournit des informations sur l'acupuncture et les herbes médicinales.

Plan p. 73 2 Caine Lane, Mid-Levels 2549-5123 Fermé lun. € Bus : 26 de Central au temple de Man Mo, puis prendre Ladder St. jusqu'à Caine Lane

JAMIA MOSQUE

Dans un jardin calme et frais, entouré de tours, la Jamia Mosque se tient en haut d'une volée de marches, derrière un portail en fer forgé de belle facture. Une première mosquée fut bâtie en 1849, puis reconstruite et agrandie en 1915. Les musulmans du Penjab, dont beaucoup servaient dans la police hongkongaise avant la Seconde Guerre mondiale, formèrent le gros des fidèles pendant plusieurs décennies.

Un fidèle dans la Jamia Mosque. Premiers musulmans de Hong-Kong, les Penjabi servaient dans la police de la colonie.

Plan p. 52 Angle Shelley St. et Mosque St. (entrer par Shelley St.) Central to Mid-Levels Escalator

LAW UK FOLK MUSEUM

Au cœur d'un jardin paisible, ce musée a été aménagé dans une petite maison de village hakka. Cette maison particulière abritait la demeure ancestrale de la famille Law, qui s'installa dans la région sous le règne de l'empereur Qianlong (1736-1795). Les Hakka, qui vivent toujours en nombre dans les Nouveaux Territoires, migrèrent du nord de la Chine à partir du XVIIIe siècle. La demeure se compose d'un salon, de chambres, d'un grenier et d'une cuisine. Vous y verrez des personnages en cire vêtus de costumes traditionnels, des meubles, des objets et des outils agricoles. À côté du musée, une salle d'exposition donne des informations sur la culture hakka.

51 G1 14 Kut Shing St., Chai Wan 2896-7006 Fermé lun. MTR : Chai Wan

QUARRY BAY

L'appétit apparemment insatiable de Hong-Kong pour les tours de bureaux a transformé **Tong Chung Street**, autrefois une petite rue bordée d'ateliers de mécanique et de *dai pai dongs* (restaurants en plein air), en une artère où se succèdent gratte-ciel rutilants, mais aussi bars et restaurants. Le soir, surtout en fin de semaine, ces derniers se remplissent d'employés de bureaux et offrent une atmosphère moins prétentieuse que Lan Kwai Fong ou SoHo.

Non loin, l'immense centre commercial de **City Plaza** est l'un des meilleurs du territoire. Il permet de faire ses emplettes dans une ambiance plus détendue qu'à Tsim Sha Tsui ou Causeway Bay. Les touristes le fréquentent peu et les prix sont généralement plus bas, ce qui rend le marchandage superflu. Une patinoire est aménagée dans le centre. Dans la zone résidentielle de Tai Koo Shing, qui entoure City Plaza, se dressent les immeubles d'habitation typiques de la classe moyenne.

51 F2 **Quarry Bay** MTR : Quarry Bay **City Plaza** MTR : Tai Koo Shing

STUBBS ROAD LOOKOUT

Pour jouir d'un point de vue splendide, grimpez jusqu'au belvédère de Stubbs Road Lookout. Vous bénéficierez d'un vaste panorama sur Victoria Harbor, Kowloon, l'hippodrome de Happy Valley, Causeway Bay, Central et Wan Chai. De nuit, le spectacle est féerique. Un plan vous renseignera utilement sur le nom des sites qui s'étendent en contrebas.

50 D1 Bus : 7 ; minibus : 15 ■

Il n'est pas nécessaire d'aller loin pour oublier le béton et l'effervescence des quartiers urbains de l'île de Hong-Kong et profiter de l'atmosphère plus calme des plages et des collines verdoyantes de la moitié sud de l'île.

Hong Kong Island South

Gardien à l'entrée du temple de Tin Hau.

Hong Kong Island South

À MOINS DE 30 MINUTES EN BUS OU EN TAXI de Central District, sur la côte nord de l'île de Hong-Kong, une nouvelle physionomie de l'île se dévoile au visiteur. Le contraste est saisissant. Les grandes tours d'acier et de béton cèdent le terrain à une campagne luxuriante, ponctuée de routes sinueuses, de paysages magnifiques, de jolies plages et de paisibles villages. À quelques exceptions près, le sud de l'île de Hong-Kong demeure remarquablement préservé et peu peuplé.

HONG KONG ISLAND NORTH
p. 49
Pokfulam
POKFULAM COUNTRY PARK
501m
Mt. Kellet
ABERDEEN COUNTRY PARK
Pokfulam Reservoir
Aberdeen Reservoirs
Chinese Permanent Cemetery
Temple de Tin Hau
Wong Chuk Hang
Wah Fu
Wholesale Fish Market
Aberdeen
Aberdeen Harbor
Sham Wan
Magazine Is. (Fo Yeuk Chau)
Ap Lei Chau
Restaurants flottants
ÎLES AVOISINANTES
p. 201
East Lamma Channel (Tung Pok Liu Hoi Hap)
Ap Lei Pai
3
2
A
B

Le trajet du nord au sud de l'île de Hong-Kong constitue, à lui seul, une expérience tout à fait intéressante, particulièrement si vous voyagez à l'étage d'un bus à impériale. L'itinéraire franchit les collines verdoyantes qui séparent les deux parties de l'île, et emprunte des routes tortueuses, bordées d'une végétation luxuriante. Des plages de sable blanc font soudain irruption entre deux promontoires rocheux, pour disparaître lorsque l'étroite route redescend vers la côte.

La majorité du littoral sud de l'île a été épargnée par les grands projets d'extension qui ont affecté les autres parties du territoire. Sa côte déchiquetée, creusée de superbes baies, de plages et de criques, demeure intacte.

Le sud de l'île est le domaine de la classe aisée de Hong-Kong, qui y trouve un paisible répit loin de la frénésie des quartiers du centre-ville. Ses tours n'abritent pas de bureaux, mais principalement des appartements. Les plus riches ont construit leur villa sur les promontoires de Shek O, dans la baie retirée de Deep Water, et sur la péninsule de Stanley.

Cet impressionnant contraste entre les deux parties de l'île amène un grand nombre d'habitants du nord à migrer vers les villages du sud, le week-end et les jours fériés. Les plages sont alors bondées, les chemins de randonnée sont surpeuplés et les restaurants regorgent de monde. Venez en semaine pour profiter au mieux de la tranquillité et du charme des lieux.

Hong Kong Island South comporte certains attraits, parmi les plus appréciés du territoire.

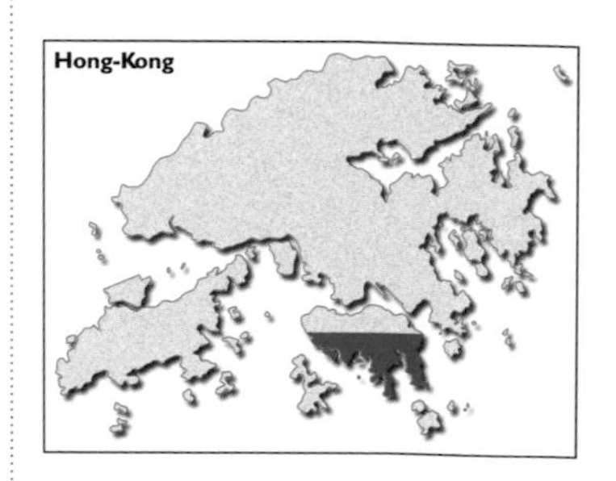

On mentionnera notamment les nombreux sites historiques et le grand choix de restaurants. Le marché de Stanley constitue une destination phare, aussi bien pour les visiteurs étrangers que pour les Hongkongais.

À Repulse Bay, la plage la plus réputée de Hong-Kong attire tellement de monde certains jours qu'on ne voit plus le sable, tandis que les immenses restaurants flottants d'Aberdeen sont toujours très animés. L'Ocean Park, aménagé sur un promontoire juste à l'est d'Aberdeen, fait partie des plus grands aquariums de mer existant au monde. ■

L'ancien quai à la pointe sud de Repulse Bay Beach a été transformé en parc à thème reproduisant un temple chinois moderne, décoré de créatures mythiques (dragons et phénix) et de statues du bouddha et de la déesse Tin Hau.

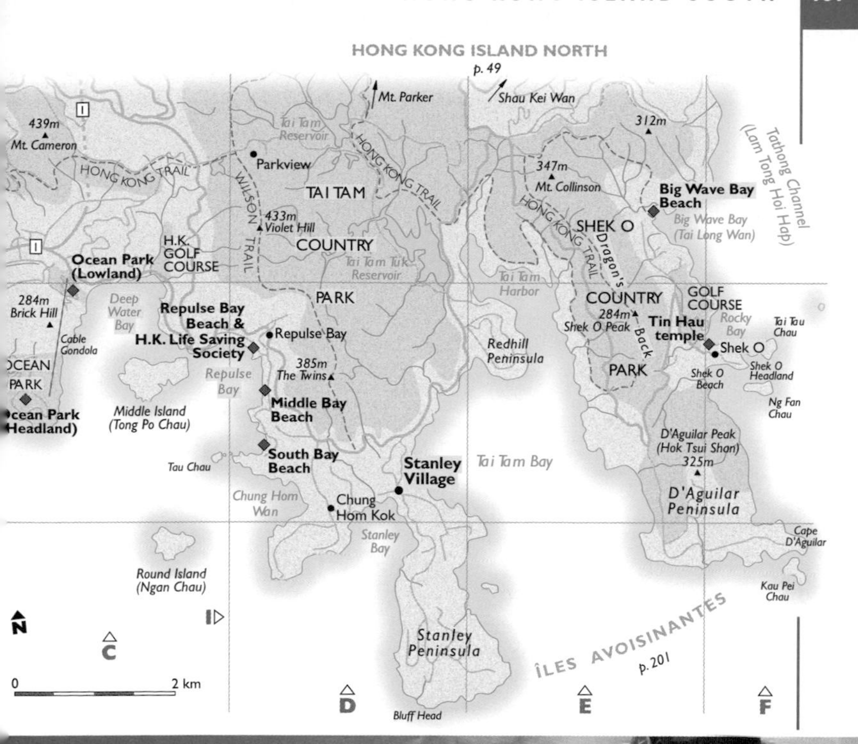
HONG KONG ISLAND NORTH
p. 49
Mt. Parker
Shau Kei Wan
439m
Mt. Cameron
Tai Tam Reservoir
HONG KONG TRAIL
Parkview
TAI TAM
WILSON TRAIL
433m
Violet Hill
COUNTRY
PARK
H.K. GOLF COURSE
Ocean Park (Lowland)
Tai Tam Tuk Reservoir
284m
Brick Hill
Deep Water Bay
Repulse Bay Beach & H.K. Life Saving Society
Repulse Bay
Cable Gondola
OCEAN PARK
Ocean Park (Headland)
385m
The Twins
Repulse Bay
Middle Bay Beach
Middle Island (Tong Po Chau)
South Bay Beach
Tau Chau
Chung Hom Wan
Chung Hom Kok
Stanley Village
Stanley Bay
Tai Tam Bay
Tai Tam Harbor
Redhill Peninsula
312m
347m
Mt. Collinson
Big Wave Bay Beach
Big Wave Bay (Tai Long Wan)
SHEK O
Dragon's Back
COUNTRY
PARK
284m
Shek O Peak
Tin Hau temple
GOLF COURSE
Rocky Bay
Shek O
Tai Tau Chau
Shek O Beach
Shek O Headland
Ng Fan Chau
Tathong Channel (Lam Tong Hoi Hap)
D'Aguilar Peak (Hok Tsui Shan)
325m
D'Aguilar Peninsula
Cape D'Aguilar
Kau Pei Chau
Round Island (Ngan Chau)
Stanley Peninsula
ÎLES AVOISINANTES
p. 201
Bluff Head
N
C
D
E
F
0
2 km

Le Tai Tam Reservoir fournit la majeure partie de l'eau douce de l'île de Hong-Kong.

Tai Tam Country Park

L'UN DES QUATRE PARCS RÉGIONAUX DE L'ÎLE DE HONG-KONG ET DE LOIN le plus vaste, le Tai Tam Country Park couvre près d'un cinquième de l'île et révèle des paysages tout à fait magnifiques. Il s'étend de Quarry Bay, au nord, à Repulse Bay et Redhill Peninsula, au sud, à travers l'est de l'île, et livre de vastes décors naturels et de superbes panoramas sur Tai Tam Bay.

Tai Tam Country Park
101 D3
Bus : 6, 60, 61

Country Parks Management Office
2708-8885

Sillonnée de nombreux ruisseaux et cascades, la vallée de Tai Tam est parcourue de sentiers abrités sous la canopée. Elle livre des panoramas fabuleux sur des réservoirs de couleur vert jade qui donnent son nom au parc – Tai Tam signifie « grands bassins » en cantonais. En 1914, l'aménagement du Tai Tam Tuk Reservoir a entraîné le déplacement des Hakka qui cultivaient la vallée fertile depuis des générations.

Le parc accueille des tronçons du **Hong Kong Trail** (voir p. 71) et du **Wilson Trail**, dont le parcours accidenté relie Stanley à Quarry Bay, en passant au-dessus de Repulse Bay. Plusieurs pics imposants bordent le sentier au nord et à l'est, le plus élevé étant le Mount Parker (507 m), deuxième sommet de l'île de Hong-Kong après le Victoria Peak (522 m). Une balade aisée de 3,5 km à travers le parc – qui s'achève par un court trajet en bus – permet de gagner Stanley Village (voir p. 104-105). Vous pouvez descendre dans la vallée jusqu'au Hong Kong Parkview, un luxueux complexe résidentiel privé sur la Tai Tam Reservoir Road. Du Parkview, suivez la route vers l'est sur une courte distance, jusqu'à ce qu'elle se transforme en sentier pédestre, plongeant vers le Tai Tam Reservoir. Un petit pont franchit le bassin, puis le chemin longe la campagne boisée et passe devant le Tai Tam Intermediate Reservoir. La route s'aplanit avant de contourner le Tai Tam Tuk Reservoir jusqu'à la Tai Tam Road. De là, traversez la route et prenez un bus pour Stanley Village. ■

Shek O

La vaste plage de sable de Shek O.

Sur la côte sud-est de l'île de Hong-Kong, le paisible village côtier de Shek O occupe l'endroit le plus reculé de l'île. Ce petit groupe d'habitations, séparées par d'étroites allées, héberge à peine 3 000 âmes. La population s'accroît considérablement le week-end, lorsque les citadins désireux de changer d'air convergent vers sa plage et ses restaurants.

Partez explorer les ruelles avant de gagner la plage ou le promontoire. En entrant dans le village, après le rond-point proche de l'arrêt de bus, vous verrez un **temple de Tin Hau** (voir encadré p. 93) aux portes décorées de divinités colorées. Continuez brièvement sur Shek O Road jusqu'à repérer une plage de sable sur la droite. Les restaurants délabrés au nord de la plage sont agréables pour se détendre.

Continuez à marcher et grimpez une pente douce menant au **Shek O Headland** qui borde l'extrémité nord de la plage de Shek O. Les villas et les demeures de riches Hongkongais jalonnent l'étroit promontoire, offrant de superbes vues sur la mer de Chine méridionale et les nombreuses îles du territoire.

Montez au sommet du promontoire pour jouir de points de vues impressionnants sur la mer, les îles et le Cape d'Aguilar. Ce cap en forme de pain marque l'extrémité sud-est de l'île de Hong-Kong. À la pointe du promontoire, descendez les marches vers un sentier et une petite passerelle qui conduit à l'îlot rocheux de **Tai Tau Chau**. Une ascension de dix minutes permet de rejoindre une plate-forme panoramique. Au nord-ouest, vous apercevrez Tung Lung Chau (voir p. 214) et Joss House Bay, dans la Clear Water Bay (voir p. 188-189). Au sud-ouest se dessine la Stanley Peninsula, tandis qu'au sud, le panorama s'étend du Cape d'Aguilar à Waglan Island et aux îles de Po Toi (voir p. 214). ■

Shek O
101 F2
MTR : Shau Kei Wan, puis bus 9

Les charmes de Stanley : les plages, les restaurants et un célèbre marché.

Stanley Village

La charmante communauté côtière de Stanley est également l'apanage de la classe aisée. Les somptueuses villas et luxueux appartements qui jalonnent l'unique route du village sont impressionnants. Il est aujourd'hui difficile de croire que Stanley, appelé Chek Chu en chinois, était la plus grande communauté de l'île de Hong-Kong à l'arrivée des Britanniques en 1841.

Stanley Village

 101 D2

 Bus : 6, 6A, 6X, 260

À cette époque, le bourg abritait un marché qui écoulait les produits des fermes voisines et servait de refuge aux pirates. Installé sur la langue de terre séparant Stanley Bay et Tai Tam Bay, le **Stanley Market** existe toujours, mais la clientèle et les marchandises ont bien changé. Si le marché n'offre guère de bonnes affaires, sa visite constitue une expérience intéressante. Le week-end, des milliers d'acheteurs arpentent le labyrinthe d'étals présentant l'embarras du choix : vêtements et chaussures, peintures, porcelaines et artisanat, objets en cuivre et en rotin, linge de maison, souvenirs et jouets.

Longeant une plage peu entretenue sur le front de mer de Stanley Bay, l'artère plus tranquille de **Stanley Main Road** est jalonnée de bars et d'excellents restaurants.

À droite : les calligraphes de Stanley transcriront votre nom en chinois. Un souvenir original.

En suivant Stanley Beach Road pendant quelques minutes à travers le village, du côté est de la péninsule, vous atteindrez **Stanley Main Beach**. Les week-ends d'été, la plage est assaillie par les baigneurs et les véliplanchistes. L'agréable et paisible **St. Stephen's Beach**, au sud du village dans Wong Ma Kok Road, se révèle plus propice à la baignade et aux bains de soleil.

Stanley Village mérite le détour, ne serait-ce que pour effectuer le trajet de 40 minutes en bus depuis le quartier de Central, considéré comme l'un des plus spectaculaires de Hong-Kong. Les bus à impériale montent et descendent la Tai Tam Road. Cette jolie route escarpée et bordée de forêts serpente à la lisière du magnifique Tai Tam Country Park (voir p. 102). ■

Un moine récite des prières dans le beau temple de Kwun Yam.

Une promenade dans Stanley Village

Stanley est l'une des plus agréables destinations de l'île de Hong-Kong si vous voulez faire une promenade. Le bourg compte plusieurs curiosités naturelles et sites culturels aisément accessibles. Aucun endroit de l'île n'offre une atmosphère aussi détendue.

De la Stanley Bus Station, traversez Stanley Village Road et descendez Stanley New Street, où commence le célèbre **Stanley Market** ❶ (voir p. 104). Au bout de la rue, tournez à droite dans Stanley Main Road et longez des échoppes sur 90 mètres. Ici, la route débouche sur le front de mer où une succession de bars et de restaurants à la devanture colorée donnent sur Stanley Bay.

Continuez brièvement dans Stanley Main Road jusqu'à la **Murray House** ❷ érigée au bout de la baie sur un terrain gagné sur la mer. Ce charmant bâtiment, qui abrite désormais le **Hong Kong Maritime Museum** au 1er étage ainsi que plusieurs restaurants et boutiques, est le plus ancien édifice colonial de Hong-Kong. Construit au début des années 1840, il fut le théâtre de la reddition officielle des troupes britanniques face aux Japonais, en décembre 1941. L'édifice occupait le site de l'actuelle Bank of China Tower, dans Queen's Road Central, jusqu'en 1982, date à laquelle ses 4 000 briques furent démontées et stockées pour être assemblées en 1998 à l'emplacement actuel. Entre Murray House et le Stanley Plaza Shopping Center se tient le plus ancien des **temples de Tin Hau** ❸ de l'île de Hong-Kong. Fondé en 1767, il est dédié à la divinité protectrice des marins (voir encadré p. 93). La structure actuelle aux allures de bunker date de 1938, mais l'intérieur demeure impressionnant, avec plusieurs magnifiques maquettes de jonques. Empruntez le sentier à l'ouest de Murray House et grimpez la colline jusqu'au **temple de Kwun Yam** ❹. Au-dessus du temple, un pavillon abrite une statue de six mètres de haut représentant Kwun Yam, la déesse de la miséricorde (voir encadré p. 149).

Revenez vers la gare routière par le même parcours, ce qui prend moins de dix minutes. De là, prenez vers l'est dans Stanley Village Road sur 45 mètres. Sur votre gauche se dresse l'**Old Stanley Police Station** ❺, qui date de 1859. Plus ancien bâtiment de la police de Hong-Kong, il abrite aujourd'hui un supermarché.

Après le poste de police, la rue bifurque vers Wong Ma Kok Road. En suivant brièvement cette route, vous découvrirez sur la gauche l'entrée du **Stanley Military Cemetery** ❻. Les alignements de tombes identiques sur des pelouses impeccables rendent un hommage poignant aux morts de l'occupation japonaise. Le cimetière fut créé dès le début de la colonie – quelques tombes de colons s'y trouvent encore. Fermé pendant 70 ans, il rouvrit en 1942 pour accueillir un nombre croissant de victimes. L'atmosphère solennelle du lieu est souvent troublée par des jeunes qui se font photographier devant les tombes.

Continuez dans Wong Ma Kok Road jusqu'au Wong Ma Kok Path, un sentier ombragé sur votre droite qui descend vers **St. Stephen's Beach** ❼. Cette agréable bande de sable s'avère plus favorable à la baignade et aux bains de soleil que Stanley Main Beach, la plage bondée qui s'étend juste au nord-est de la gare routière, le long de Stanley Beach Road. ■

En quête de bonnes affaires dans l'animation du Stanley Market.

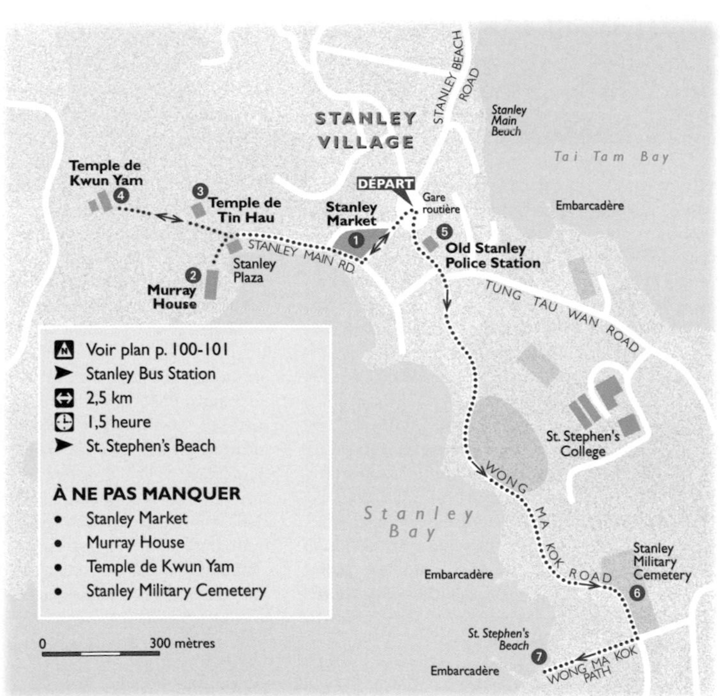

Repulse Bay

REPULSE BAY DOIT SON NOM AU NAVIRE BRITANNIQUE REPULSE, QUI participa à une campagne visant à débarrasser le lieu des pirates dans les années 1840. Fin 1941, les forces japonaises attaquèrent les troupes britanniques et canadiennes stationnées dans la baie afin de maintenir les voies d'approvisionnement entre Stanley et Aberdeen.

D'étranges statues colorées décorent la façade du siège de la Hong Kong Life Saving Society.

Aujourd'hui, Repulse Bay possède la plus longue et la plus réputée des plages de l'île, **Repulse Bay Beach**. En été, cette étendue de sable blanc immaculé accueille des milliers de baigneurs fuyant la chaleur torride du territoire. Près de 30 000 personnes s'y pressent le dimanche, le milieu de semaine étant également bondé. Curieusement, en novembre, ce qui correspond à la fin de la saison, la plage reste quasiment déserte, alors que les températures peuvent encore atteindre 25°C. Si la promiscuité vous rebute, une promenade de 10 minutes sur le littoral vous mènera à la plage moins fréquentée de **Middle Bay Beach** ou, 20 minutes plus loin, à **South Bay Beach**.

Repulse Bay fut autrefois un haut lieu de divertissement pour l'élite hongkongaise. Le Repulse Bay Hotel, édifice colonial de 1920, constituait alors l'une des meilleures résidences balnéaires d'Asie, où la classe aisée venait prendre le thé sous la véranda en admirant la baie. Malgré les protestations de la population, l'hôtel fut démoli au début des années 1980 et remplacé par l'un des plus étranges bâtiments de Hong-Kong, un immeuble résidentiel appelé **Repulse Bay**.

La longue barre bleue incurvée se distingue des autres immeubles construits sur les collines avoisinantes par une ouverture carrée en son milieu. Un maître de *feng shui* fut consulté lors de la préparation des plans, une pratique courante à Hong-Kong. Celui-ci fit remarquer à l'architecte que le dragon vivant dans les collines à l'arrière de l'immeuble ne pourrait plus se désaltérer dans la baie, si la structure était ininterrompue. On prévit donc un trou afin de permettre au dragon de traverser le bâtiment pour étancher sa soif.

Maigre compensation à la destruction du Repulse Bay Hotel, les architectes ont aménagé une terrasse à l'avant du bâtiment. Plantée de pelouses et de palmiers, elle s'agrémente de fontaines et d'une réplique de la façade de l'hôtel. Le bâtiment regroupe une luxueuse galerie marchande et plusieurs bons restaurants, dont le célèbre Verandah où vous pouvez prendre un thé l'après-midi ou un brunch au champagne tous les dimanches.

À l'extrémité est de Beach Road, au bord de la baie, le siège de la **Hong Kong Life Saving Society**

Repulse Bay Beach

- 101 D2
- Beach Rd., Repulse Bay
- Pas de patrouille de sauvetage déc.-fév.
- Bus : 6, 6A, 6X, 64, 66, 260

(voir l'encadré ci-après) est flanqué de deux immenses statues de Kwun Yam, déesse de la miséricorde (voir p. 149), et de Tin Hau, déesse de la mer et des marins (voir l'encadré p. 93). L'étrange collection de statues aux couleurs criardes attire une foule de fidèles venus prier et brûler de l'encens. Le site regroupe diverses représentations colorées et pleines d'imagination : éléphants, lions, chameaux et chèvres, un bouddha à quatre visages et Kwun Yam chevauchant un poisson. Selon la légende, à chaque fois que vous franchissez le fameux **Bridge of Longevity**, situé devant le complexe, votre vie s'allonge de trois jours. ■

South Bay Beach s'avère plus paisible que la plage bondée de Repulse Bay.

Les sauveteurs

Toutes les plages hongkongaises ont des surveillants de baignade perchés sur leur tour d'observation. Le premier groupement de sauveteurs du territoire fut créé en 1956. Aujourd'hui, 476 surveillants patrouillent de mars à novembre sur les 41 plages officielles. Afin de rassurer les baigneurs, des filets anti-requins ont été posés au large de 31 plages (consultez la Leisure and Cultural Services Department Customer Hotline, tél. 1823). Les requins représentent une réelle menace à Hong-Kong où plusieurs attaques mortelles ont eu lieu au début des années 1990 au large des plages de Sai Kung. ■

Feng shui

La philosophie chinoise du feng shui – littéralement « vent et eau » – qui a récemment conquis l'ensemble de la planète fait partie de la culture hongkongaise depuis toujours. L'objectif est d'atteindre l'harmonie qui, une fois établie, sera suivie de chance, elle-même synonyme de santé et de richesse.

La boussole de *feng shui* (*lopan*) sert à décrypter l'énergie d'un édifice.

Le maître de feng shui cherche à aligner les flux énergétiques du *chi*, ou souffle de la nature, dans un espace ou un édifice. Il utilise une boussole spécifique dénommée *lopan* pour en déterminer les caractéristiques énergétiques. Il s'appuie aussi sur des calculs mathématiques complexes. Les collines, l'eau et les constructions peuvent affecter la circulation du chi, puisque tout élément de l'univers est doté d'une force énergétique. Les premiers villages des Nouveaux Territoires furent édifiés sur des emplacements qui retenaient le chi. De nos jours, le feng shui tient toujours une place dans différents domaines de la vie citadine.

En disposant les bâtiments voire les objets d'une habitation, de manière à harmoniser au mieux les courants d'énergie circulant à l'intérieur ou autour, vous pouvez créer des espaces susceptibles de vous protéger du malheur et de vous apporter prospérité, santé ou bonheur. La tête du lit, par exemple, ne doit jamais se trouver face à une porte, car un ennemi qui s'introduirait de nuit vous apercevrait immédiatement. Une vue sur l'eau est favorable à l'enrichissement dans la mesure où elle est synonyme d'abondance. Si vous êtes loin de la mer, vous obtiendrez le même effet en installant un aquarium rempli de nombreux poissons rouges.

Les portes sont importantes car elles peuvent laisser entrer des mauvais esprits. Ainsi, des demeures familiales des Nouveaux Territoires possèdent des murs écran placés derrière les entrées principales afin d'empêcher toute vue directe sur le cœur du bâtiment.

Toujours dans les Nouveaux Territoires, vous verrez un petit miroir octogonal au-dessus de la porte. Celui-ci vise aussi à éloigner les mauvais esprits, effrayés par leur reflet dans la glace. Nombre d'édifices du territoire ont donné lieu à des débats très enflammés en matière de feng shui. La presse a publié une multitude d'articles sur le supposé mauvais feng shui de la Bank of China à Central. Estimant que sa structure composée de triangles aux angles aigus évoquait des lames de couteau, certains maîtres de feng shui, annonçaient des difficultés économiques. En outre, la banque était bâtie sur un site assimilé à un dos de dragon – une ligne de chance qui s'étire devant le Cheung Kong Center voisin et l'édifice de la Hongkong Bank, jusqu'au cœur financier de la ville. Pour parer aux critiques, la Bank of China fut inaugurée le 8e jour du huitième mois de 1988 – le huit est un chiffre porte-bonheur –, considéré comme le jour le plus faste du XXe siècle.

Autre exemple, celui de la Government House à Central, à laquelle on attribuait le meilleur emplacement du territoire – du fait des vues ininterrompues vers la mer et les montagnes – jusqu'à ce qu'un angle de la Bank of China vienne couper l'horizon. Beaucoup y voient la raison de la chute faite par le Premier ministre britannique, Margaret Thatcher. Le bâtiment est inoccupé la majeure partie de l'année. ■

En haut à droite : les lions de bronze qui flanquent la Hongkong Bank, à Central, ont été placés selon les règles du feng shui.
En bas à droite : une cavité carrée a été prévue dans le complexe résidentiel Repulse Bay pour permettre au dragon vivant alentour de se désaltérer dans la baie.

Ocean Park

Ocean Park
101 C2
Ocean Park Rd., Aberdeen
2552-0291
€€
Bus 629 depuis Star Ferry, ou gare routière près de Admiralty MTR

AMÉNAGÉ SUR UNE PÉNINSULE VALLONNÉE DANS LA PARTIE SUD DE L'ÎLE de Hong-Kong, ce complexe de 80 hectares réunit un aquarium marin, un zoo et un parc de loisirs. Comptant parmi les principales attractions touristiques de Hong-Kong, il accueille quatre millions de visiteurs par an. Le parc se divise en plusieurs sections à thème, reliées par des sentiers et un magnifique parcours en téléphérique.

En entrant dans le parc à Lowland, vous arrivez à la **Butterfly House**, une serre en forme de cocon abritant des milliers de papillons multicolores. À proximité, la **Goldfish Pagoda**, qui est non moins colorée, accueille une multitude de poissons rouges chinois et japonais aux yeux saillants. Les trois pyramides de verre de l'exposition **Dinosaurs – Now and Then** présentent les descendants vivants des dinosaures, dont l'alligator chinois (menacé de disparition) et la salamandre géante de Chine. Poursuivez par l'**Amazing Amazon**, une impressionnante randonnée à travers une reconstitution des espaces sauvages d'Amérique du Sud parmi les aras, les toucans et les flamants. L'édifice abrite aussi les **Caverns of Darkness**, une maquette en 3-D représentant un ancien temple sud-américain, et l'**Amazing Birds Show** où vous pourrez découvrir les talents naturels des perroquets, des faucons, des chouettes et des ibis.

Les rails du Dragon.

Par ailleurs, le **Club Giant Panda Habitat** héberge deux membres de l'espèce menacée, An An et Jia Jia, qui furent offerts par la Chine en 1999. Le couple occupe un enclos fermé reproduisant le climat de la province chinoise du Sichuan, correspondant à leur habitat d'origine. L'Ocean Park a fondé la Hong Kong Society for Panda Conservation et travaille avec les réserves du continent pour la protection du panda géant et de son habitat.

Moyennant un droit d'entrée supplémentaire, vous accéderez à l'**Ocean Park Grand Prix**, un circuit moderne de karts.

Les enfants apprécieront le **Kids' World** adjacent où ils peuvent approcher les dauphins de la Dolphin University.

De retour à Lowland, prenez place dans une cabine du téléphérique pour grimper à 200 mètres. L'ascension de huit minutes jusqu'à Headland, une autre section du parc, offre un magnifique panorama sur Repulse Bay et Stanley.

À la fin du circuit vous attend l'une des plus célèbres attractions d'Ocean Park : l'**Atoll Reef** est en effet un véritable royaume sous-marin dans lequel nagent et chassent plus de 4 000 créatures marines issues de 400 espèces. L'effrayant **Shark Aquarium** vous mettra face à 250 requins de 35 espèces différentes. Le parc dirige un étonnant programme de reproduction de certaines espèces de requins, dont le requin des récifs à pointes noires et la rare holbiche pygmée.

L'**Ocean Theater,** qui compte 3 500 places, propose les habituels spectacles d'épaulards, de dauphins et d'otaries (jeux de ballons, sauts dans les cerceaux et nage synchronisée). Le couloir sous-marin du **Pacific Pier** permet d'observer les phoques et les otaries dans un environnement reproduisant leur habitat naturel de la côte californienne. Les visiteurs sont invités à nourrir les animaux.

À l'angle sud-est du promontoire se trouvent plusieurs montagnes russes époustouflantes, parmi les-

quelles **The Dragon**. Perché au sommet d'une impressionnante falaise, l'attraction propulse les passagers sur trois boucles (dont une à l'envers) à des vitesses atteignant 80 km/h.

Sur un autre manège inspiré du Far West, le **Mine Train** file à une vitesse affolante sur un parcours de 700 mètres affichant une succession de boucles, de virages et un plongeon vertigineux de 85 mètres. Une décharge d'adrénaline supplémentaire vous attend sur le parcours nautique de la **Raging River**. Cette voie d'eau tourbillonnante vous emportera à travers un étroit ravin, avant de s'achever sur une pente à couper le souffle. Enfin, les amateurs de sensations encore plus fortes pourront faire une chute libre de 60 mètres (l'équivalent de 20 étages) à **The Abyss**. ■

Un escalator offrant un panorama époustouflant conduit les visiteurs vers Headland.

Le célèbre restaurant flottant Jumbo a été rénové pour abriter des restaurants raffinés, des magasins et autres attractions touristiques et culturelles.

Aberdeen

À L'ARRIVÉE DES BRITANNIQUES, ABERDEEN ÉTAIT UN PETIT VILLAGE DE pêcheurs qui servait de refuge aux contrebandiers et aux pirates. La marine coloniale élimina les pirates afin que les *hong* (sociétés de commerce) y construisent des cales sèches pour leur flotte commerciale. La pêche demeure l'activité principale de nombreuses familles, avec la construction navale. Pour leur part, les visiteurs affluent pour dîner dans les gigantesques restaurants flottants ancrés dans le port.

Aberdeen

100 B3

Bus : 70 depuis Central, 70, 36A, 37B depuis Admiralty

En chinois, Aberdeen est appelé Heung Kong Tsai (« port parfumé »), un nom qui proviendrait semble-t-il du commerce du bois de santal utilisé pour la fabrication d'encens. Le terme désigne aujourd'hui l'ensemble de la Région administrative spéciale de Hong-Kong.

Les bateaux rentrent au port à partir de 4h pour décharger leur pêche jusqu'à midi au **Wholesale Fish Market**, le marché très animé à l'extrémité ouest d'Aberdeen Praya Road. De là, les fruits de mer sont chargés vivants dans des camions équipés de bassins qui les livrent aux restaurants et aux marchés de tout le territoire.

En continuant vers l'est le long du front de mer, vous atteindrez un appontement où des bateliers vous proposeront une promenade en sampan dans le port. L'excursion de 30 minutes en vaut la peine et vous n'aurez aucun mal à faire baisser le tarif de moitié (habituellement 100 $HK).

Les sampans longent les chantiers de construction navale et les files de bateaux amarrés, offrant un bref aperçu de la vie quotidienne des familles de pêcheurs qui habitent sur leur embarcation (voir l'encadré ci-après). Les hommes réparent les filets et mettent les poissons à sécher au soleil. Les femmes lavent le linge et la vaisselle sur le pont, aux côtés des enfants qui jouent et des chiens qui aboient au passage des sampans tout proches.

Les principales curiosités du village d'Aberdeen sont les énormes structures flottantes, le Jumbo et le Tai Pak, qui composent le **Jumbo Kingdom**. Autrefois, ces édifices clinquants, de style chinois, abritaient deux immenses restaurants. Rénovés depuis, ils accueillent un éventail de petits restaurants de cuisine chinoise ou fusion, des boutiques vendant des marchandises pour les touristes, ainsi qu'une exposition à vocation historique sur un village de pêche et présentant un intérêt limité.

Le Jumbo Kingdom fait face au luxueux Aberdeen Marina Club où de somptueux bateaux sont alignés devant l'île d'**Ap Lei Chau**. Cette île bondée abrite essentiellement un grand centre de construction navale, ainsi qu'un immense domaine résidentiel. Au crépuscule, n'hésitez pas à franchir le pont qui la relie au continent pour admirer le panorama scintillant sur le port et les restaurants flottants.

Traversez le petit centre-ville animé d'Aberdeen en remontant Aberdeen Main Road vers le nord, jusqu'au croisement avec Aberdeen Reservoir Road, où se trouve le **temple de Tin Hau**. Aménagé dans un agréable cadre verdoyant mêlant des arbres, des arbustes et des plantes en pot, ce temple de 1851 s'enlisait progressivement avant d'être reconstruit en 2001.

Suivez Aberdeen Main Road qui passe derrière le temple vers le Peel Rise, chemin abrupt mais ombragé, et l'immense **Chinese Permanent Cemetery**. Une multitude de tombes tournées vers la mer de Chine méridionale occupent les flancs étagés de la colline – une hauteur surplombant la mer représente pour les Chinois la dernière demeure la plus favorable. Triste revers du développement de Hong-Kong, les immeubles résidentiels d'Aberdeen obstruent désormais la vue par endroits. ■

Certains Hoklo d'Aberdeen Harbor poursuivent leur mode de vie traditionnel sur les bateaux.

Boat people

Nombre de grands immeubles résidentiels d'Aberdeen furent érigés durant les années 1980, lorsque les autorités encouragèrent les Hoklo à quitter leurs maisons flottantes pour s'installer sur la terre ferme. Ce peuple arrivé de Swatow, dans la province du Guangdong, au XIXe siècle, se distingue par ses grands chapeaux coniques. Aujourd'hui, les derniers Hoklo à vivre sur le port flottant d'Aberdeen Harbor jouissent d'un grand confort : lave-linge et sèche-linge, réfrigérateur, climatiseur et antenne satellite équipent généralement les bateaux. La vie en mer demeure néanmoins dangereuse et les enfants en bas âge sont souvent attachés pour éviter qu'ils ne basculent par-dessus bord. En 2001, 5 895 résidents de Hong-Kong vivaient sur des embarcations. ■

Le village côtier de Shek O, avec sa plage de sable et ses restaurants décrépits, est une destination favorite pour les escapades du week-end.

Autres sites à visiter

BIG WAVE BAY BEACH

Au nord du village de Shek O, après le Shek O Country Club et le Golf Course, se déroule la magnifique plage quasi-déserte de Big Wave Bay Beach. Descendez du bus de Shau Kei Wan là où il fait une courbe pour desservir le parcours de golf, sur Big Wave Bay Road (l'intersection est signalée). De là, longez la route pendant dix minutes. Vous pouvez aussi louer une bicyclette au village de Shek O pour couvrir les 2 km jusqu'à la plage. Celle-ci s'étire le long d'une forêt qui s'élève vers les pics de Mount Collinson et de Shek O, enchâssés dans les reliefs du Shek O Country Park. Une houle assez importante balaie la Big Wave Bay à certaines périodes de l'année, surtout quand les typhons passent à proximité de Hong-Kong. C'est l'une des deux seules plages – avec Tai Long Wan, dans le Sai Kung Country Park (voir p. 193) – offrant des vagues propices à la pratique du surf.
101 E3 MTR : Shau Kei Wan, puis bus 9

DEEP WATER BAY

Cette baie creuse une profonde échancrure dans l'île, entre les deux promontoires qui la séparent de Repulse Bay et d'Aberdeen. Elle possède environ 450 mètres de plage de sable immaculé, bordée d'arbres. C'est l'une des meilleures plages de l'île, d'autant plus qu'elle est peu fréquentée, surtout en semaine. Ce secteur de villas et d'appartements, huppé et outrageusement onéreux, abrite le Hong Kong Golf Club réservé à la haute société. Un espace barbecue est aménagé à l'extrémité est de la plage, à côté de quelques établissements servant repas et boissons. Rejoignez Repulse Bay en suivant la promenade du front de mer qui contourne le promontoire vers l'est sur 1,6 km.
101 C2 Bus : 6A, 260, 262

DRAGON'S BACK

La crête onduleuse et balayée par les vents de Dragon's Back (en référence à son arête étroite) est très appréciée des amateurs de parapente. Descendez du bus de Shau Kei Wan à Shek O Village, devant l'entrée du Shek O Country Park. La randonnée de 90 minutes (aller) jusqu'à la crête s'avère difficile par endroits, mais l'effort est dûment récompensé. Le point culminant, **Shek O Peak** (284 m), livre un panorama fabuleux sur la côte dentelée, depuis les falaises de Big Wave Bay jusqu'au Shek O Golf Course, au Shek O Village et au Cape d'Aguilar, à la pointe sud-est de l'île.
101 E3 MTR : Shau Kei Wan, puis bus 9 ■

Face à l'île de Hong-Kong, de l'autre côté de Victoria Harbor, Kowloon dévoile la façade la moins conventionnelle du territoire. Cette enclave bondée et bouillonnante de vie, souvent anarchique, éveille une fascination sans bornes.

Kowloon

Perles d'eau douce.

Kowloon

CÉDÉ AUX BRITANNIQUES « À PERPÉTUITÉ » EN 1856, KOWLOON EST UNE DÉFORMATION DU TERME cantonais *gau lung* (neuf dragons) qui désignait une série de pics déchiquetés dominant la péninsule. La légende attribue l'expression à Di Ping, jeune empereur de la dynastie Song qui arriva dans la région en 1277, fuyant les hordes mongoles. Ayant dénombré huit sommets, il aurait affirmé que huit dragons vivaient dans ces lieux, mais son consul lui rappela qu'en tant qu'empereur, il était lui-même un dragon, et le chiffre fut porté à neuf.

Les pics de Kowloon ont été en majeure partie arasés pour permettre l'aménagement du quartier et servir de remblai pour le Victoria Harbor. Cette zone d'un peu plus de 47 km² est aujourd'hui l'une des plus densément peuplées de la planète. De Tsim Sha Tsui à Boundary Street, dans le trépidant Mong Kok, ce n'est que succession d'immeubles anciens, de rues encombrées de voitures et de piétons. De manière générale, ni la splendeur architecturale ni la beauté naturelle de Hong-Kong ne font défaut à Kowloon, qui pourtant n'a pas le profil le plus flatteur du territoire.

Beaucoup de visiteurs fréquentent Tsim Sha Tsui, son célèbre secteur commerçant et touristique, ainsi que Tsim Sha Tsui East, un quartier branché d'hôtels et de discothèques aménagé en 1980 sur un terrain conquis sur la mer.

Bordant ces deux enclaves, la Waterfront Promenade longe le front de mer vers l'est depuis l'embarcadère du Star Ferry. Dans la fraîcheur du soir, la promenade livre alors un panorama scintillant sur les tours de bureaux du quartier de Central.

Vers l'intérieur de la péninsule, les quartiers plus traditionnels de Yau Ma Tei et Mong Kok comptent des rues très animées, dont le modernisme s'incarne avec le complexe hôtelier et commercial de la Langham Place. Au cœur de la foule, vous découvrirez des marchés en plein air consacrés au jade, aux poissons rouges, aux fleurs, aux oiseaux ou à l'habillement, ainsi qu'une grande variété de boutiques, qui proposent aussi bien des objets religieux que des tenues de mariés traditionnelles.

Kowloon compte également son lot d'attractions culturelles. Le Cultural Center, qui est aménagé sur le front de mer de Tsim Sha Tsui, accueille de grands artistes internationaux, tandis que le Museum of Art voisin fait partie des meilleurs musées de la région. À Tsim Sha Tsui East, l'excellent Museum of History présente l'histoire mouvementée du territoire.

La plupart des curiosités dignes d'intérêt de Kowloon sont accessibles avec le réseau ferré efficace du MTR (Mass Transit Railway) qui traverse toute la péninsule. ■

Le Festival Walk de New Kowloon est l'un des nombreux centres commerciaux du secteur.

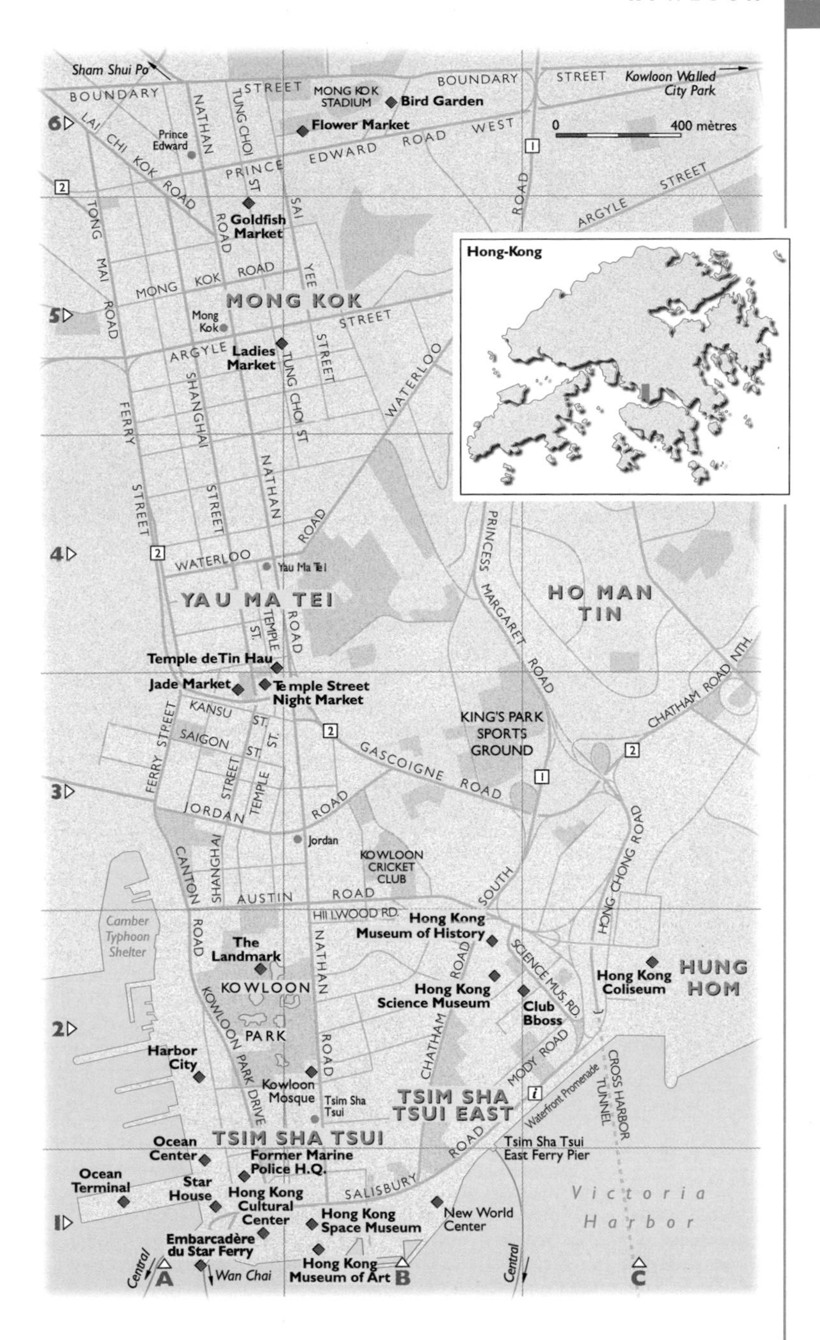
Sham Shui Po
Kowloon Walled City Park
Hong-Kong
0 400 mètres
Mong Kok Stadium
Bird Garden
Flower Market
Prince Edward
Goldfish Market
Mong Kok
Mong Kok
Ladies Market
Yau Ma Tei
Yau Ma Tei
Ho Man Tin
Temple de Tin Hau
Jade Market
Temple Street Night Market
King's Park Sports Ground
Jordan
Kowloon Cricket Club
Camber Typhoon Shelter
Hong Kong Museum of History
The Landmark
Kowloon Park
Hong Kong Science Museum
Club Bboss
Hong Kong Coliseum
Hung Hom
Harbor City
Kowloon Mosque
Tsim Sha Tsui
Tsim Sha Tsui East
Waterfront Promenade
Cross Harbor Tunnel
Tsim Sha Tsui
Ocean Center
Former Marine Police H.Q.
Tsim Sha Tsui East Ferry Pier
Ocean Terminal
Star House
Hong Kong Cultural Center
Hong Kong Space Museum
New World Center
Victoria Harbor
Embarcadère du Star Ferry
Hong Kong Museum of Art
Central
Wan Chai
Central
Boundary Street
Prince Edward Road West
Argyle Street
Lai Chi Kok Road
Tong Mai Road
Nathan Road
Tung Choi St
Sai Yee Street
Mong Kok Road
Ferry Street
Shanghai Street
Waterloo Road
Princess Margaret Road
Temple St.
Kansu St.
Saigon St.
Gascoigne Road
Chatham Road Nth.
Jordan Road
Canton Road
Austin Road
Hillwood Rd.
Hong Chong Road
Chatham Road South
Science Mus. Rd.
Kowloon Park Drive
Mody Road
Salisbury Road

Les passagers du Star Ferry profitent de la brise et de la vue.

Star Ferry

La traversée très abordable (à peine 2,20 $HK) de Victoria Harbor à bord du Star Ferry n'est à manquer sous aucun prétexte. Ces énormes bateaux vert et blanc font la navette dans le port près de 450 fois par jour, transportant des milliers de Hongkongais entre Tsim Sha Tsui, Central et Wan Chai. Le plus blasé des passagers ne peut s'empêcher d'admirer le magnifique paysage qui se déroule sous ses yeux au cours de cette brève traversée.

Star Ferry
- 119 A1
- 2367-7065
- 6h30-23h30
- €

Depuis plus de cent ans, les bateaux du Star Ferry sillonnent régulièrement la baie. Ces ferries, qui portent les noms étranges de *Celestial Star* (« étoile céleste ») ou *Electric Star* (« étoile électrique »), donnent l'agréable impression de remonter le temps et procurent un sentiment d'éternité à l'opposé du dynamisme de la ville d'aujourd'hui.

Les bateaux sont pourvus de deux postes de pilotage, ce qui a pour effet d'accélérer considérablement les arrivées et les départs. Deux ponts ont été aménagés : la première classe, plus chère, occupe le niveau supérieur et la seconde, le pont inférieur. Cet agencement visait autrefois à séparer les passagers européens des Chinois.

Installez-vous sur le pont supérieur afin de bénéficier de la meilleure vue, loin des odeurs nauséabondes de carburant qui imprègnent généralement le niveau inférieur. Une salle climatisée offre une concession inattendue, mais bienvenue, à la modernité. Aussi désuet soit-il, le Star Ferry combine à merveille plaisir et efficacité. Le temps d'attente ne dépasse jamais sept ou huit minutes. Pour accéder au quai, il suffit de régler le montant de la traversée dans le réceptacle placé avant le tourniquet – les voyageurs en première classe peuvent payer ou faire de la monnaie au guichet – et de descendre la rampe pour atteindre la barrière d'accès. Une sonnerie et un feu vert signalent l'embarquement. ■

À droite : le Star Ferry évoque un lointain passé dans une ville moderne.

PHILIPS
San Miguel

Tsim Sha Tsui

À LA POINTE DE LA PÉNINSULE DE KOWLOON S'ÉTEND LE QUARTIER étincelant de Tsim Sha Tsui – le Hong-Kong des touristes. Enclave bondée et trépidante de vie, elle offre, dans un océan d'enseignes lumineuses, une succession de boutiques, de magasins d'électronique, d'hôtels, de bars, de restaurants et de fast-foods. Le consumérisme de Hong-Kong prend ici toute sa dimension.

Le hall somptueux du Peninsula Hotel rappelle la grande époque britannique.

Tsim Sha Tsui
119 B2

Jusqu'à son déplacement à Hung Hom, en 1975, l'ancien terminal sud de la ligne de chemin de fer du KCR (Kowloon-Canton Railway) jouxtait le Star Ferry Concourse, à l'endroit où se dresse le **beffroi** de la gare. Érigée en 1915, cette tour carrée haute de 44 m, ornée d'une horloge sur chaque face et surmontée d'une coupole à colonnes, paraît aujourd'hui anachronique. Face à l'embarcadère, l'édifice quelconque de la **Star House** abrite un immense magasin, idéal pour vos achats d'art et d'artisanat chinois (voir p. 46).

À côté de la Star House, une courte promenade sur le quai conduit à quelques escalators grimpant vers l'**Ocean Terminal** : ce port de plaisance, qui s'avance dans Victoria Harbor, abrite aussi un complexe commercial. Le bâtiment de quatre étages, jadis le premier terminal à conteneurs de Hong-Kong, offre un accès direct des paquebots aux boutiques. Il fait partie de l'immense ensemble d'hôtels et de commerces – l'**Ocean Center** et le **Harbor City** – qui s'étirent sur un kilomètre entre le port et Canton Road. Vous y trouverez des vêtements, de l'électronique, des articles pour la maison, des livres et des articles de parfumerie.

De retour à la Star House, continuez vers l'est vers Salisbury Road et traversez Canton Road jusqu'aux **Former Marine Police Headquarters** (*Tsim Sha Tsui Hill*). Bâti en 1884, cet ancien siège de la police maritime est le quatrième plus ancien édifice de la ville. Il constitue l'un des plus beaux vestiges de l'époque coloniale, avec ses grandes galeries à colonnes, ses immenses fenêtres arrondies et son revêtement de briques. Trois bâtiments le composent : le corps principal, les écuries et le sémaphore qui, jadis, abritait une station de signal horaire. Une boule en cuivre était programmée tous les jours à midi pour permettre aux navires présents dans le port de régler leurs chronomètres.

Autre joyau colonial, le **Peninsula Hotel** est à une rue vers l'est dans Salisbury Road. Inauguré en 1928, il s'est rapidement imposé comme l'un des meilleurs hôtels d'Asie et, même s'il n'est plus au bord de l'eau, l'édifice demeure très imposant. Entrez et admirez le hall somptueux, orné de corniches, d'élégantes

Les enseignes lumineuses de Peking Road.

colonnes et de plafonds dorés. Le Peninsula continue de perpétuer la tradition très britannique du thé, tous les après-midi à partir de 15h, sur fond de quatuor à cordes (voir p. 255).

NATHAN ROAD

Lorsque Matthew Nathan, gouverneur de Hong-Kong de 1904 à 1907, décida de doter la péninsule de Kowloon d'un élégant boulevard bordé de banians, les résidents furent surpris par l'ampleur du projet dans une zone si peu peuplée. La rue fut rapidement surnommée « folie de Nathan ». Aujourd'hui, la partie inférieure de Nathan Road et son dédale d'arcades et ruelles adjacentes forment un véritable temple de la consommation. Des milliers de boutiques jalonnent l'artère – magasins de vêtements, d'électronique et de photos, tailleurs, bijoutiers, chausseurs – aux côtés des bars et des restaurants. Colporteurs et petits escrocs proposent des montres de contrefaçon sur les trottoirs bondés. Surnommée Golden Mile (« mile d'Or »), cette partie de Nathan Road (voir p. 124-125) mérite certes d'être découverte, mais sa réputation marchande est surfaite. Les prix sont supérieurs à ceux des autres quartiers, comme Causeway Bay (voir p. 92) et les escroqueries fréquentes.

Prenez le temps d'explorer le labyrinthe des ruelles autour de Nathan Road, qui compte aussi de nombreux commerces et galeries. À l'ouest, Lock Road et Hankow Road regorgent de magasins d'électronique, de photos et de soie, tandis que l'est regroupe essentiellement des échoppes de vêtements. ■

Les magasins de Nathan Road vendent de tout, de l'électronique aux bijoux.

Une promenade dans Nathan Road

Rejoignez la foule des acheteurs et des touristes qui arpentent à loisir la plus célèbre artère de Hong-Kong. Vous serez harcelé par les rabatteurs, bousculé par les passants et ébloui par les vitrines, mais vous aurez également l'occasion de découvrir quelques lieux paisibles et des vestiges historiques.

Partez de l'extrémité sud de Nathan Road, qui fait l'angle de Salisbury Road près du port, et dirigez-vous vers le nord en longeant le **Peninsula Hotel** ❶ (voir p. 122-123). Admirez l'opulence et l'élégance de son hall, puis continuez et traversez Middle Road. Sur le trottoir opposé de Nathan Road s'élèvent les **Chungking Mansions** ❷ *(n° 36-44)*, immense ensemble décrépit qui héberge une multitude de minuscules pensions, de petits restaurants indiens, d'échoppes et d'ateliers peu engageants. Le lieu est devenu le fléau des autorités, qui aimeraient le démolir. Le film *Chungking Express* de Wong Kar-wai (1994) exploite à merveille l'atmosphère sordide de ce monstre de béton.

En revenant du côté ouest, une fois passées Peking Road et Haiphong Road, l'effervescence diminue. Le trottoir s'élargit devant le **Kowloon Park** ❸ (voir p. 130) et la foule s'éclaircit un peu. C'est un endroit agréable pour fuir la cacophonie de Nathan Road. À l'extrémité de la rue, à l'angle de Haiphong Road, se tiennent les beaux bâtiments de la **Kowloon Mosque and Islamic Center** ❹, plus grande mosquée de Hong-Kong. Érigée en 1984, elle a remplacé une mosquée bâtie en 1896 pour les soldats indiens des troupes britanniques en garnison dans les Whitfield Barracks, qui se dressaient autrefois sur le site.

- Plan p. 119
- ➤ Peninsula Hotel
- 1 km
- 1 heure
- ➤ Hong Kong Observatory

À NE PAS MANQUER

- Peninsula Hotel
- Kowloon Park
- Hong Kong Observatory

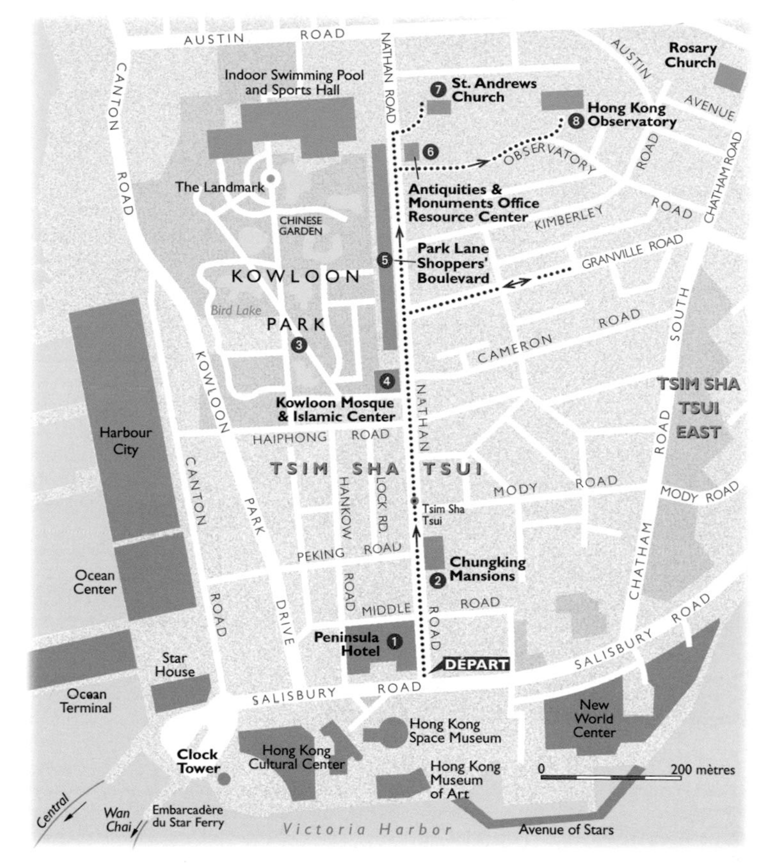

Au nord, **Park Lane Shoppers' Boulevard** ❺ est une artère commerçante huppée, regroupant des boutiques de vêtements à l'ombre des derniers banyans de Nathan Road. Traversez la rue au passage piéton et poursuivez vers le nord jusqu'à Granville Road. Ses échoppes de vêtements bon marché offrent de bonnes affaires, mais n'espérez aucun conseil, ni essayage ni remboursement. Des magasins similaires jalonnent Kimberley Road (une rue au nord) et Cameron Road (au sud).

De retour sur Nathan Road, marchez vers le nord et passez Kimberley Road et Observatory Road, jusqu'à l'**Antiquities and Monuments Office Resource Center** ❻ *(136 Nathan Rd., ☎ 2721-2326)*. Bâti en 1902 pour abriter la Kowloon British School, il rappelle l'architecture gothique victorienne des écoles britanniques de cette époque. À l'intérieur, une exposition présente la mission du bureau, chargé de l'entretien et de la rénovation des bâtiments historiques du territoire. L'édifice voisin illustre aussi ce style architectural.

La **St. Andrews Church** ❼ servit de sanctuaire shinto sous l'occupation japonaise. Après avoir admiré l'église, revenez vers Observatory Road et le **Hong Kong Observatory** ❽ *(☎ 2926-8200)*, observatoire bâti en 1883 au sommet d'une colline et toujours utilisé comme station météorologique. Des galeries à colonnes courent sur les deux étages de cet élégant bâtiment victorien en briques. Réservez une visite de groupe à l'Antiquities and Monuments Office. ■

Cultural Center, Museum of Art et Space Museum

Le Museum of Art recèle des photographies d'époque, des œuvres d'art et des antiquités.

DEPUIS L'ACHÈVEMENT DU HONG KONG CULTURAL CENTER, EN 1989, LE territoire se place en tête des villes d'Asie dans le domaine des arts scéniques. Ce centre culturel reçoit les plus grands artistes internationaux dans l'excellente salle dont il dispose. Le Museum of Art adjacent est l'un des meilleurs de la région, tandis que le Space Museum offre un moment de distraction.

Hong Kong Cultural Center

- 119 A1
- 10 Salisbury Rd.
- 2734-2009
- € (visite guidée)
- Star Ferry

CULTURAL CENTER

L'absence de fenêtres confère au bâtiment une certaine austérité, en dépit des façades roses et de son emplacement privilégié. Observé sous différents angles, l'édifice séduit néanmoins par sa longue toiture concave. Une place décorée de palmiers et de colonnades agrémente les berges, tandis qu'une promenade surélevée livre un magnifique panorama sur le port.

L'aménagement intérieur est de qualité. Le **Concert Hall**, salle ovale de 2 100 places, possède des réflecteurs acoustiques modulables et un remarquable orgue Rieger Orgelbau de 8 000 tuyaux, l'un des plus grands du monde. L'impressionnant **Grand Theater**, qui peut accueillir 1 750 personnes, dispose d'une scène tournante. Le centre abrite aussi un **Studio Theater** de 500 places, une salle d'exposition, des salles de répétition, ainsi que deux restaurants. Il programme régulièrement des concerts du remarquable Hong Kong Chinese Orchestra, du Hong Kong Symphony Orchestra et d'une multitude d'artistes internationaux.

Une visite guidée de 30 minutes commence chaque jour à 12h30 ; achetez votre billet au guichet d'information du hall principal.

MUSEUM OF ART

Les six galeries du musée mettent en valeur sa merveilleuse collection. Les cinq premières sont consacrées aux antiquités chinoises, aux beaux-arts, à l'art contemporain hongkongais et aux photographies historiques, tandis que la sixième accueille des expositions temporaires.

La belle **Chinese Antiquities Gallery**, au 3e étage, abrite une collection de céramiques du néolithique à aujourd'hui, des étoffes et des costumes – tenues officielles et habits de mandarins –, ainsi que des bronzes, des flacons à tabac, des sculptures en bambou, des jades et des laques. Au même étage, la superbe **Historical Pictures Gallery** rassemble plus d'un millier d'huiles, d'aquarelles, d'esquisses et de photographies réalisés par des artistes chinois et européens, qui dressent un portrait vivant de la Chine, de Hong-Kong et de Macao aux XVIIIe et XIXe siècles.

Au 2e étage, la **Contemporary Hong Kong Art Gallery** accueille la plus grande collection d'art contemporain du territoire, principalement l'œuvre d'artistes locaux. Elle révèle une intéressante fusion des styles et des techniques de l'Orient et de l'Occident. C'est ici que se trouve la **Xubaizhai Gallery of Chinese Painting and Calligraphy**, léguée au musée par le collectionneur et mécène Low Chuck-tiew (1911-1993). La galerie réunit des peintures chinoises et des calligraphies du Ve siècle à nos jours, dont de nombreuses œuvres des dynasties Ming et Qing.

La **Chinese Fine Art Gallery**, au 4e étage, est dédiée aux maîtres de la province du Guangdong. La baie vitrée sur la façade sud du musée offre un beau panorama sur le port.

SPACE MUSEUM

Le musée de l'espace occupe une étrange construction en forme de demi-balle de golf. Ses deux galeries comptent un grand nombre d'expositions, parfois interactives.

Le **Hall of Space and Science** est consacré à la conquête de l'espace. Il retrace notamment l'histoire de l'astronomie ancienne, de la science-fiction, des premières fusées, des satellites, des navettes spatiales et des programmes spatiaux du futur. Vous pourrez y voir un rocher lunaire, des maquettes de vaisseaux spatiaux et des films sur les vols dans l'espace et la découverte de la lune.

Le Hall of Astronomy présente le système solaire, ainsi que les étoiles. Le **Space Theater** projette des films sur l'espace et l'histoire naturelle, sur un écran Omnimax. ■

Le Cultural Center n'a pas de fenêtres, mais la promenade extérieure offre un beau panorama sur le port.

Hong Kong Museum of Art
☎ 2721-0116
Fermé jeu.
€
Star Ferry

Hong Kong Space Museum
☎ 2721-0226
Fermé mar.
€
Star Ferry

Croisières dans le port

LA DÉCOUVERTE DE VICTORIA HARBOR EST INCONTOURNABLE, NE SERAIT-ce que par une brève traversée en Star Ferry. Plusieurs solutions permettent de passer plus de temps dans le port, des promenades en bateau privé aux croisières avec déjeuner ou dîner. Vous pouvez opter pour une paisible excursion en ferry vers l'une des îles alentour.

Star Ferry
119 AI
2367-7065
6h30-23h30
€

La traversée de huit minutes en **Star Ferry** (voir p. 120-121) de Central à Tsim Sha Tsui est incontournable. Le ferry fait aussi la navette de Central à Hung Hom (Kowloon) et de Wan Chai à Tsim Sha Tsui.

Les bateaux des **New World First Ferry Services** (*tél. 2131-8181*) desservent les îles alentour au départ des Outlying Islands Ferry Piers 4, 5 et 6, embarcadères situés devant le bâtiment de l'Ifc, à Central. Ces navires imposants évoluent avec lenteur vers les îles de Lantau, Cheung Chau, Peng Chau et Lamma. Les traversées durent près d'une heure, excepté sur quelques embarcations plus rapides. Les ferries comptent deux classes, ordinaire et de luxe. Pour rendre le voyage plus agréable, achetez un billet en classe luxe et installez-vous dans la partie ouverte à l'arrière, afin d'échapper à la climatisation (plus réfrigérante que rafraîchissante). À bord, un comptoir vend en-cas et boissons. Effectuez de préférence ces excursions en semaine, lorsque l'affluence est moindre.

Un ferry rapide part toutes les 20 minutes pour la ville satellite de Discovery Bay, sur Lantau, du Outlying Islands Ferry Pier 3 à Central.

Il existe une profusion de circuits privés dans le port, agréables de jour comme de nuit. La plupart des compagnies prennent les passagers à leur hôtel et les conduisent jusqu'à un embarcadère de Kowloon ou de l'île de Hong-Kong.

C & A Tours (*tél. 2369-1866*) organise des croisières avec dîner et soirée dansante sur le paquebot *Hong Kong Bauhinia*. La compagnie

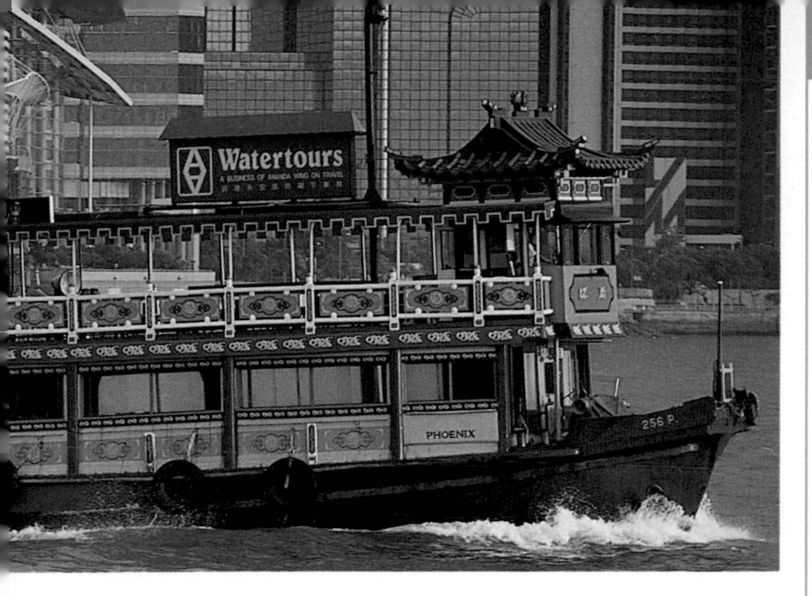

Une croisière dans Victoria Harbor est incontournable.

Watertours (*tél. 2926-3868*) programme des croisières en soirée, à bord de bateaux imitant l'architecture des jonques traditionnelles. Un circuit longe la côte nord de l'île de Hong-Kong et un autre rejoint le village de Lei Yue Mun à l'est de Kowloon pour un dîner de fruits de mer. Elle organise également une croisière au crépuscule vers Aberdeen, sur la côte sud de l'île, où vous débarquerez pour souper dans l'un des gigantesques restaurants flottants (voir p. 114-115).

Reliance Tours (*tél. 2731-2068*) vous propose, pour sa part, de découvrir quelques grands projets de construction hongkongais. Vous pourrez découvrir ainsi l'immense site gagné sur la mer de West Kowloon Reclamation, la Kowloon Expressway (autoroute aménagée sur les berges), Stonecutter's Island (qui n'est plus une île) et sa base navale de l'Armée populaire de libération (APL), ainsi que l'impressionnant Tsing Ma Bridge, pont qui dessert le Hong Kong International Airport à Chek Lap Kok.

Le **Jubilee International Tour Center** (*tél. 2530-0535*) loue une jonque chinoise pour une croisière privée de quatre heures vers les attrayantes plages et îles de Sai Kung, à l'est des Nouveaux Territoires. De nombreuses compagnies familiales proposent aussi des excursions d'une journée, appelées « junk trips » (« visites en jonque ») à bord de vedettes modernes qui n'ont guère de ressemblance avec les embarcations traditionnelles. Les bateaux viennent chercher leurs passagers à un point fixé à l'avance et les emmènent à Sai Kung. Vous trouverez une liste de ces compagnies dans les pages jaunes.

Les mercredi, vendredi et dimanche, **Hong Kong Dolphinwatch Ltd.** (*tél. 2984-1414*) organise des croisières pour observer les rares dauphins blancs (ou dauphins roses) dans l'estuaire de la rivière des Perles (voir p. 206-207). Un bus de la compagnie viendra vous chercher au Mandarin Oriental Hotel à Central ou au Kowloon Hotel à Tsim Sha Tsui pour vous conduire à Tung Chung, au nord de Lantau, où vous changerez de bateau. Un second voyage vous sera offert si vous n'apercevez aucun dauphin. ■

Les flamants roses sont les plus célèbres résidents du Kowloon Park.

Kowloon Park

LE PARC DE KOWLOON OFFRE UN HAVRE BIENVENU APRÈS L'EFFERVESCENCE des rues de Tsim Sha Tsui. Aménagé sur le site des Whitfield Barracks, ancien cantonnement britannique, il réunit un ensemble d'espaces verts, des équipements de loisirs, ainsi que des attractions qui surprendront plus d'un visiteur.

Kowloon Park

- 119 A2
- Austin Rd.
- 2724-3344
- € (piscine)
- MTR : Tsim Sha Tsui, sortie A1

L'entrée principale est aménagée dans Austin Road qui relie Nathan Road à Canton Road. Longez le terrain de football vers la galerie conduisant au parc. D'autres entrées se trouvent dans Nathan Road, Canton Road et Haiphong Road. La piscine couverte et les bassins extérieurs, qui offrent une pause délicieusement rafraîchissante, sont pris d'assaut le week-end.

Près de la galerie, dans un petit plan d'eau, se dresse le **Landmark**, imposante tour haute de 18,6 mètres réalisée par le sculpteur canadien Raymond Arnatt. De là, une allée traverse le parc, jalonnée de sentiers balisés qui mènent à des attractions qui valent le déplacement.

Ne manquez pas le **Chinese Garden**, jardin chinois agrémenté d'espaces ombragés, d'une pagode et d'allées couvertes. De l'autre côté de la voie transversale, la **volière** abrite des perruches et des perroquets colorés. Derrière le jardin on découvre un **labyrinthe** végétal, une **promenade de sculptures** comprenant des œuvres d'artistes locaux et étrangers, et un **jardin de sculptures** circulaire avec une statue en bronze d'Isaac Newton, fondue par le sculpteur britannique Eduardo Paolozzi (né en 1924).

Sur le **Bird Lake**, des flamants roses se lissent les plumes sur fond de paysage urbain. La présence d'un **totem géant**, derrière le plan d'eau, est déconcertante. En face, vous admirerez le panorama depuis le **Viewing Cone** (37 mètres). Le **Discovery Playground** marque l'emplacement du canon des Whitfield Barracks. ■

Tsim Sha Tsui East

La Waterfront Promenade offre une vue imprenable sur les gratte-ciel de Hong-Kong.

PLUS RÉCENT, TSIM SHA TSUI EAST OFFRE UN CONTRASTE SAISISSANT AVEC son voisin, Tsim Sha Tsui. Aménagé sur un terrain conquis sur la mer dans les années 1980, ce quartier d'hôtels de luxe, de galeries commerçantes modernes et de discothèques est avant tout un lieu de divertissement clinquant destiné à une clientèle aisée.

Le secteur est réputé pour ses luxueux et onéreux clubs japonais qui proposent des concerts, des spectacles de cabaret et des services d'hôtesses. L'extravagant **Club Bboss** (*New Mandarin Plaza, 14 Science Museum Rd., tél. 2369-2883*) offre un royaume imaginaire entièrement dédié au plaisir. Les clients sont conduits à leur table à bord d'une sorte de mini Rolls-Royce, dans une salle que traverse un ruisseau rempli de carpes.

Le long des berges, la **Waterfront Promenade** livre certaines des meilleures vues sur Hong-Kong. C'est ici que se trouve l'**Avenue of Stars**, une allée décorée de plaques et d'empreintes de stars du cinéma hongkongais, parmi lesquels le célèbre Jackie Chan. À l'extrémité est de la promenade se tient le **Hong Kong Coliseum** (*9 Cheong Wan Rd., Hung Hom, tél. 2355-7234*), un étrange centre de divertissement qui épouse la forme d'une pyramide inversée. La salle de 12 500 places est le lieu consacré à la « pop canto » (voir ci-dessous). ■

La « pop canto »

Le Hong Kong Coliseum est un haut lieu de la musique pop cantonaise. Ce genre musical réunit de jeunes chanteurs autour de textes sirupeux sur l'amour, de clips élaborés et de spectacles coûteux. Hormis la langue – les paroles sont en cantonais – rien ne le différencie de cette pop mièvre et passe-partout qui existe en Occident. ■

Tsim Sha Tsui East
119 B2

Hong Kong Museum of History

LE RÉCENT HONG KONG MUSEUM OF HISTORY, L'UN DES MEILLEURS musées du territoire, offre une vision renouvelée du passé de Hong-Kong. Les visiteurs découvrent par cette occasion 6 000 ans d'histoire grâce à un ensemble ingénieux de décors naturels, d'écrans panoramiques, de dioramas et de programmes interactifs. Les passionnés ne manqueront pas de visiter ce musée ayant pour vocation de mettre en valeur ce passé d'exception.

Hong Kong Museum of History

- 119 B2
- 100 Chatham Rd. South, Tsim Sha Tsui East
- 2724-9042
- Fermé mar.
- €
- MTR : Tsim Sha Tsui

Débutez votre visite dans le hall par une vue d'ensemble sur la **Landform and Climate Gallery**. Descendez par l'escalator qui aboutit à un globe terrestre, où vous pourrez localiser Hong-Kong et la Chine du Sud. De là, entrez dans une galerie bordée de roches pour un « voyage au centre de la terre », où des écrans détaillent l'histoire géologique et climatique du territoire, ainsi que son environnement marin.

Vous franchirez ensuite une forêt artificielle remplie d'insectes, d'oiseaux et de petits mammifères, avec la bande son correspondante.

Un diorama présente les premiers habitants de Hong-Kong.

Suit la salle **Prehistory**, dont les expositions associent soigneusement archéologie et préhistoire. Des dioramas consacrés aux fouilles et une plage longue de 42 mètres présentent des reconstitutions d'une maison sur pilotis, d'un site de fabrication d'outils en pierre, d'un lieu de sépulture et d'un atelier de poterie.

Montez la rampe et passez les objets de la période prédynastique pour découvrir la **Dynasties Gallery**, où des vitrines et des panneaux évoquant chaque dynastie retracent l'histoire de la Chine.

Un portique que l'on peut caractériser de villageois marque l'entrée de la **Folk Culture Gallery**. Cette galerie animée et vivante présente les principaux groupes ethniques de Hong-Kong et de la Chine méridionale. Vous y verrez une jonque-habitation de pêcheur, un spectacle illustrant la vie des Hakka et un diorama sur la récolte du sel. Une maison punti évoque les rituels et les croyances de cette ethnie autour de la naissance, des fiançailles, du mariage et de la religion. Une exposition présente aussi la vie des fermiers hakka, principal groupe ethnique du territoire.

Un escalator vous ramènera ensuite vers le hall d'entrée, d'où un autre escalier dessert le 2e étage et l'**Opium Wars and Early Maritime Trade Gallery**. La première partie de la galerie couvre les guerres de l'Opium (1840-1842 et 1856-1858 ; voir p. 29-32), avec notamment une façade du fort de Bocca Tigris, ouvrage défensif majeur des Chinois pendant la première de ces guerres. Continuez vers

l'Opium War Theater où un spectacle multimédia met en scène ces événements. À côté, une façade coloniale de trois étages domine la reproduction de la Praya (front de mer) et du port de Hong-Kong à la fin du XIXe siècle.

La **Growth of the City Gallery** dépeint un siècle d'histoire, à partir de 1840, par le biais de reconstitutions – banques, sociétés commerciales, club colonial, poste, boutique de thé, épicerie, échoppe de pharmacopée, tailleur et maison de thé cantonaise. Un appartement évoque la vie de la communauté chinoise pendant les années 1930.

Un couloir vous mènera à l'étage supérieur. Des décors d'époque, des vitrines et du matériel interactif reconstituent la période précédant la guerre sino-japonaise à travers les affaires politiques, le système administratif et éducatif, ainsi que les premières industries. Une section est consacrée à Sun Yat-sen (voir p. 33), tandis qu'une autre salle s'intéresse au rôle joué par Hong-Kong dans l'histoire moderne de la Chine.

En sortant soit du couloir soit de la maison de thé, vous rejoindrez une galerie. Là, vous pourrez pénétrer à l'intérieur d'un tramway à impériale où vous assisterez à un programme audiovisuel illustrant les transports d'avant-guerre.

La **Japanese Occupation Gallery** s'ouvre sur un abri antiaérien. Des objets et des expositions multimédia rappellent les jours sombres de l'occupation japonaise, la capitulation du Japon et les événements qui ont suivi.

La **Postwar Years Gallery** évoque les vagues d'immigration massive, l'industrialisation, les catastrophes naturelles et les problèmes d'après-guerre, comme le rationnement en eau. Un cinéma des années 1960 rend hommage, pour sa part, au développement de l'industrie du film. D'autres expositions présentent l'éducation, la bourse et la croissance explosive du territoire pendant cette période.

Quant à la dernière galerie, elle est dédiée à la déclaration conjointe sino-britannique de 1984 et à la cérémonie de rétrocession de 1997. Une présentation multimédia décrit les relations souvent tumultueuses entre la Chine et Hong-Kong. ■

La jonque chinoise, moyen de transport et de commerce d'autrefois.

L'étrange « machine à énergie » déploie ses mécanismes à travers les quatre étages du musée.

Hong Kong Science Museum

Le musée des Sciences de Hong-Kong est le plus populaire du territoire, un succès qu'il doit notamment au grand nombre de dispositifs interactifs qui jalonnent ses quatre étages. La visite est tout à fait captivante, notamment pour les enfants qui peuvent aisément y passer quelques heures.

Hong Kong Science Museum
- 119 B2
- 2 Science Museum Rd., Tsim Sha Tsui East
- 2732-3232
- Fermé jeu.
- € (gratuit mer.)
- MTR : Tsim Sha Tsui

Sur les 500 tableaux d'exposition, organisés par thème, plus de la moitié sont interactifs. Tout près de l'entrée, au 1er étage, un écran géant appelé **Vidiwall** propose une brève introduction. Au centre du hall, **l'Exhibits and Facilities Directory System** permet de localiser, sur un écran, les salles d'exposition, avec une description détaillée de chaque galerie.

Dominant les quatre étages du musée depuis le rez-de-chaussée (un niveau sous l'entrée principale), l'**Energy Machine** dresse, à 22 mètres de hauteur, son échafaudage de tuyauteries, de spirales, de rails et de tambours en bronze. Lorsque la machine fonctionne, un flot continu de balles suit les courbes du circuit comme un train sur des montagnes russes, accompagné d'effets sonores et visuels impressionnants. Dans la section **Motion**, vous pouvez vous étendre sur un lit de clous, vous asseoir dans une salle tournante ou effectuer d'autres expériences tout à fait fascinantes. Dans la galerie **Life Science**, vous mesurerez votre endurance, votre ouïe et votre vue à travers une batterie de tests.

La section **Electricity and Magnetism**, au 1er étage, vous permet d'évaluer la charge d'électricité statique dans votre corps. Au 2e étage, le simulateur de vol de la section **Transportation** vous donnera l'impression de décoller de l'aéroport international de Hong-Kong. Au 3e étage, la section **Home Technology** passe au peigne fin le fonctionnement de l'équipement de la maison, des fours à micro-ondes et des cafetières aux toilettes. ■

Yau Ma Tei

YAU MA TEI PARAÎT BEAUCOUP MOINS SOPHISTIQUÉ QUE SON VOISIN Tsim Sha Tsui et la plupart des autres secteurs de Hong-Kong. Ce quartier de trottoirs bondés, de vieux immeubles décrépits et surpeuplés, de boutiques et d'échoppes, de *dai pai dong* (restaurants de rues) et de marchés en plein air exerce une attirance sans limites auprès des visiteurs qui s'y rendent à pied.

Explorez le quadrillage de rues qui se tiennent entre **Jordan Road** et **Kansu Street**, à l'ouest de Nathan Road. Les boutiques de Canton Road vendent de l'ivoire et des jeux de mah-jong. Ning Po Street et Reclamation Street sont le domaine des maisonnettes et voitures en papier et des billets estampillés « banque de l'enfer ». Ces derniers sont brûlés aux funérailles et lors des fêtes pour assurer le confort des proches dans l'au-delà. Un marché occupe **Saigon Street**. Les commerces florissants alentour sont les spécialistes des divinités, des brûle-encens et des autels.

À l'intersec tion de Battery Street et Kansu Street, le **Jade Market** est très animé en matinée. Il regroupe plus de 450 stands vendant amulettes, colliers, bibelots, perles et statuettes. À moins de très bien connaître la pierre verte – les Chinois lui attribuent des vertus de guérison –, contentez-vous d'acheter un souvenir bon marché.

Non loin dans Public Square Street, près de Shanghai Street, se tient le **temple de Tin Hau**, qui occupait le front de mer avant le remblayage d'une partie du port (voir l'encadré p. 93). D'immenses cônes d'encens sont suspendus à l'entrée de la salle principale, sur laquelle veille une statue de Tin Hau. Elle abrite 60 effigies identiques de Tai Sui, divinité de l'astrologie chinoise, représentant les 60 années du calendrier lunaire. Les fidèles brûlent de faux billets sous le dieu de leur année de naissance. Sur la gauche se trouvent un temple dédié au dieu de la ville, Shing Wong, et un sanctuaire au dieu de la terre, To Tei. Les devins se regroupent à proximité pour lire les *chim* (bâtonnets divinatoires en bambou).

Dans **Shanghai Street**, des boutiques vendent des tenues de mariage rouges, des taies d'oreiller brodées et autres articles de noces. ■

Yau Ma Tei
119 A4

Le jade sous toutes ses formes sur les étals du marché du même nom.

Les arts martiaux

Dans les années 1970, le légendaire Bruce Lee (1940-1973) initia les cinéphiles occidentaux aux arts martiaux chinois. L'image violente et provocatrice qu'il en donna à l'écran est toutefois bien loin de la réalité.

Le terme *kung fu* a été rapidement appliqué à tous les arts martiaux originaires de Chine. Il en existe pourtant plusieurs centaines de formes, dont certaines sont apparues il y a plusieurs siècles et d'autres assez récemment. Leurs fondements renvoient en effet au mot kung fu, qui désigne toute habileté acquise au prix d'un entraînement, ainsi que le temps et les efforts investis. Les dirigeants, les artistes et les programmeurs en informatique peuvent tous détenir un bon kung fu. Le terme chinois exact pour « art martial » est *wushu.*

Le wushu est aussi une forme particulière de kung fu qui incarnerait « l'art » des arts martiaux. Les techniques inspirées des mouvements naturels du wushu peuvent être pratiquées seul, à deux ou en groupe, à mains nues ou avec des armes traditionnelles, lors de combats sans contact. Le wushu donne lieu à des performances athlétiques et esthétiques d'une grande difficulté, à la fois précises, élégantes, rapides et puissantes. Les pratiquants parviennent à esquiver les coups d'épée et de bâton avec une dextérité extraordinaire.

À l'aube et au crépuscule, des groupes de personnes (généralement âgées) investissent les espaces publics pour leurs exercices quotidiens de *tai chi*, le plus populaire des arts martiaux. Les mouvements coulants sont exécutés lentement, comme si le pratiquant évoluait dans une atmosphère très lourde. Cette lenteur vise à favoriser la respiration profonde et la concentration, ce qui apporte calme intérieur et sérénité, à mesure que l'énergie interne – le *chi* – circule dans le corps.

La pratique régulière du tai chi maintient la souplesse des articulations et la tonicité des muscles, améliore la circulation et l'équilibre. La lenteur des mouvements aide à neutraliser le stress et à relâcher les tensions qui tendent à s'accumuler au quotidien. En dépit des apparences, le tai chi trouve ses racines dans le combat. La technique consiste à résister à l'adversaire en esquivant le coup et en renvoyant la force dans une autre direction, afin que « la douceur l'emporte sur la puissance ».

Bruce Lee compléta ses talents en matière d'arts martiaux avec le *wing chun* avant de développer son propre style. Cet art martial fut créé par une religieuse bouddhiste du célèbre temple de Shaolin (province du Henan), Ng Mui, qui le transmit à une jeune fille appelée Wing Chun. Cette technique dynamique et redoutable est assez facile à apprendre.

Rejetant les mouvements élaborés et théâtraux des autres arts martiaux, elle se fonde sur la rapidité, la dérobade et l'économie du geste, encourageant les attaques de main brèves et violentes, les coups de pied bas et un recours simultané à l'attaque et à la défense. Respectant la « théorie de l'axe médian », le wing chun dirige toutes les attaques et les blocages vers un axe imaginaire qui traverse diverses parties du corps en leur milieu – yeux, nez, lèvres, bouche, gorge, cœur, plexus solaire et aine. Parce qu'il ne met pas l'accent sur la force, il est apprécié des femmes comme technique d'autodéfense, l'intention première de sa créatrice. ■

Ci-dessus : les Hongkongais pratiquent le tai chi dans les espaces publics, dont les parcs. Ci-dessous : les mouvements lents, réguliers et fluides du kung fu sont fondés sur des techniques de combat.

En quête de bonnes affaires au marché de nuit de Temple Street.

Marché de nuit de Temple Street

LES ÉTALS QUI S'INSTALLENT LE SOIR DANS TEMPLE STREET FORMENT L'UN des marchés les plus réputés et les plus pittoresques de Hong-Kong. Résidents et touristes affluent pour y faire des provisions et des bonnes affaires, pour interroger l'avenir ou pour écouter des chanteurs d'opéra chinois amateurs. Le marché ouvre dès la fin d'après-midi, mais c'est entre 20h et 22h que l'animation bat son plein.

Temple Street Night Market
119 A3

En journée, Temple Street ne diffère guère des rues voisines, avec ses restaurants et ses boutiques de vêtements bon marché. En début de soirée cependant, la circulation est interrompue. Des centaines de vendeurs aménagent des étals de fortune et exposent une myriade d'articles sur leurs tapis.

Le marché s'étire au sud de Man Ming Lane, traverse le domaine du temple de Tin Hau et Kansu Street jusqu'à Ning Po Street. Nulle part ailleurs en Asie, vous ne trouverez une telle diversité : contrefaçons de grandes marques de vêtements et de montres, jeans et hauts à petit prix, briquets les plus divers, y compris ceux en forme de grenade ou de femme nue, cravates en soie ornées des héros de dessins animés, maillots de bain, lunettes de soleil, chaussures, CD piratés, cassettes audio, réveils, jouets, bibelots chinois, soieries, magazines et babioles par millions. Reposez-vous dans l'un des *dai pai dong* (restaurants de rue) installés aux intersections, autour d'un plat de fruits de mer et d'une bière, tout en observant l'effervescence alentour.

Au temple de Tin Hau, les promeneurs se massent autour des joueurs d'échecs, tandis que les devins de Pak Hoi Street lisent les lignes de la main ou du visage.

Le marché accueille aussi des chanteurs d'opéra cantonais à la voix stridente, des petits orchestres de percussions, ainsi que des joueurs de banjos (*yue chin*), de xylophones et de violons à tête de dragon. ■

Marchés de Mong Kok

TOUT COMME SON VOISIN YAU MA TEI, MONG KOK RÉVÈLE UN ASPECT plus populaire de Hong-Kong. Ce quartier bruyant possède une incroyable densité d'immeubles, d'habitants et de rues encombrées de voitures. Bien qu'il soit exclu du parcours touristique habituel, il mérite le détour pour ses nombreux marchés intéressants.

De douces mélodies résonnent dans le Bird Garden où quelque 70 étals vendent des oiseaux de compagnie.

Mong Kok markets
119 A5

Le plus populaire de ces marchés est le **Bird Garden** (*Yuen Po St.*), « jardin aux oiseaux » agrémenté de jolies cours et de portes arrondies. Les oiseaux, notamment ceux au chant mélodieux, sont les animaux de compagnie favoris des Chinois. Ils les nourrissent de crickets vivants importés de Chine et de boissons au miel afin d'embellir leur chant. Le Bird Garden regroupe plusieurs centaines de volatiles : fringilles, mainates, moineaux, perroquets et cacatoès. En plus des graines et de la nourriture pour oiseaux, on y vend aussi des cages sculptées et de délicats abreuvoirs en porcelaine.

À côté du Bird Garden, une rue avant Prince Edward Road West près de Sai Yee Street, vous découvrirez le beau **Flower Market**, avec ses assortiments colorés et parfumés de fleurs provenant du monde entier. Revenez dans Prince Edward Road West, marchez vers l'ouest en direction de Nathan Road et tournez à gauche dans Tung Choi Street. La première partie de la rue est occupée par des dizaines de boutiques et un marché de poissons rouges et d'aquariums, appelé **Goldfish Market**. Des bassins remplis de milliers de poissons bigarrés ornent les étals. Les Chinois pensent que les poissons rouges apportent chance, sérénité et beauté.

Plus au sud dans Tung Choi Street, autour de Nelson Street et Argyle Street, le **Ladies Market** vend de l'habillement pour femmes et des produits cosmétiques, ainsi que des vêtements pour hommes bon marché. Les ventes débutent en fin d'après-midi. ■

New Kowloon

Jusqu'à la cession des Nouveaux Territoires aux Britanniques pour 99 ans, en 1898, la frontière de Hong-Kong s'arrêtait à Boundary Street et courait d'est en ouest le long de la péninsule. Au nord de cette artère commencent, à proprement parler, les Nouveaux Territoires, dont l'effervescence des rues rappelle davantage Kowloon.

Les quartiers fortement urbanisés et somme toute relativement austères de New Kowloon possèdent quelques curiosités intéressantes pour les visiteurs et, comme souvent sur le territoire de Hong-Kong, se révèlent aisément accessibles en transport public.

Le tout Hong-Kong afflue vers le temple de Wong Tai Sin, situé en plein cœur des tours d'habitation résidentielles, pour invoquer la chance et se faire prédire l'avenir. Agenouillés sur une place devant le temple richement décoré et bruissant d'activité, les fidèles posent des questions aux dieux concernés, tout en agitant un récipient contenant des *chim* (bâtonnets de bambou numérotés). Le chiffre du bâtonnet tombé du pot correspond à un message qui sera délivré par un devin installé dans une galerie voisine.

L'île de Hong-Kong offre une belle toile de fond pour ce terminal à conteneurs du quartier industriel et résidentiel de New Kowloon.

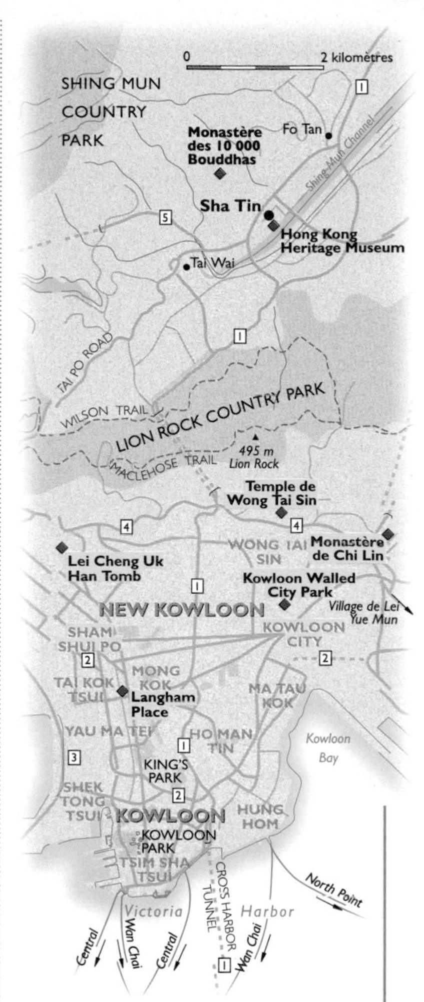

L'étonnant monastère de Chi Lin, érigé dans le plus pur respect du style architectural de la dynastie Tang et des principes du *feng shui*, attire lui aussi son lot de visiteurs. La plupart viennent simplement se promener dans les beaux jardins et bâtiments en bois de ce temple de religieuses. Arrivez tôt pour profiter de la sérénité du lieu et éviter les bus de touristes qui affluent dès le milieu de matinée.

Les rues de Kowloon City sont jalonnées d'une foule de restaurants asiatiques (cantonais, coréens, malaisiens, thaïlandais et vietnamiens) et de boutiques de vêtements à petit prix. L'atmosphère bon enfant du quartier vous distraira après la visite des jardins du Walled City Park adjacent, l'un des plus beaux jardins chinois de Hong-Kong. Le parc occupe le site de ce qui fut autrefois le pire secteur du territoire : une cité délabrée, surpeuplée, incroyablement dangereuse et qui portait le surnom de Walled City (la « ville fortifiée »). ■

Des fidèles invoquent la chance devant le temple richement orné de Wong Tai Sin.

Temple de Wong Tai Sin

LE TEMPLE DE WONG TAI SIN EST L'UN DES PRINCIPAUX LIEUX DE CULTE DE Hong-Kong, car sa divinité a la capacité d'accéder aux vœux des fidèles, presque exclusivement centrés sur l'argent. Les visiteurs affluent dans l'idée de gagner aux courses hippiques ou à la loterie Mark Six, ou profiter de toute aubaine que pourrait leur accorder le puissant Wong, dieu de la chance et de la guérison.

Wong Tai Sin Temple

- Plan p. 141
- 2 Chuk Yuen Village, Wong Tai Sin
- 2327-8141
- € (don)
- MTR : Wong Tai Sin, sortie B2

La représentation du dieu Wong, qui est hébergée dans le somptueux **Temple principal**, fut rapportée à Hong-Kong du Guangdong en 1915 et installée dans un temple de Wan Chai jusqu'en 1921. Le sanctuaire principal est surmonté d'un toit jaune vif et de plafonds en pin, soutenus par des colonnes rouges. L'impressionnant édifice s'assortit de peintures ouvragées, de dragons dorés en relief, de belles boiseries sous l'avant-toit et, sur l'autel, de sculptures illustrant la vie de Wong et de ses contemporains. Les bâtiments de l'enceinte du temple furent reconstruits en 1973.

La place devant l'entrée principale au sanctuaire – il est interdit d'entrer, mais vous pouvez voir la divinité depuis la porte – accueille une foule de fidèles venus déposer des offrandes de fruits, brûler de l'encens et agiter des bâtonnets de

divination. Le cliquetis de ces *chim* qui s'entrechoquent ne cesse jamais. Vous les trouverez au petit kiosque sur le côté de l'esplanade. Agitez le pot et laissez tomber quelques baguettes sur le sol, puis notez les chiffres sur la feuille fournie pour les faire interpréter dans la **galerie d'oblation et de divination** adjacente. Des dizaines de devins – certains parlent l'anglais – peuvent ici lire vos chim, les lignes de votre visage ou de votre main.

Le moment idéal pour visiter le temple est le vendredi en fin d'après-midi, quand des centaines d'hommes et de femmes d'affaires en costume ou tailleur viennent prier, interroger les chim et faire des offrandes.

À droite du bâtiment principal se tient le **temple des Trois Saints**, dédié aux divinités taoïstes, où les fidèles se rassemblent autour d'un autel. Passez le bâtiment et la salle de la Mémoire jusqu'au **Temple confucéen**, de forme octogonale, avec ses larges avant-toits et ses ornements de toitures en forme de lions, de poissons, d'oiseaux et de créatures mythiques. Entre les deux bâtiments se trouve l'entrée du paisible **Good Wish Garden** (*fermé lun.*), dont les jardins soigneusement aménagés sont ponctués d'élégantes pagodes, de décors de rocaille, de sentiers et de ponts enjambant un ruisseau et un bassin de carpes. Une arcade mène à une bambouseraie et à une reproduction du panneau des Neuf Dragons du Palais impérial de Beijing, dressé devant un petit plan d'eau. Le jardin possède aussi une cascade artificielle de 18 mètres de hauteur. ■

L'encens et les fruits composent les offrandes les plus courantes, tandis que les pots remplis de *chim* servent à la divination.

Kowloon Walled City Park et Kowloon City

Ce jardin chinois traditionnel est venu remplacer la Walled City, ancienne enclave mal famée d'immeubles délabrés, surpeuplés et reliés les uns aux autres par des passages et des allées sombres, où régnaient toutes sortes d'ateliers clandestins et d'usines illégales. À côté du Walled City Park, les rues de Kowloon City s'avèrent idéales pour s'adonner à petit prix aux passe-temps favoris des Hongkongais : le shopping et la bonne chère.

La « ville fortifiée » était à l'origine une garnison, construite par le gouvernement Qing en 1847. Lorsque les Britanniques prirent possession des Nouveaux Territoires (dont New Kowloon) en 1898, la Chine conserva sa souveraineté sur cette enclave fortifiée, même après le renvoi des fonctionnaires Qing en 1899.

L'enceinte de la cité fut abattue sous l'occupation japonaise afin de permettre l'extension de l'aéroport de Kai Tak. Après la Seconde Guerre mondiale, des milliers de réfugiés fuyant la Chine communiste s'installèrent dans le quartier. Ce dernier devint un refuge pour les triades, les drogués, les prostituées et toutes sortes de criminels, ainsi que des centaines de dentistes chinois qui ne pouvaient exercer légalement. Après l'accord de la Chine et de longues négociations sur l'indemnisation des résidents, l'enclave fut abandonnée aux bulldozers pour laisser place au Walled City Park.

La porte sud de Carpenter Road débouche sur une place bordée de banians et sur le **Yamen Building**. Les trois salles de ce bâtiment abritaient autrefois l'administration du magistrat adjoint de Kowloon. Des photographies et une maquette de la Walled City y sont exposées.

Les fouilles archéologiques entreprises pendant les travaux de démolition ont mis au jour deux stèles portant les inscriptions « porte sud » et « ville fortifiée de Kowloon ». Elles se dressent aujourd'hui à l'est de l'entrée de la porte sud originelle, autrefois principal accès à la ville. Les autres vestiges découverts, parmi lesquels des pierres de fondation des remparts, un canon, une allée dallée et un fossé de drainage, sont présentés à travers le parc.

Dans la partie ouest, de petits ponts enjambent un bassin de carpes et un ruisseau, bordés d'une allée couverte. Juste au sud, un pont franchit un lac artificiel avec des tortues vers l'un des huit élégants pavillons répartis dans le parc, le **Nam Lung Pavilion**. Admirez ses larges avant-toits, ses treillages en bois, ses portes arrondies, ses fenêtres rouges et ses murs décorés. Entre le lac et le Yamen Building, un jardin clos appelé **Garden of**

À gauche : un temple dans l'enceinte sombre et froide de l'ancienne Walled City, détruite en 1933.

Kowloon Walled City Park

Plan p. 140

Tung Tsing Rd., Kowloon City

2716-9962

MTR : Lok Fu, sortie B, puis taxi

Bus : 1 depuis Star Ferry

Four Seasons abrite de nombreuses variétés de bonsaïs.

Les sentiers qui serpentent dans la partie est du parc mèneront vos pas à l'élégant **Mountain View Pavilion** et au **Hill Top Pavilion**, érigés sur une petite colline. Une tour construite en bordure du parc empêche désormais d'apprécier le panorama sur l'imposant **Lion Rock**, au nord.

Suivez l'allée couverte du Mountain View Pavilion au **Twin Pavilion**, de style Ming, et au **Chess Garden**, où trônent quatre jeux d'échecs chinois géants en pierre.

KOWLOON CITY

Commencez votre exploration par les rues parallèles bornées par Prince Edward Road West, Junction Road et Carpenter Road. Partez du Regal Kai Tak Hotel, sur Sa Po Road, et suivez le dédale des rues vers l'ouest en direction de Junction Road. Là, plus de 200 restaurants proposent d'excellentes spécialités chinoises, taiwanaises, coréennes, vietnamiennes, malaisiennes ou japonaises. Le quartier est réputé pour son choix de restaurants thaïlandais, qui préparent une cuisine de qualité.

Plusieurs boutiques bon marché vendent aussi de l'habillement présentant de légers défauts ou des surstocks. En fouillant un peu, vous trouverez peut-être des tenues de créateur pour une somme bien inférieure à ce que vous paieriez dans un grand magasin ou une boutique des beaux quartiers. La plupart de ces échoppes ne disposent pas de cabine d'essayage et n'accordent aucun remboursement. ■

Ci-dessus : le Lung Nam Pavilion du Kowloon Walled City Park fut aménagé sur le site de la Walled City, dans le style des jardins du Jiangnan du début de la dynastie Qing.

Le cinéma hongkongais

Hong-Kong produit plus d'une centaine de films par an, ce qui classe la ville en troisième position mondiale derrière l'Inde et les États-Unis. Outre les cinéphiles du territoire, les films d'action des réalisateurs et producteurs hongkongais séduisent aussi un large public à Taiwan, à Singapour, en Malaisie, en Thaïlande, aux Philippines et en Indonésie.

Le cinéma coûte beaucoup moins cher à Hong-Kong qu'à Hollywood. Un bon million de dollars américains suffit pour tourner un film sur le territoire, contre un minimum de cinq millions de dollars pour une grosse production américaine. Les Hongkongais peuvent réaliser un film de A à Z en deux ou trois mois, au lieu de six à douze mois aux États-Unis.

Les rôles principaux sont l'apanage de quelques dizaines d'acteurs – souvent des chanteurs de pop canto (voir l'encadré p. 131) – qui sont idolâtrés à Hong-Kong, de même que dans le reste de l'Asie. Ils sont toujours très sollicités par les producteurs, qui savent qu'un panel d'acteurs en vogue est une garantie de succès, à défaut de qualité. L'argent facile du cinéma a attiré les triades (gangs du crime organisé) vers cette industrie, surtout dans la première moitié des années 1990.

Afin de compenser les maigres budgets alloués à la production, l'accent est mis essentiellement sur d'étonnantes cascades et la violence de bande dessinée, souvent omniprésente et difficile à supporter. Des scènes qui seraient inacceptables ailleurs, même à Hollywood, sont le lot commun de nombreux films d'action hongkongais. Le film de gangsters *The Big Heat* (1988) commence sur l'image d'une main trouée par une perceuse électrique. Dans *Run and Kill* (1993), un homme brûle la fille de son ennemi et dépose, moqueur, son corps calciné aux pieds du père.

Il existe toutefois des exceptions notables à ce déchaînement de violence. En 1997, le cinéaste d'art et d'essai Wong Kar-wai a obtenu, avec *Happy Together*, la Palme d'or du festival de Cannes. Dans son extraordinaire *Chungking Express* (1994) tourné à Hong-Kong, il oppose à la brutalité un dialogue intense, ainsi qu'une introduction à la ville moderne. Malgré de fabuleuses cascades et de nombreux combats, les comédies de Jackie Chan n'ont rien de barbare. Son film *Combats de maîtres* (1994) est devenu un classique du cinéma de Hong-Kong.

Les films hongkongais connaissent un succès croissant aux États-Unis et en Europe, notamment depuis que plusieurs acteurs et réalisateurs du territoire ont investi Hollywood. John Woo, réalisateur du film culte et sanglant *The Killer* (1989) a réussi en reproduisant la violence stylisée du cinéma hongkongais. L'acteur spécialiste du kung fu Jackie Chan – de loin l'acteur le plus célèbre d'Asie – a réalisé de très bons films d'action comiques, dont *Rush Hour* (1998) et *Shanghai Kid* (2000).

L'acteur dramatique Chow Yun-fat a fait sa première apparition à Hollywood en 1998, dans *Un Tueur pour cible*. Il a depuis été récompensé aux Academy Awards pour son rôle dans *Tigre et dragon* (2000). D'autres acteurs de Hong-Kong, dont la star Jet Li, ont eu leur part d'influence sur Hollywood. Bien que d'origine malaise, la reine du kung fu Michelle Yeoh (*Tigre et dragon*) a également fait ses premiers pas sur le territoire.

Le cinéma hongkongais se redresse lentement après une phase difficile qui a culminé en 1998. Aggravée par la crise économique en Asie, la hausse du prix des billets de cinéma et le piratage démesuré des films, cette récession a réduit la production d'un tiers. En 1999, les autorités ont créé le Film Development Board et accordé plus de cent millions de dollars américains à l'industrie cinématographique. ■

Ci-dessus et à gauche : le maître du kung fu acrobatique Jackie Chan est l'un des acteurs hongkongais qui ont réussi à Hollywood.
Ci-dessous : l'industrie du cinéma a été florissante pendant plus d'un demi-siècle.

Monastère de Chi Lin

Chi Lin Nunnery

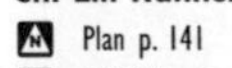

Plan p. 141

5 Chi Lin Dr., Diamond Hill

2354-1882

MTR : Diamond Hill

CHI LIN EST UN COMPLEXE MONASTIQUE DE RELIGIEUSES COMPRENANT des jardins, des bassins couverts de lotus et des édifices en bois magnifiquement ouvragés qui reproduisent le style architectural de la dynastie Tang (618-907), grande période d'épanouissement culturel en Chine. Ce paisible et splendide ensemble fut édifié avec près de 95 000 pièces de bois assemblées sans un seul clou.

La structure respecte les règles de l'architecture chinoise ancienne et du *feng shui* (voir p. 110-111). Les temples, construits sur un axe nord-sud, sont bordés de salles annexes situées à l'est et à l'ouest. Les bâtiments principaux, érigés face à la mer et dos à la montagne, suivent le modèle répondant au principe suivant : « une enceinte, trois cours et trois portes ». Des statues dorées et exubérantes du bouddha, caractéristiques de la période Tang, décorent les différentes salles.

Entrez dans le complexe par la Shanmen (« première porte » ou

Le magnifique monastère de Chi Lin reproduit l'élégante architecture de la dynastie Tang.

« porte de la montagne ») qui mène à une première cour, espace paisible ponctué de quatre bassins et de bonsaïs. De longues galeries à colonnes et fenêtres à meneau flanquent la cour. Après la « seconde porte » , un escalier conduit au **temple des Rois célestes** – dite la « seconde entrée » – qui garde le monastère et tient lieu de salle de réception. Derrière la porte principale, un autel présente le bouddha Maitreya (être céleste qui viendra sur terre sauver l'humanité), entouré des Rois célestes armés de lances, d'épées et de bâtons. La terrasse offre une belle vue sur la cour, les plans d'eau et les structures en bois.

De chaque côté de l'édifice, des passages mènent à la « seconde cour » qui accueille le somptueux Temple principal au nord.

Après le passage de gauche se trouve le petit **temple de Jai Lan**, ou tour du Tambour. Le bodhisattva Jai Lan, « courageux, vigilant et zélé gardien » des enseignements du Bouddha, occupe une grotte située au rez-de-chaussée.

Face à la tour du Tambour, près du passage de droite, se dresse le **temple de Ksitigarbha**, ou tour de la Cloche, qui abrite le bodhisattva Ksitigarbha. À l'étage, le son cristallin de la cloche a pour but « d'éveiller les esprits et d'apaiser les âmes souffrantes ». Deux temples flanquent la cour. Sur la droite, le

Kwun Yam

Kwun Yam, déesse de la miséricorde, est l'incarnation chinoise du bodhisattva Avalokitesvara. La légende raconte qu'Avalokitesvara était en fait le prince Bu Xun, qui vécut sur la côte sud de l'Inde. Celui-ci renonça au monde matériel pour devenir un disciple du Bouddha, faisant vœu de délivrer l'humanité de toute souffrance. Les bodhisattvas sont traditionnellement asexués mais, alors qu'ils devenaient populaires sous la dynastie Yuan, des représentations féminines de Kwun Yam apparurent dans les temples. On considérait que beaucoup de tâches attribuées au bodhisattva, comme le fait de délivrer les enfants, étaient plus appropriées à une divinité féminine. ■

temple de Bhaisajyaguru renferme une statue dorée du maître de la médecine tenant un bol médicinal. Révéré par les fidèles en quête de longévité et de santé, il est secondé par les bodhisattvas Suryaprabha (soleil) et Candraprabha (lune). Le **temple d'Avalokitesvara** (ou Kwun Yam, déesse de la miséricorde ;

voir l'encadré p. 149) se tient à gauche. C'est là que les dévots prient afin d'obtenir des biens temporels, tels que santé, sagesse, paix ou même richesse.

Le bodhisattva est représenté sur un lotus au milieu de l'océan, observant le reflet de la lune sur l'eau – symbole de la nature éphémère et illusoire de la vie.

L'édifice le plus impressionnant de Chi Lin est son **Temple principal**, véritable merveille architecturale. Vingt-huit colonnes en cyprès jaune supportent un toit couvert de 28 000 tuiles, qui pèsent à elles seules 160 tonnes. Dénuée de clous, la structure est assemblée par un système complexe de consoles, caractéristique de l'architecture chinoise ancienne, qui permet un transfert progressif du poids vers les colonnes. Des artisans traditionnels de la province chinoise de l'Anhui réalisèrent l'ouvrage.

Le **Temple principal** accueille une remarquable statue du bouddha Sakyamuni. Il est représenté assis sur un autel et flanqué de deux disciples debout, Mahakasgapa et Anada, et de deux bodhisattvas assis, Marjusri et Samantabhadra.

La porte nord du pavillon mène à la « troisième cour », fermée aux visiteurs, où se dressent les temples du Patriarche, des Ancêtres, de la Prière et du Dharma. Dans l'angle nord-est du monastère, la **pagode des Dix Mille Bouddhas** abrite plus de 10 000 statues. ■

À gauche : une lanterne de style Tang borde le chemin du bassin aux Lotus ouest.

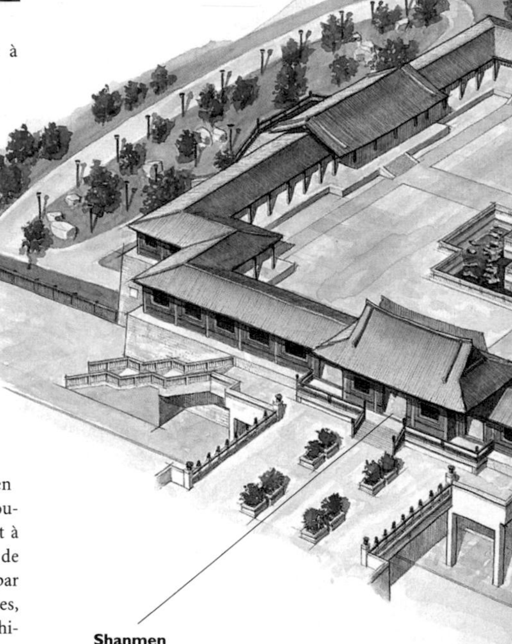

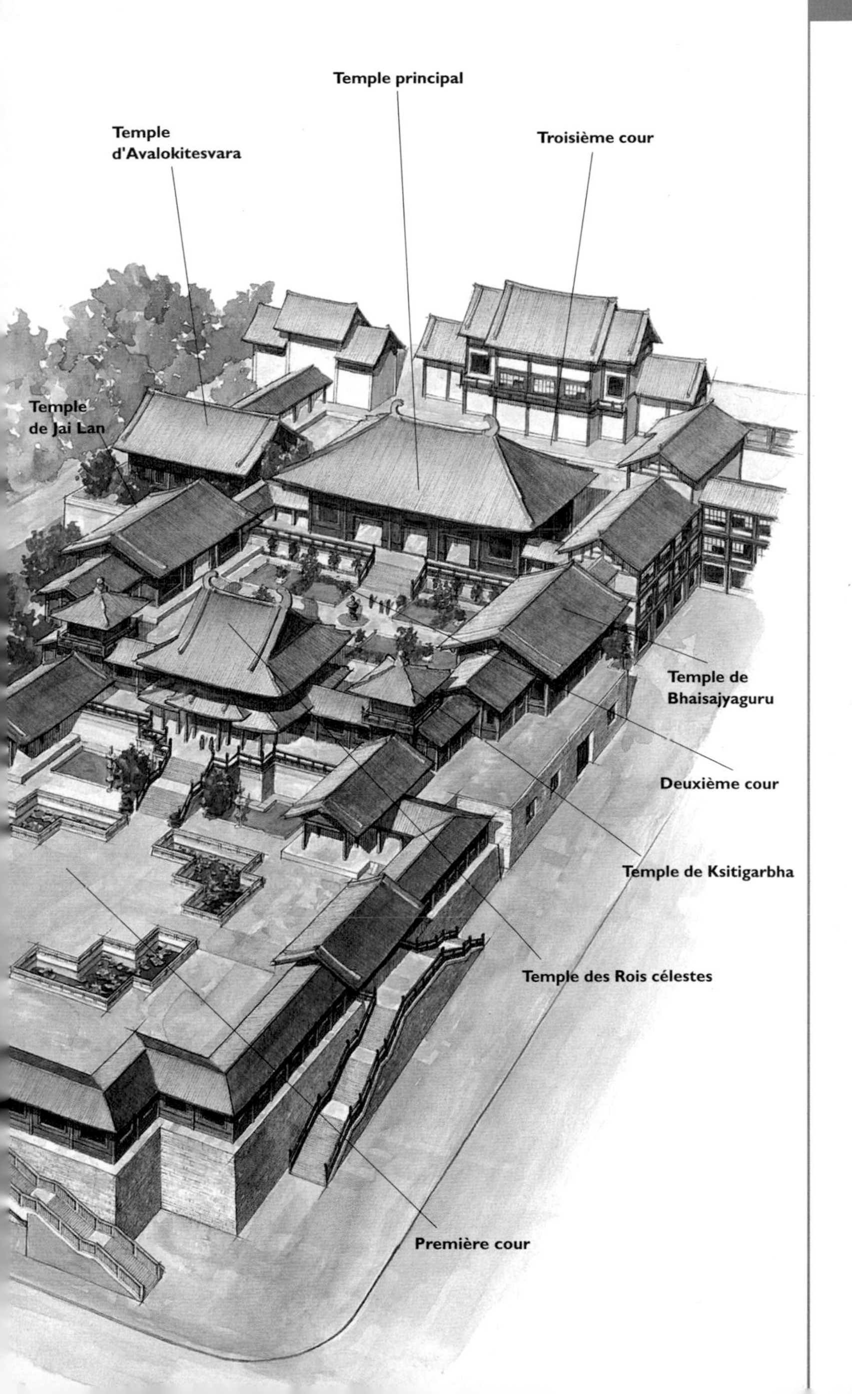
Temple principal
Temple
d'Avalokitesvara
Troisième cour
Temple
de Jai Lan
Temple de
Bhaisajyaguru
Deuxième cour
Temple de Ksitigarbha
Temple des Rois célestes
Première cour

Autres sites à visiter

TOMBEAU HAN DE LEI CHENG UK

Faisant partie du Hong Kong Museum of History (voir p. 132-133), ce tombeau remonte à la dynastie Han (206 av. J.-C.-220 ap. J.C.). Il fut mis au jour en 1955, lors du nivellement du secteur réalisé pour un projet immobilier. Il se compose de quatre chambres voûtées en brique, agencées à la manière d'une croix, avec une autre pièce voûtée au centre. La sépulture, qui remonte à environ 1 600 ans, est protégée dans un caveau à température constante. Les poteries et objets en bronze funéraires, découverts sur le site, sont exposés dans une galerie adjacente. Le mystère demeure quant à l'identité des défunts, certainement des hauts fonctionnaires chinois.

Plan p. 141 ✉ 41 Tonkin St., Sham Shui Po ☎ 2386-2863 Fermé jeu. et dim. MTR : Sham Shui Po

L'effervescence d'un marché aux poissons de Sham Shui Po.

LANGHAM PLACE

Avec ses airs de vaisseau spatial et son assortiment de boutiques donnant sur la rue, le centre commercial et complexe hôtelier futuriste de Langham Place ne pourrait dénoter plus dans ce quartier parmi les plus traditionnels de Hong-Kong. À l'intérieur, plusieurs étages de commerces et un grand magasin séduisent la jeunesse hongkongaise. Un espace de restauration « en plein air » couronne l'édifice sous un ciel artificiel, au 13e étage.

Plan p. 141

VILLAGE DE LEI YUE MUN

Village de pêcheurs animé, Lei Yue Mun occupe l'extrémité est de Victoria Harbor. Il est devenu l'une des premières destinations de Hong-Kong pour les amateurs de fruits de mer. Même si l'endroit a perdu une part de son charme et a été embelli de manière à ressembler à un village de pêcheurs traditionnel, il demeure suffisamment pittoresque pour un agréable dîner. Achetez les crustacés vivants sur les étals du marché – demandez le prix – et emportez-les dans un restaurant qui les cuisinera.

Plan p. 141 (indiqué par une flèche) ✉ Lei Yue Mun MTR : Kwun Tong, sortie A1, puis bus 14C

ROSARY CHURCH

La petite Rosary Church à la blanche façade est l'une des plus anciennes églises catholiques de Hong-Kong. Construite à la fin des années 1880, elle révèle un style bien proportionné, inspiré du renouveau de l'art gothique, avec des arcs en ogives, des fenêtres à remplage, des arcboutants, un clocher et deux tours d'escalier.

Plan p. 125 ✉ 125 Chatham Rd. ☎ 2368-0980 Bus : 2C, 2K, 5, 5C, 8,8A,110

SHAM SHUI PO

Ce quartier surpeuplé à la lisière de Mong Kok, le long de Boundary Street, accueille de 12h à 24h un immense marché en plein air dans Apliu Street. Des dizaines d'étals spécialisés dans l'électronique et l'informatique vendent des baladeurs, des CD, des lecteurs laser et des téléviseurs. Vous trouverez aussi des vêtements, des jouets et des babioles bon marché.

De bonnes affaires (habillement) vous attendent au **Cheung Sha Wan Road Fashion Center**, entre Yen Chow Street et Wong Chuk Street. Le moderne **Dragon Center**, au 37 Yen Chow Street, est plus huppé. Cette galerie marchande de neuf étages abrite des montagnes russes au dernier étage.

119 A6 (indiqué par une flèche) MTR : Sham Shui Po ■

Sur la « terre du milieu » vous trouverez d'immenses villes nouvelles bâties sur des rizières, des édifices anciens, de petites zones rurales, ainsi que des sentiers de randonnée serpentant dans les montagnes et le long des plages.

Les Nouveaux Territoires

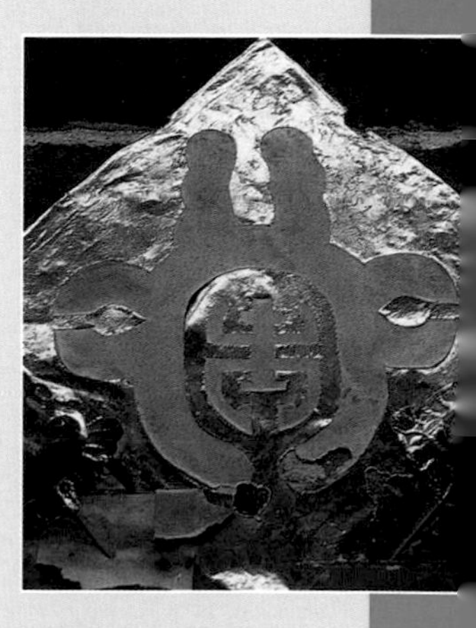

Inscription décorative dans le village fortifié de Kam Tin.

Les Nouveaux Territoires

S'ÉTENDANT SUR 796 KM^2 ENTRE BOUNDARY STREET, À KOWLOON, et la frontière avec la République populaire de Chine, les Nouveaux Territoires englobent une superficie deux fois supérieure à celle de Kowloon, de l'île de Hong-Kong et des îles avoisinantes réunies. De nombreux Hongkongais viennent y prendre l'air et échapper au tumulte de la ville.

Les colons de Chine continentale arrivèrent entre le Xe et le XVe siècle. Ils formèrent des clans, bâtirent des villages ceints de solides murailles et cultivèrent le sol fertile.

L'arrivée des Britanniques n'eut guère d'impact sur leur mode de vie, même après la cession par la Chine des Nouveaux Territoires en 1898. Malgré la réalisation du Kowloon-Canton Railway (KCR) en 1910 et l'aménagement d'un réseau de routes dans les années 1920, la vie rurale et villageoise continua de se dérouler paisiblement jusqu'au début de la Seconde Guerre mondiale.

Dans les années 1960, les Nouveaux Territoires comptaient environ 400 000 habitants, tandis que Kowloon et l'île de Hong-Kong, au sud, étaient au bord de l'explosion démographique. Pour y remédier, le gouvernement lança de grands projets d'urbanisation qui virent sortir de terre des nuées de tours résidentielles parfois hautes de 40 étages sur des terrains autrefois occupés par des rizières. Ces « villes nouvelles » – Tsuen Wan, Tuen Mun, Yuen Long, Fanling, Sheung Shui, Tai Po, Sha Tin et Ma On Shan – abritent la majorité des 3,5 millions d'habitants des Nouveaux Territoires.

Bien que les traditions, l'architecture et l'environnement aient pâti de ce développement, la région recèle nombre de trésors : superbes temples bouddhiques et taoïstes, villages fortifiés vieux de cinq siècles où vivent les descendants des premiers colons, imposantes salles claniques et ancestrales, hameaux isolés dans des vallées luxuriantes et vastes parcs nationaux (voir p. 38-40) sillonnés par des sentiers de randonnée. La baie et les marais protégés de Mai Po, à la lisière ouest

des Nouveaux Territoires, forment l'une des zones humides les plus importantes du monde où les oiseaux migrateurs font étape lors de leur périple entre le nord de l'Asie et l'Australie. L'urbanisation qui a transformé le visage de la région a également eu pour effet d'améliorer les transports. Plusieurs voies rapides relient les villes nouvelles, tandis qu'un réseau de trains, de bus et de minibus permet de voyager facilement et à peu de frais. ■

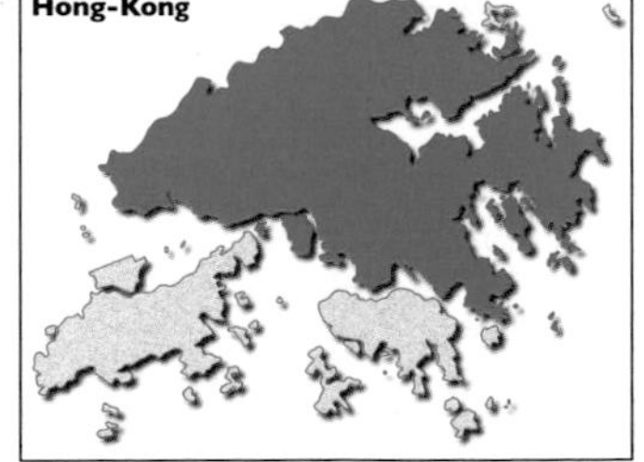

Jardins et bassins paisibles agrémentent l'architecture religieuse du Yuen Yuen Institute.

Tsuen Wan et le Sam Tung Uk Village Museum

DERNIER ARRÊT SUR LA LIGNE DU MTR, AU NORD DE L'IMMENSE PORT À conteneurs de Kwai Chung, s'étend la ville nouvelle de Tsuen Wan. Mêlant usines et grands ensembles résidentiels, elle constitue une porte vers l'ouest des Nouveaux Territoires. Dans les environs se trouvent plusieurs monastères, des sentiers de randonnée et un témoin de l'histoire de la région, le Sam Tung Uk Village Museum.

Yuen Yuen Institute

- 154 D3
- Low Wai Rd., Lo Wai, Tsuen Wan
- MTR : Tsuen Wan, puis Minibus 81 depuis Shiu Wo St.

Sam Tung Uk Village Museum

- 154 D2
- 2 Kwu Uk Ln., Tsuen Wan
- 2411-2001
- Fermé mar.
- MTR : Tsuen Wan, sortie 3B

Dans Tsuen Wan Market Road, à cinq minutes à pied de la station MTR, le **Tak Wah Park** *(prenez la sortie B et empruntez la passerelle au-dessus de Sai Lau Kok Rd. et de Castle Peak Rd.)* est un havre de paix, avec ses bassins peuplés de carpes et de poissons-chats, ses pavillons chinois, ses grottes et sa salle clanique décrépite.

Le **Yuen Yuen Institute**, paisible monastère blotti dans les collines juste au nord de la ville, est à dix minutes en taxi de la station MTR Tsuen Wan. Il constitue l'un des centres d'intérêt principaux de la région. Fréquenté par les adeptes du bouddhisme, du confucianisme et du taoïsme, il est doté d'un imposant bâtiment principal qui imite le célèbre temple du Ciel de Beijing. Vous pouvez vous promener au milieu des pavillons et des bassins avant de déguster un repas végétarien à la cafétéria.

Bâti en 1927 au moyen de nattes de bambou tressé, **Cheuk Lam Sim Yuen**, ou monastère de la Forêt de bambous *(minibus 85 depuis Shiu Wo St, juste au sud de la station MTR Tsuen Wan, sortie B)* possède trois des plus grandes statues du bouddha de Hong-Kong.

Au nord-est de Tsuen Wan, le **Shing Mun Country Park** propose plusieurs sentiers de randonnée.

Suivez la rive ouest du Shing Mun Reservoir à travers la forêt jusqu'à Shing Min Valley, continuez vers Lead Mine Pass et grimpez au sommet de Grassy Hill (647 m) pour admirer un superbe panorama. Les moins courageux se contenteront des 2 km du **Pineapple Dam Nature Trail**. Le centre des visiteurs du parc *(fermé mar.)* propose une exposition sur la végétation d'origine, la construction du réservoir et l'histoire de l'agriculture et de l'exploitation minière.

Bordant le Shing Mun Country Park, le **Kam Shan Country Park** est célèbre pour les bandes de singes groupés le long de la route menant à l'entrée. Les primates ont pris l'habitude d'être nourris par les visiteurs, pratique fortement découragée par les autorités. Restez sur vos gardes car certains s'approchent des touristes pour s'emparer de leurs affaires.

Serpentant dans les collines entre les deux parcs régionaux, le **Smugglers' Ridge Trail** faisait partie de la Gin Drinker's Line. Cette ligne défensive fut tracée à travers les Nouveaux Territoires dans les années 1930. En chemin, vous longerez des tranchées envahies par la végétation et une série de blockhaus et de bunkers criblés de balles, dont la **Shing Mun Redoubt**, une redoute qui tomba quelques heures après l'invasion de Hong-Kong par les Japonais, le 8 décembre 1941.

SAM TUNG UK VILLAGE MUSEUM

À cinq minutes à pied de la station MTR Tsuen Wan *(prenez la sortie B3 et suivez Sai Lau Kok Rd. vers l'est sur une courte distance)*, on voit se profiler, à gauche, les toits de tuiles et les murs blanchis à la chaux de ce village transformé en musée. Il offre un aperçu intéressant, bien qu'un peu aseptisé, de la vie des premiers colons.

Sam Tung Uk est un village hakka qui fut fondé en 1786 par le clan Chan. (Les Hakka, originaires de Chine continentale, s'installèrent à Hong-Kong à la fin des années 1600.) Les Chan quittèrent la province du Guangdong dans les années 1750 pour s'établir à Tsuen Wan. Leur chef, Chan Yam-shing, entreprit de construire à Sam Tung Uk trois rangées de maisons, auxquelles ses descendants ajoutèrent plus tard d'autres bâtiments. On plaça l'autel ancestral familial dans une salle à l'arrière de l'enceinte, et les mots « Salle ancestrale de la famille Chan » furent alors gravés en caractères chinois sur le linteau en granit qui surplombe la porte.

Cheuk Lam Sim Yuen : l'exubérance des couleurs et de la décoration est caractéristique du bouddhisme chinois.

Le nom de Sam Tung (littéralement « maison à trois poutres ») vient de la conception des bâtiments, dotés de trois toits dont chacun est soutenu le long de son axe central par une poutre, ou *tung*.

Franchissez l'entrée principale pour gagner l'**Orientation Hall**, qui retrace l'histoire du village et du clan Chan. Il décrit par ailleurs les travaux de restauration qui furent entrepris ici. Il est intéressant de constater à quel point le village paraissait quelconque dans les années 1970, avant que les restaurateurs ne se mettent à l'ouvrage (l'achèvement des travaux et l'ouverture du musée eurent lieu en 1987).

En allant de l'Orientation Room à la Front Lane du village, vous passerez devant une maison d'habitation, l'une des quatre maisons individuelles qui se dressent à côté des bâtiments principaux. À l'intérieur, vous distinguerez différents espaces permettant de faire la cuisine, de dormir et de manger, ainsi qu'un grenier faisant office d'entrepôt. Les meubles et les ustensiles de cuisine proviennent de villages hakka du Guangdong. Dans les minuscules maisons adossées à la muraille sont exposés d'autres objets, notamment des figurines traditionnelles en papier découpé et des estampes du Nouvel An chinois. Vous pouvez vous promener dans les étroites ruelles alentour.

Le village comprend trois bâtiments principaux, reliés les uns aux autres et alignés sur un axe central derrière l'entrée du musée : après l'**Assembly Hall**, aux lanternes richement ornées, se succèdent l'**Entrance Hall** et l'**Ancestral Hall** à l'arrière du village. Ce dernier renferme toujours l'autel où l'on plaçait les tablettes gravées portant le nom des ancêtres (voir encadré p. 162), mais celles-ci se trouvent aujourd'hui dans le nouveau village de Sam Tung Uk, bâti par les autorités pour reloger les habitants.

Derrière le musée, un agréable petit parc doté d'un bassin permet de se reposer à l'ombre des arbres. ■

Le village hakka restauré de Sam Tung Uk présente la vie des premiers colons des Nouveaux Territoires.

Airport Core Program Exhibition Center

Vue depuis la terrasse de l'ACPEC sur le Tsing Ma Bridge, le pont autoroutier et ferroviaire suspendu le plus long du monde.

EN DÉPIT DE SON NOM BARBARE, L'AIRPORT CORE PROGRAM Exhibition Center (ACPEC) ne manque pas d'intérêt. Il retrace la mise en œuvre des immenses chantiers de travaux publics qui ont permis la construction de l'aéroport international de Hong-Kong, sur l'île de Lautau. Il bénéficie d'une vue sans pareille sur les ponts Tsing Ma et Tin Kau.

En 1989, lorsque la Grande-Bretagne décida de bâtir l'immense aéroport de Chek Lap Kok, elle omit d'en parler à la Chine. Furieuses, les autorités chinoises reprochèrent à cet ambitieux projet de faire peser un poids inutile sur les caisses du territoire, dont elles devaient bientôt hériter. Le budget atteignit 16 milliards de dollars, faisant du chantier le programme de travaux publics le plus coûteux du monde.

L'inauguration prévue pour 1997, avant la rétrocession de Hong-Kong à la Chine, n'eut finalement lieu qu'en mai 1998.

L'ACPEC présente des maquettes, des diagrammes et des photographies des divers chantiers, notamment la poldérisation de terres dans le quartier de Central et la construction du tunnel de Western Harbor, de la ligne ferroviaire Airport Express, des ponts et de l'aéroport. Toutes les demi-heures, un film de dix minutes, qui décrit les travaux, est projeté en anglais et en cantonais.

Une **terrasse d'observation** à l'arrière du bâtiment offre une vue spectaculaire sur le Tsing Ma Bridge (2,2 km) – le pont autoroutier et ferroviaire suspendu le plus long du monde – et sur le Tin Kau Bridge plus petit. Tout autour, des myriades de bateaux, de péniches, de pétroliers et de remorqueurs marquent de leur sillage blanc les eaux vertes du port. ■

Airport Core Program Exhibition Center

154 C2
410 Castle Peak Rd., Tsuen Wan
2491-9202
Fermé lun.
Bus : 234B ou 53 depuis Tsuen Wan Ferry Pier ;
MTR : Tsuen Wan, sortie B, puis minibus 96M

La fondation du Castle Peak Monastery remonterait au Ve siècle.

Les monastères de Tuen Mun

LOIN DES GRANDS ENSEMBLES RÉSIDENTIELS DE TUEN MUN, PLUSIEURS monastères bouddhiques et taoïstes, calmes et rustiques, ou vastes et animés, méritent que vous partiez à leur découverte. Tous sont desservis par le Light Transit Rail (LTR), un réseau ferroviaire couvrant les Nouveaux Territoires.

Castle Peak Monastery
- 154 B3
- Yeung Tsing Rd., Ching Shan Tsuen, Tuen Mun
- LTR : Technical Institute Station

Ching Chung Koon Monastery
- 154 B3
- Tsing Chung Koon Rd., Tuen Mun
- LTR : Ching Chung Station

Ci-contre : le monastère de Ching Chung Koon est l'un des plus célèbres temples taoïstes de Hong-Kong.

MONASTÈRE DE CASTLE PEAK

Le monastère de Castle Peak se niche dans les contreforts de Tsing Shan (Green Mountain) au-dessus de Tuen Mun. Ses temples décrépits et son aspect élaboré, bien que fané, ajoutent à son charme. Le monastère actuel date de 1918, mais la légende raconte qu'il fut fondé au Ve siècle par le célèbre moine Pei Tu. Ayant volé un bouddha en or dans une demeure où il était invité, celui-ci fut pourchassé jusqu'au bord d'une rivière qu'il traversa en transformant son bol à riz en bateau, d'où son nom, qui signifie « bateau-tasse ». Derrière le temple, un sentier conduit à un **autel** et un bouddha doté de quatre visages, sous un rocher en surplomb qui offre un point de vue sur Tuen Mun. À la station LTR Technical Institute, prenez un taxi pour vous épargner la montée jusqu'au site.

MONASTÈRE DE CHING CHUNG KOON

Le week-end et les jours de fête, une foule de fidèles et de visiteurs se bouscule dans ce grand monastère taoïste, l'un des plus importants de Hong-Kong. Le **temple principal** arbore un toit orange soutenu par des piliers rouges et orné d'une débauche de couleurs sous les avant-toits. Éléments en bois sculpté, fresques et objets anciens complètent l'ensemble. À l'intérieur, une statue de Liu Tung Bun, l'un des Huit Immortels du taoïsme, est encadrée par le fondateur de la secte, Wong Chung Yeung, et le disciple de Liu, Qiu Chang Chun. L'autel prin-

東土仙都

Miu Fat Monastery
- 154 B3
- Castel Peak Rd., Lam Tei, Tuen Mun
- LTR : station Lam Tei

cipal porte l'épée magique utilisée par Liu pour tuer les démons, un fouet pour chasser la malchance et une gourde d'herbes médicinales.

Devant l'autel, admirez deux belles statues de pierre représentant des déesses, et un sceau en jade vieux de mille ans protégé par une vitrine. Après le temple principal, deux **salles ancestrales** contenant des milliers d'anciennes tablettes en bois (voir ci-dessous) accueillent des cérémonies durant lesquelles des morceaux de papier sont brûlés en offrande. Derrière, dans un jardin chinois, un pont au-dessus d'un bassin mène à un petit pavillon.

Le monastère est célèbre pour ses bonsaïs, censés apporter l'harmonie. Ces arbres nains font d'ailleurs l'objet d'un festival au printemps.

Pour goûter les fameux repas végétariens du monastère, achetez un billet dans le petit bâtiment à gauche du temple principal.

Ching Chung Koon abrite une collection d'objets religieux anciens.

MONASTÈRE DE MIU FAT

Des dragons dorés incrustés de mosaïques et de miroirs s'enroulent autour des piliers ; des lions et des éléphants sculptés dans la pierre gardent l'entrée, tandis que des figurines représentant des animaux mythiques s'alignent sur les faîtes et les corniches de ce temple bouddhique richement décoré. À l'intérieur, le déploiement de couleurs se poursuit sur les paliers de l'escalier, ornés de bas-reliefs peints illustrant des scènes bouddhiques.

Continuez à gravir les marches pour gagner le restaurant végétarien, puis l'**autel principal**, situé au troisième étage. Admirez les milliers de plaques dorées scellées dans les murs et les scènes de la mythologie bouddhique qui ornent le plafond. Contournez l'autel principal qui contient les statues des **Trois Précieux Bouddhas**. Là, sont disposées des centaines de tablettes ancestrales, couvertes d'or. Vous découvrirez aussi une immense statue d'Avalokitesvara (voir l'encadré p. 149) aux mille mains tendues pour aider les malheureux. ■

Tablettes ancestrales

D'environ 20 cm de haut, ces planchettes de bois portent, en lettres d'or, le nom et une courte biographie des membres décédés du clan. On les trouve dans les grandes salles claniques, alignées derrière les autels ancestraux. Les plus importantes, souvent dédiées aux fondateurs du clan, occupent une position bien en vue. ■

Kadoorie Farm and Botanic Garden

Kadoorie Farm & Botanic Garden
154 D3
Lam Kam Rd., Tai Po, Nouveaux Territoires
2488-1317
KCR East : station Tai Po Market, puis bus 64K

DANS UNE PROFONDE VALLÉE BOISÉE, À LA LISIÈRE NORD-OUEST DU TAI Mo Shan Country Park, cet endroit unique surprend par l'abondance de sa biodiversité. Deux frères issus d'une des plus grandes familles de Hong-Kong, Lawrence et Horace Kadoorie, le fondèrent dans les années 1950 pour former aux techniques agricoles les immigrants en provenance de Chine.

Depuis, les Kadoorie Farm and Botanic Garden sont devenus un centre de protection de la nature, un sanctuaire pour les espèces animales et végétales de la région, et un but d'excursion intéressant.

Une série de routes et de chemins en zigzag gravit les versants abrupts de la vallée jusqu'au sommet du **Kwun Yam Shan** (602 m). En contrebas, on longe des champs de légumes biologiques, des serres remplies de fleurs subtropicales, des enclos pour le gibier d'eau et les cerfs, une volière, un bassin peuplé de carpes et des vivariums abritant des insectes et des animaux amphibies.

En continuant à monter, on arrive à la **réserve des rapaces**, où sont soignés des oiseaux de proie blessés. Là, la route se rétrécit en un chemin et la vue s'ouvre sur des vergers en terrasses. Une piste ombragée mène à la cascade des Great Falls. Non loin, au **Butterfly Garden**, des papillons colorés volètent parmi des fleurs choisies pour leur nectar.

Plus haut encore, un charmant sentier bordé de fougères longe une rivière pour gagner des jardins où poussent des variétés de thés et d'herbes médicinales. Au-delà, on atteint l'**Orchid Haven** consacré à la protection de la flore. De là, on montera au **Kadoorie Brothers Memorial Pavilion** pour profiter d'une fabuleuse vue sur la vallée. On continuera jusqu'au sommet du Kwun Yam Shan, où se dressent des autels de pierre édifiés il y a 500 ans pour implorer la bénédiction de la déesse de la miséricorde, Kwun Yam, et une statue plus récente. Avant de vous déplacer, informez-vous par téléphone sur les visites organisées. ■

Un milan noir blessé reçoit des soins dans la Kadoorie Farm.

Circuit routier dans les Nouveaux Territoires

L'itinéraire part de Tsuen Wan et suit Castle Peak Road en s'approchant de la frontière chinoise, avant d'obliquer au sud à travers les collines verdoyantes de la Route Twisk pour revenir à Tsuen Wan. En chemin, il permet d'admirer des paysages de toute beauté.

Les mangroves cèdent la place aux vasières dans la Mai Po Nature Reserve.

Partez de Castle Peak Road, à Tsuen Wan. Au bout de 1,6 km, la route longe un joli littoral et arrive au Ting Kau Bridge menant à l'île de Tsing Yi. Passez sous le pont pour atteindre, 800 m plus loin, l'**Airport Core Program Exhibition Center** ❶ (voir p. 159). Montez sur la terrasse pour contempler le spectaculaire Tsing Ma Bridge.

Continuez vers **Sham Tseng** ❷ et ses célèbres restaurants d'oies rôties. Environ 1,6 km après le village, la vue embrasse les pics dominant l'extrémité est de l'île de Lantau. La route passe ensuite sous la Tuen Mun Highway pour rejoindre le **Gold Coast** ❸, complexe hôtelier moderne bâti au bord de la **Golden Beach** ❹, l'une des plus belles plages de la région. Depuis la Gold Coast, d'autres plages se succèdent alors qu'apparaissent les gratte-ciel résidentiels de Tuen Mun. À l'intersection en T, prenez à droite dans Castle Peak Road, qui s'enfonce vers l'intérieur en longeant la périphérie est de la ville.

Au bout de 11 km, tournez à droite dans Hung Tin Road et empruntez la Yuen Long Highway pour contourner le centre-ville de Yuen Long. Suivez la voie rapide sur 5 km jusqu'à l'échangeur de Pok Oi et prenez la sortie Pat Heung pour retrouver Castle Peak Road.

Au rond-point suivant, suivez la bifurcation pour Mai Po. Un panneau indiquant la **Mai Po Nature Reserve** ❺ (voir p. 166-169) se dresse 3,2 km plus loin ; bifurquez à gauche dans Tam Kon Chau Road et continuez jusqu'à l'entrée. L'endroit ne se visite que sur réservation. Cet ensemble de bassins et de marais sur fond de collines forme un paysage splendide.

Retournez dans Castle Peak Road et roulez 1,6 km vers le nord. Sur la gauche est signalée une route étroite menant au village de Fan Tin Tsuen. Il abrite plusieurs vieilles salles claniques et la **Tai Fu Tai Mansion** ❻ (voir p. 200).

De retour dans Castle Peak Road, suivez les panneaux pour **Lok Ma Chau** ❼, à 2,2 km plus au nord, et profitez de la vue dégagée sur Shenzhen, de l'autre côté de la frontière. Regagnez de nouveau Castle Peak Road et longez la Fanling Highway vers l'est sur 5,3 km.

Arrivé à une intersection en T, prenez à droite dans Fan Kam Road, que vous suivrez pendant 13 km en traversant au passage le Hong Kong Golf Course. Tournez ensuite à gauche dans Kam Tin Road pour rejoindre, 2 km plus loin, la pittoresque **Route Twisk** ❽. Passez devant Shek Kong, ancienne base de l'armée britannique aujourd'hui occupée par l'Armée de libération populaire. Puis continuez sur 8,5 km à travers les collines brumeuses du Tai Mo Shan Country Park et du Tai Lam Country Park avant d'atteindre la lisière est de Tsuen Wan. ■

- Voir plan p. 154
- ➤ Castle Peak Rd., Tsuen Wan
- 65 km
- 6 heures 30
- ➤ Route Twisk, Tsuen Wan

À NE PAS MANQUER

- Mai Po Nature Reserve
- Tai Fu Tai Mansion
- Lok Ma Chau
- Route Twisk

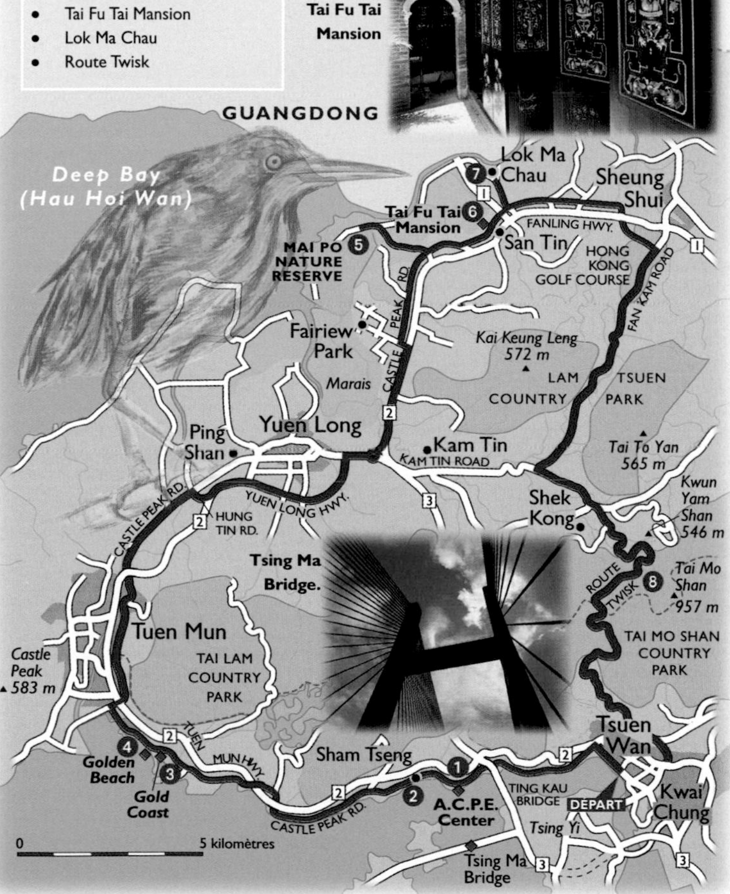

Tai Fu Tai Mansion

Tsing Ma Bridge.

Des milliers d'oiseaux migrateurs et résidents trouvent refuge chaque année dans les marais de Mai Po.

Mai Po Nature Reserve

DANS LE NORD-OUEST DES NOUVEAUX TERRITOIRES, LA MAI PO NATURE Reserve constitue une surprise inattendue, encadrée au sud par les tours de la ville nouvelle de Yuen Long et au nord par les gratte-ciel de la Zone économique spéciale de Shenzhen, de l'autre côté de la frontière. Pourtant, les marais de Mai Po et les vasières d'Inner Deep Bay forment l'une des principales zones humides du monde, déclarée Site d'intérêt scientifique spécial en 1983 et Zone humide d'importance internationale en 1995.

L'habitat unique de cette région constitue une étape cruciale pour une multitude d'oiseaux migrateurs et d'innombrables oiseaux résidents. En hiver, environ 60 000 volatiles se rassemblent ici pour se nourrir dans les bassins, les marais, les mangroves et les vasières. On recense plus de 340 espèces, dont beaucoup menacées d'extinction, y compris un quart des 600 petites spatules existant encore dans le monde.

Les 1 500 hectares de Mai Po et d'Inner Deep Bay offrent à l'avifaune la possibilité de se reposer et de se ravitailler lors de leurs longs voyages de migration entre le nord de l'Asie et l'Australie.

Mai Po Nature Reserve

- 154 C4
- Mai Po Wildlife Education Center, Tam Kon Chau, Yuen Long
- 2526-4473
- €€ (guide)
- MTR pour Nam Chong, West Rail pour Kam Tin, puis taxi

Dans la réserve, le spectacle rare d'un chat du Bengale.

L'un des principaux attraits du site de Mai Po est la présence de **bassins entourés de murs en terre battue**, les *gei wai*, qui furent bâtis par des immigrants chinois dans les années 1940 pour l'élevage des crevettes. Couvrant environ dix hectares, ces bassins forment un milieu idéal pour les poissons, les crabes et les huîtres.

Gérée par le World Wide Fund for Nature Hong Kong, la réserve s'emploie activement à promouvoir l'importance du site. L'**Education Center** présente la géologie, l'écologie et la colonisation de la région. Une galerie accueille des expositions interactives sur la construction des *gei wai*, les techniques agricoles, l'écologie des zones humides et les espèces terrestres qui vivent ici, sans oublier les oiseaux et la migration.

À Mai Po, un réseau de sentiers, des ponts et des passages en bois accessibles aux handicapés permettent d'approcher des milliers d'oiseaux à quelques mètres seulement. Près des bassins ont été aménagés dix **affûts**, ainsi qu'une tour d'observation de trois étages qui a l'avantage d'offrir une vue panoramique sur toute la zone.

Une **promenade flottante** conduit au milieu des mangroves de Deep Bay. N'oubliez pas de demander un permis de circulation au moment de votre réservation.

Pour les passionnés d'ornithologie, la **Big Bird Race** rassemble tous les ans des équipes de quatre personnes venues du monde entier, qui concourent pour voir, entendre et enregistrer le plus grand nombre d'espèces en 24 heures.

Même si vous n'aurez sans doute pas la chance d'en rencontrer, Mai Po abrite également une grande variété de mammifères, notamment des mangoustes, des pangolins et des chats du Bengale.

Malgré les efforts déployés, l'urbanisation continue de mettre la réserve en danger. Les déchets déversés

À gauche : des cormorans dans les branches d'un casuarina.

dans Deep Bay par les centres industriels du sud de la Chine, les résidus agricoles de Hong-Kong et la pollution atmosphérique exercent un impact non négligeable. Certains jours d'hiver, on ne peut pas voir Shenzhen, pourtant toute proche.

Paradoxalement, le rassemblement d'une telle quantité d'oiseaux sur les étapes de Mai Po et de Deep Bay n'est pas nécessairement bon signe, car cela signifie que les autres zones humides sur les voies migratoires de l'avifaune entre le nord de l'Asie et l'Australie se font rares.

L'accès à la réserve est interdit aux enfants de moins de cinq ans. Il se fait sur réservation, longtemps à l'avance. Vous pouvez louer des jumelles directement sur place. ■

Un bihoreau gris, l'une des 340 espèces d'oiseaux observées dans la réserve.

Les garçons du clan Tang étaient éduqués dans la Kun Ting Study Hall, l'un des bâtiments rénovés de Ping Shan.

Le Ping Shan Heritage Trail

Le Ping Shan Heritage Trail offre l'occasion de visiter plusieurs bâtiments séculaires en n'effectuant qu'une courte marche. Ces bâtisses faisaient partie du mini-empire des Tang, le plus important des « Cinq Grands Clans » de Hong-Kong, qui s'installa dans les Nouveaux Territoires au XIe siècle (voir encadré p. 173).

Descendez du LTR (Light Transit Railway) à Ping Shan et traversez les rails. Suivez le trottoir à gauche, tournez à droite dans Ping Ha Road et continuez sur 800 m environ jusqu'à un petit parc, sur la droite. Le sentier commence derrière celui-ci. La première étape est le **temple de Hung Shing** ❶ de 1767, faiblement éclairé, qui renferme trois autels de bois sculptés, éclatants de rouge et d'or.

Poursuivez dans Ping Ha Road sur une courte distance jusqu'à une petite allée à droite. Au coin, la **Ching Shu Hin Guest House** ❷ accueillait autrefois les visiteurs importants. Admirez son linteau richement orné et son superbe décor intérieur. À côté se tient la somptueuse **Kun Ting Study Hall** ❸, où étaient éduqués les garçons du clan Tang. Bâtie en 1870, la salle a été récemment restaurée pour mettre en valeur ses colonnes de granit sculptées, les moulures en plâtre des murs et des corniches, et ses fresques de couleurs vives.

Continuez dans l'allée. Sur votre droite s'ouvre une place où apparaissent deux grandes salles ancestrales. Celle de gauche, la **Tang Ancestral Hall** ❹, témoigne par ses seules dimensions de la puissance et de la richesse que détenait autrefois cette famille. Construite il y a 700 ans et splendidement restaurée, elle comprend trois grandes salles et deux cours. Notez les piliers de pierre qui soutiennent les poutres peintes et sculptées du plafond, 8 mètres plus haut, et les larges corniches couronnées de poissons-dragons. Dans la première cour, un mur de pierre de couleur rouge mène à une porte destinée à éloigner les esprits. Derrière se trouvent une autre cour et la salle principale où, sur un autel rouge, sont posées les tablettes ancestrales (voir l'encadré p. 162) de cette lignée du clan Tang. La salle présente aussi l'histoire du clan, dont elle attire de nombreux descendants installés en Europe, aux États-Unis, au Canada, ainsi qu'en Australie.

À côté, dans un style similaire quoique moins grandiose, la **Yu Kiu Ancestral Hall** ❺ est un bâtiment de plus petite taille datant du XVIe siècle, qui contient les tablettes d'une autre branche du clan Tang.

De la place, poursuivez votre chemin jusqu'au modeste **temple de Yeung Hau** ❻. Par-dessus un mur bas, vous pourrez apercevoir ses trois salles, ses autels rouges et une imposante statue de Yeung Hau, avec, de part et d'autre, le dieu de la terre et la déesse des femmes enceintes portant des enfants de porcelaine sur ses genoux.

Rebroussez chemin et prenez la bifurcation à droite pour rejoindre le petit village fortifié de **Sheung Cheung Wai** ❼ dont vous explorerez les quelques ruelles étroites. Juste après le village, un autel en brique richement orné honore le dieu de la terre. Le sentier rejoint ensuite **Tsui Shing Lau** ❽, une structure hexagonale à trois étages édifiée par les Tang il y a 600 ans pour éloigner les mauvais esprits. C'est la seule pagode ancienne de Hong-Kong, malheureusement perdue au milieu d'une zone urbanisée. ■

Voir plan p. 154
Temple de Hung Shing
1 km
45 minutes
Tsui Shing Lau

À NE PAS MANQUER

- Kun Ting Study Hall
- Tang Ancestral Hall

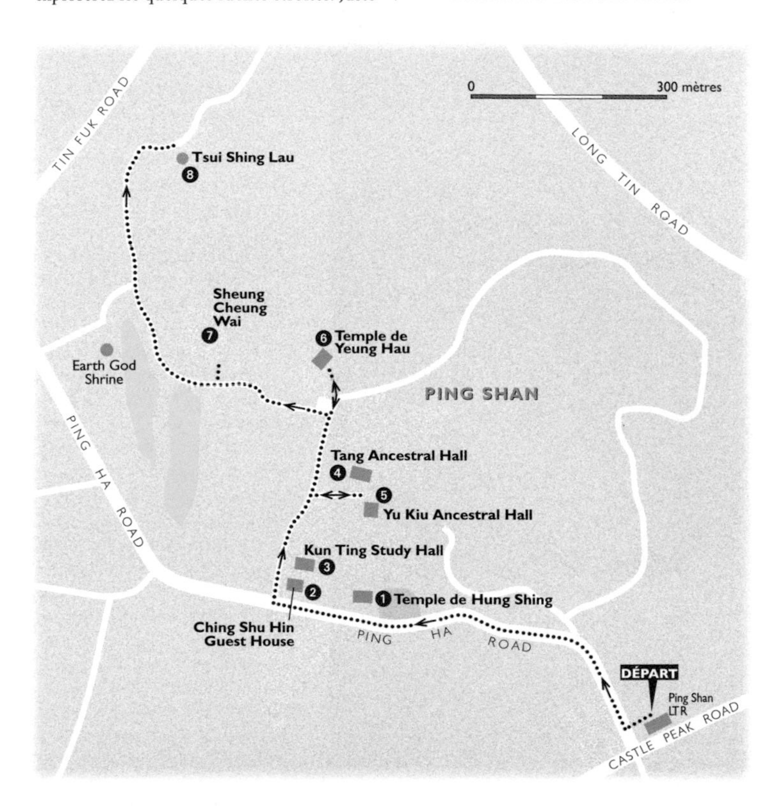

Kam Tin

En 1069, l'administrateur gouvernemental de Canton (Guangzhou), Tan Fu-hip, se rendit en visite à Kam Tin. Tombant sous le charme et la beauté de l'endroit, il revint plus tard s'y installer avec sa famille, en apportant ses tombeaux ancestraux. C'est ainsi que débuta l'histoire du clan Tang, qui allait devenir le plus important des « Cinq Grands Clans » de Hong-Kong.

Kam Tin
154 C4

Les générations postérieures aux Tang bâtirent des villages fortifiés autour de Kam Tin et sur d'autres sites, pour se protéger des pirates, des bandits et des voisins. Des vestiges de ces villages et de ceux des autres clans subsistent en certains endroits des Nouveaux Territoires, mais **Kat Hing Wai** (*bus 51 du Tsuen Wan Ferry Pier ou 64K depuis la gare KCR de Tai Po Market*) est le plus apprécié des visiteurs. Ne vous attendez pas à un hameau pittoresque planté au milieu des champs ni à un musée imposant. Quatre cents membres du clan Tang vivent encore ici, pour la plupart dans des maisons qui ont depuis longtemps remplacé les bâtiments d'origine. L'endroit n'a pas échappé à l'urbanisation que connaissent nombre de localités des Nouveaux Territoires.

Les hautes murailles ponctuées d'imposantes tours de guet en briques grises et le portail de fer, qui ferme l'unique entrée, donnent à ce village vieux de cinq siècles un air impressionnant, un peu gâché toutefois par les maisons modernes roses et pourpres qui surgissent çà et là. Le portail est gardé par des vieilles femmes qui vous demanderont de glisser une pièce de 1 $HK dans l'urne pratiquée dans le mur.

À l'intérieur, les allées étroites suivent le plan géométrique d'origine. L'allée principale, bordée d'échoppes de souvenirs, traverse le centre du village pour déboucher devant une salle ancestrale et un petit temple assez quelconque. Ici, comme ailleurs autour du temple, d'autres vieilles femmes burinées s'approcheront et se laisseront prendre en photo, coiffées de leur chapeau en bambou à larges bords, moyennant 10 $HK. Ensuite, prenez le temps de flâner devant les maisons faiblement éclairées dont les portes ouvertes laissent passer la lueur bleutée d'une télévision. Le village n'étant

Une tour du village fortifié de Kat Hing Wai.

pas grand, la visite ne vous prendra pas beaucoup de temps.

SHUI TAU TSUEN

De Kat Hing Wai, parcourez environ 180 mètres vers l'est dans Kam Tin Road pour gagner la Mung Yeung Public School. Suivez l'allée qui part à droite sur 800 mètres jusqu'au village de Shui Tau Tsuen, entouré de champs où paissent des buffles. Le village est encore doté de splendides maisons du XVIIe siècle dont vous admirerez les larges toits en bois sculpté, et épousant la forme de proue, sur lesquels s'alignent des statuettes de poissons et de dragons.

Près de l'entrée du village se trouvent deux salles d'études restaurées. L'allée qui les sépare conduit, après quelques centaines de mètres, à d'imposantes salles ancestrales. La plus grande, la Tang Ching Lok Ancestral Hall (*fermée lun.-ven.*), date de la fin des années 1700. Au-dessus de l'entrée, des fresques éclatantes mettent en scène des montagnes, des rivières et des personnages. À l'intérieur, l'autel porte le nom des ancêtres les plus éminents. ■

L'unique entrée de Kat Hing Wa mène à des ruelles anciennes.

Les clans de Hong-Kong

Partis de Chine, les « Cinq Grands Clans » commencèrent à arriver à Hong-Kong au XIe siècle et s'installèrent dans les régions fertiles des Nouveaux Territoires. Ils y bâtirent des villages fortifiés et vécurent de l'agriculture. Premiers à arriver, les Tang s'implantèrent aux alentours de Kam Tin avant d'essaimer dans tout Hong-Kong, suivis par les Hau, qui s'établirent près de l'actuelle ville nouvelle de Sheung Shui. Ensuite vinrent les Pang, qui prirent pied dans les environs de Fanling. Les Liu arrivèrent au XVe siècle, et les Man un siècle plus tard. Tous finirent par se hisser au rang de seigneurs des Nouveaux Territoires, de Kowloon et de Hong-Kong, mais les Tang restèrent les plus puissants. Leurs descendants sont encore nombreux à vivre dans les Nouveaux Territoires. ■

Fanling et Sheung Shui

Ces deux villes correspondent aux derniers arrêts du KCR (Kowloon-Canton Railway) avant d'atteindre Lo Wu et la frontière avec la Chine continentale, dans le nord des Nouveaux Territoires. (Lo Wu n'est ouverte qu'aux visiteurs en transit vers la Chine.) Anciens centres ruraux aujourd'hui transformés en villes nouvelles animées, elles conservent plusieurs sites qui rappellent le mode de vie traditionnel de la région.

Fanling
154 D4

Fanling et Sheung Shui possèdent toutes deux plusieurs salles ancestrales et des villages fortifiés. Ils furent bâtis au fil des siècles par les membres des « Cinq Grands Clans » de Hong-Kong (voir l'encadré p. 173) qui, à partir du XIe siècle, arrivèrent de Chine continentale pour coloniser et cultiver les Nouveaux Territoires.

FANLING

À dix minutes à pied de la gare KCR de Fanling, le village fortifié de **Fanling Wai** fut édifié par les Pang, l'un des Cinq Grands Clans, à l'époque Ming. Le village est à cinq minutes à pied de la gare KCR de Fanling. Sur le côté est de la gare, suivez le trottoir vers le nord jusqu'à un rond-point, puis continuez au

Le Suédois Fredrik Jacobson sur le tee du 18e trou lors de la finale de l'Omega Hong Kong Open au célèbre Hong Kong Golf Club de Fanling en 2002.

Sheung Shui
154 D4

nord dans San Wan Road pour atteindre la salle ancestrale des Pang. Là, une allée mène au village.

Empruntez cette allée, passez devant un beau banian protégé par une clôture, puis obliquez à gauche. Vous atteindrez rapidement un grand bassin boueux, censé garantir un *feng shui* favorable au village fortifié.

Des maisons modernes à trois étages remplacent les modestes habitations d'autrefois, mais les solides tours de guet dressées à chaque coin de l'enceinte laissent imaginer combien il était difficile à des bandits ou à un clan rival de s'emparer des lieux. Fanling a conservé le plan en damier caractéristique de ce type de village, avec ses maisons serrées les unes contre les autres le long d'étroites ruelles.

Partant à proximité de la gare KCR de Fanling, Sha Tau Kok Road conduit à Lung Yeuk Tau, juste à la sortie de la ville. Ce village se trouve sur le parcours du **Lung Yeuk Tau Heritage Trail**, qui traverse un réseau, jadis établi par les Tang, de cinq villages fortifiés et six villages ouverts, appelés *tsuens*. Plusieurs des édifices, qui sont ici présents, ont gagné le label de monuments et sont aujourd'hui classés et protégés. Mentionnons notamment la **Tang Chung Ling Ancestral Hall** (*fermée mar.*) qui date de 1525. Des gravures, des moulures et des fresques décorent la salle de derrière, dont la niche centrale, ornée de têtes de dragons sculptés au dessin élaboré, renferme les tablettes ancestrales (voir encadré p. 162) des principaux membres du clan.

La majeure partie du village de Lo Wai, premier fondé dans la région, est encore debout, ainsi que sa muraille et sa porte d'entrée restaurées.

La tour d'entrée de Ma Mat Wai vaut le coup d'œil pour son portail grillagé et son linteau de pierre rouge, mais il ne reste que quelques portions de la muraille.

Plus impressionnants encore, les murs d'enceinte et les tours de guet de Kun Lung Wai (également appelé San Wai) ont été complètement restaurées. Datant de 1744, ce village reste le plus authentique de la région, bien que la plupart des bâtiments d'origine situés dans l'enceinte des murs fortifiés aient été démolis, puis remplacés.

On accède à certains de ces villages par le minibus 54K depuis la gare KCR de Fanling. Suivre l'itinéraire dans son intégralité n'est pas aisé mais si cela vous tente, contactez l'Antiquities and Monuments Office (*136 Nathan Rd., Tsim Sha Tsui, tél. 2721-2326*).

De la gare KCR, une passerelle piétonne enjambe la Fanling Highway pour mener au temple taoïste de Fung Ying Seen Koon. Des sentiers sinueux, des chutes d'eau et des bancs propices à la méditation vous attendent dans un magnifique cadre verdoyant.

SHEUNG SHUI

L'une des plus belles salles ancestrales de Hong-Kong, la **Liu Man Shek Tong Ancestral Hall** (*fermée mar. et ven.*) se trouve dans le village fortifié de Sheung Shui Wai, à 15 minutes de marche de la gare KCR de Sheung Shui. Prenez la sortie B1 vers San Wan Road et longez la voie ferrée au nord jusqu'à San Po Street. Tournez à droite à cet endroit et traversez Po Wan Road pour arriver à Sheung Shui Tung Hing Road. Le village est au bout de la première allée à gauche.

Bâtie par le clan Liu en 1751, la salle possède une façade ornée d'éléments décoratifs en bois, de splendides fresques chinoises traditionnelles et de figurines en céramique disposées le long du toit. À l'intérieur, un autel sculpté renferme les tables des ancêtres fondateurs du clan et des membres qui ont joué un rôle important dans son histoire. ■

La minutieuse reconstitution d'un opéra chinois au Hong Kong Heritage Museum de Sha Tin.

Sha Tin

LES CHAMPS SABLONNEUX AUXQUELS SHA TIN DOIT SON NOM N'EXISTENT plus aujourd'hui. Tout le sable a servi à fabriquer le béton qui a permis de construire les immeubles d'habitation de cette ville nouvelle, l'une des premières bâties dans le cadre des grands projets d'urbanisation des Nouveaux Territoires. Les rizières et les petites fermes des années 1960 ont disparu, remplacées par une ville de plus d'un million d'habitants.

Sha Tin
155 E3

Sha Tin Racecourse
Penfold Park, Sha Tin
2966-8345
KCR East : station Racecourse

Sha Tin est sans doute la plus attrayante des villes nouvelles des Nouveaux Territoires. Dans le centre de la localité, un ruban de verdure ombragé longe les rives du Shing Mun River Channel.

C'est l'une des rares villes nouvelles à attirer les habitants des autres régions de Hong-Kong, venus pour la plupart se livrer à leurs activités favorites : le shopping au **New Town Plaza** (*directement relié à la gare KCR de Sha Tin*), l'un des centres commerciaux les plus vastes et les plus fréquentés de Hong-Kong, et les paris hippiques au **Sha Tin Racecourse**. Si vous séjournez à Hong-Kong durant la saison des courses, se déroulant de mi-septembre à juin, joignez-vous aux 70 000 parieurs qui se pressent sur ce gigantesque hippodrome le samedi

Ci-dessus à droite : Sha Tin, l'une des premières villes nouvelles, a servi de modèle au développement urbain des Nouveaux Territoires.

Hong Kong Heritage Museum

- ✉ 1 Man Lam Rd., Sha Tin
- ☎ 2180-8188
- 🕒 Fermé mar.
- $ $
- 🚌 KCR East : Sha Tin, puis navette

et parfois le dimanche (voir p. 90-91). Accroché à flanc de colline, le fameux **monastère des 10 000 Bouddhas** (voir p. 178-179) draine aussi les foules le week-end.

Avant le centre-ville de Sha Tin, quelques sites méritent une halte. Descendez du train à la gare KCR de Tai Wai, sortez du côté est et empruntez Che Kung Miu Road vers le nord sur 180 m pour gagner le **temple de Che Kung**, de l'autre côté de la rue. Bien moins décoré que les autres temples taoïstes de Hong-Kong, il est dédié à Che Kung, un général de la dynastie Song.

À l'intérieur, une statue en bronze du général, haute de 11 mètres, siège au milieu des volutes de fumée d'encens. Comme dans tous les temples taoïstes, les diseurs de bonne aventure abondent. Autour du temple sont disposés de petits moulins en papier censés porter chance quand le vent les fait tourner.

Continuez au nord dans Che Kung Miu Road. Au croisement avec Lion Rock Tunnel Road, prenez à droite un sentier qui traverse un petit hameau et emprunte un passage souterrain pour aboutir au village fortifié de Tsang Tai Uk (« grande maison de Tsang »). Cette forteresse Tang du milieu du XIXe siècle abrite encore quelques membres du clan. La salle ancestrale, avec son autel en pierre rouge orné de gravures dorées, occupe le fond d'une grande cour rectangulaire. Aux quatre coins de la muraille, les tours de guet possèdent un toit en forme de poignée de wok. Bien qu'un peu vieillot, le village donne une idée de l'allure qu'il avait au temps de sa splendeur.

En dix minutes de marche le long de Lion Rock Tunnel Road, en passant par Che Kung Miu Road et Shing Mun River Channel, on rejoint le **Hong Kong Heritage Museum** aménagé au bord de l'eau. Au premier étage, la **New Territories Heritage Hall** fait découvrir la région à travers des expositions sur l'environnement, la préhistoire, le commerce et la défense côtière, la vie des pêcheurs et des villageois, la colonisation britannique et l'urbanisation massive lancée au début des années 1970. À côté, la **Cantonese Opera Heritage Hall** abrite la reconstitution d'un opéra chinois, avec des mannequins vêtus de costumes somptueux. La **T. T. Tsui Gallery of Chinese Art**, au deuxième étage, possède une riche collection d'art chinois, notamment des porcelaines et des statuettes en terre cuite de l'époque Tang. ■

Monastère des 10 000 Bouddhas

PREMIER PÔLE D'ATTRACTION DE LA RÉGION APRÈS LES COURSES hippiques, le monastère des 10 000 Bouddhas est perché dans les collines au nord-ouest de Sha Tin, ce qui lui assure un excellent *feng shui* mais implique une rude montée pour les visiteurs.

L'ascension commence juste après le village délabré de Pai Tau. Il vous faudra gravir plus de 400 marches pour pouvoir accéder au temple principal. Par endroits, vous constaterez que l'escalier est plus large et le béton plus récent, témoignage des réparations effectuées après un glissement de terrain sur la colline qui occasionna d'importants dégâts en juillet 1997. Le temple resta fermé près de deux ans et demi pendant la conduite des travaux, financés par les dons des fidèles.

Sur les murs du **temple principal** courent des étagères où sont alignés près de 13 000 petits bouddhas offerts au monastère depuis sa fondation dans les années 1950. Chacun, gravé du nom de son donateur, est représenté avec une pose et une expression légèrement différentes. Trois bouddhas dorés de plus grande taille, protégés par une paroi en verre, se dressent au centre.

Devant le temple, la **terrasse** est bordée de statues multicolores des 18 disciples du Bouddha, les *lohans*, arborant un air farouche. Derrière sont disposés deux statues de bodhisattvas, êtres à mi-chemin entre l'éveil et le monde matériel : l'un chevauche un éléphant, l'autre un lion à l'apparence sauvage.

Au milieu de tout cet ensemble se tient un autre bodhisattva, Wei To, le

Monastère des 10 000 Bouddhas
- 155 E3
- 2691-1067
- Don
- KCR East : Sha Tin

À gauche : les tombes chinoises sont aménagées de préférence sur le flanc sud d'une colline avec vue sur l'eau.

Tombes chinoises

Dans les Nouveaux Territoires et certaines îles alentour, on voit parfois de grandes tombes disposées en demi-cercle, sur une colline orientée plein sud et donnant sur l'eau pour garantir aux défunts un bon *feng shui*. Les citadins de Hong-Kong ne sont pas si bien lotis. Dans une ville où l'espace est rare, les tombes se serrent les unes contre les autres sur des coteaux en terrasses. La fête de Ching Ming, au printemps et celle de Chung Yeung, à l'automne sont l'occasion pour les familles de balayer les tombes et d'honorer leurs ancêtres en leur offrant des fruits et de l'encens. ■

protecteur des monastères, tandis que vous découvrirez derrière lui une statue de Kwun Yam, la déesse de la miséricorde.

La déesse fait face à une **pagode rouge**. Celle-ci est dotée de neuf niveaux, chiffre particulièrement vénéré dans le bouddhisme, bien qu'il ne compte en réalité que quatre étages. Grimpez au sommet pour bénéficier d'une très belle vue sur la ville de Sha Tin.

D'ici, 69 marches conduisent au niveau supérieur du temple, où vous attend le corps momifié du fondateur du monastère, Yuet Kai, debout dans une vitrine devant un gigantesque bouddha doré.

Professeur de philosophie à Kunming, dans le sud de la Chine, Yuet Kai consacra sa vie à l'étude du bouddhisme. Il arriva à Hong-Kong après la Seconde Guerre mondiale et entreprit de bâtir le temple.

À sa mort en 1965, à l'âge de 87 ans, il fut enterré dans un cercueil sur la colline. Huit mois plus tard, les fidèles l'exhumèrent pour le ré-enterrer. Selon leurs dires, non seulement la dépouille ne présentait aucun signe de décomposition mais elle émettait une lueur fluorescente. Le corps fut embaumé, couvert de feuilles d'or, vêtu d'une robe, placé dans la position du lotus et disposé à son emplacement actuel comme modèle de piété.

Si vous venez un dimanche ou un jour de fête, vous croiserez peut-être des diseurs de bonne aventure dans le temple. Renseignez-vous sur le prix avant de les laisser vous prédire l'avenir. ■

Près de 13 000 bouddhas de céramique réalisés par des artisans de Shanghai ont été offerts par les fidèles.

L'astrologie chinoise

Derrière l'image de Hong-Kong, celle d'une ville du XXIe siècle aux gratte-ciel étincelants et à l'économie florissante, certaines traditions anciennes perdurent. La lune, ses phases et ses mouvements continuent d'influencer la vie des habitants du territoire.

Si vous venez à Hong-Kong pendant le Nouvel An lunaire, généralement en janvier ou février, vous constaterez que c'est la seule période de l'année où les magasins ferment. La plupart rouvrent à la fin des festivités, en général au bout de trois jours. En revanche, certains peuvent continuer à rester portes closes dans l'attente d'un jour propice, que les spécialistes du *feng shui* ou les astrologues déterminent en fonction du calendrier lunaire. Ne pas respecter cette date en ouvrant plus tôt peut nuire à la santé des affaires tout au long des douze mois qui suivent.

Pour déterminer si tel ou tel jour sera bon, mauvais ou moyen pour les événements marquants de la vie, on étudie avec soin les mouvements de la lune. Ainsi, avant le mariage, les jeunes couples consultent des géomanciens pour choisir une date favorable, qui fera la différence entre un mariage heureux et une mauvaise union. Pour faire partie des heureux élus qui se marieront ce jour-là, ils devront souvent faire des heures de queue devant le bureau de l'état civil, trois mois à l'avance, afin de réserver leur rendez-vous avec le destin.

Depuis des milliers d'années, les Chinois se servent de la lune pour prévoir les grands événements, de même que les moissons et les fêtes. Le mois lunaire n'ayant pas la même longueur que celui du calendrier grégorien, le Nouvel An lunaire commence à une date différente tous les ans, du moins eu égard aux calendriers occidentaux.

Chaque année lunaire est placée sous le signe d'un animal – rat, bœuf, tigre, lapin, dragon (seul animal mythique de la liste), serpent, cheval, chèvre, singe, coq, chien ou cochon, ce qui constitue un cycle de douze ans.

L'astrologie chinoise prête aux individus les caractéristiques de l'animal de leur année de naissance.

Intelligent et charmant, le **rat** aime vivre à sa guise et adore les défis.

Le **bœuf** passe pour réussir de grandes choses en adoptant un comportement prudent et méthodique. Comme on peut s'y attendre, on peut compter sur lui, mais il se montre parfois têtu.

Le **tigre** est sensible et aime diriger. Il peut avoir mauvais caractère.

Le **lapin** est facilement trompé par ceux qui veulent profiter de lui. Il règle les problèmes lentement, à son rythme.

Intelligent et puissant, le **dragon** est heureux en amour mais manque de compassion.

Le **serpent** est plein de charme, travailleur et chanceux sur le plan financier.

Le **cheval** est un vagabond né qui adore voyager. Néanmoins, il a tendance à faire preuve d'impatience.

Doté d'un esprit créatif et artistique, la **chèvre** a besoin de beaucoup de soutien et de compréhension de la part de ses proches.

Plein d'énergie, le **singe** adore s'amuser. Son insouciance peut toutefois lui attirer des ennuis.

La vérité compte beaucoup aux yeux du **coq**. Il possède un caractère dominateur et accorde une grande attention à son apparence.

Le fidèle **chien** peut être un ami loyal mais se montrer têtu.

Quant au **cochon**, il est considéré comme poli, perfectionniste et toujours prêt à voir le bon côté des gens. ■

Ci-dessus : une pièce gravée d'un dragon, l'un des 12 animaux de l'astrologie chinoise.
À droite : un tanka dépeint les 12 animaux. À Hong-Kong, le zodiaque chinois régit toujours le choix des dates fastes.

Les signes astrologiques chinois

Rat : 1900, 1912, 1924, 1936, 1948, 1960, 1972, 1984, 1996
Bœuf : 1901, 1913, 1925, 1937, 1949, 1961, 1973, 1985, 1997
Tigre : 1902, 1914, 1926, 1938, 1950, 1962, 1974, 1986, 1998
Lapin : 1903, 1915, 1927, 1939, 1951, 1963, 1975, 1987, 1999
Dragon : 1904, 1916, 1928, 1940, 1952, 1964, 1976, 1988, 2000
Serpent : 1905, 1917, 1929, 1941, 1953, 1965, 1977, 1989, 2001
Cheval : 1906, 1918, 1930, 1942, 1954, 1966, 1978, 1990, 2002
Chèvre : 1907, 1919, 1931, 1943, 1955, 1967, 1979, 1991, 2003
Singe : 1908, 1920, 1932, 1944, 1956, 1968, 1980, 1992, 2004
Coq : 1909, 1921, 1933, 1945, 1957, 1969, 1981, 1993, 2005
Chien : 1910, 1922, 1934, 1946, 1958, 1970, 1982, 1994, 2006
Cochon : 1911, 1923, 1935, 1947, 1959, 1971, 1983, 1995, 2007 ■

Tai Po

SITUÉE À L'EMBOUCHURE DE LA LAM TSUEN RIVER SUR LE TOLO HARBOR, Tai Po est mentionnée dans des textes du Xe siècle comme une importante cité marchande et un centre de pêcheurs de perles. En 1910, la construction du KCR (Kowloon-Canton Railway) ouvrit la région, mais il fallut attendre les années 1970 pour que cette petite bourgade se transforme en une ville nouvelle animée.

Tai Po
155 E4

Hong Kong Railway Museum
13 Shun Tak St., Tai Po Market, Tai Po
2653-3455
Fermé mar.
KCR East : gare KCR Tai Po Market, puis taxi

L'ancienne gare de Tai Po Market, bâtie dans le style chinois avec un toit en tuiles et une décoration foisonnante, fut achevée en 1913. Elle abrite aujourd'hui le petit mais captivant **Hong Kong Railway Museum**. Vous pourrez y admirer des locomotives à vapeur et des wagons d'époque, ainsi que toutes sortes de merveilleux souvenirs, tels que des billets de train, des affiches et des photographies. Ne manquez pas l'inénarrable exposition sur le Tiffin Train Service, emprunté avant la Seconde Guerre mondiale par les golfeurs qui se rendaient au terrain de Fanling et les chasseurs en quête de sangliers et de muntjacs.

En face du musée se trouve l'entrée du pittoresque **Tai Po New Market**. Une large rue piétonne, Fu Shing Street, regorge de boutiques proposant chaussures, pâte de soja, chapeaux hakka en bambou ou œufs soi-disant « de mille ans ». C'est le lieu idéal pour plonger dans l'animation bruissante de la vie marchande des Nouveaux Territoires.

Dans toute cette cohue, à peu près à mi-chemin en descendant Fu Shing Street, à gauche, le **temple de Man Mo** est un havre de paix. Il fut construit à la fin du XIXe siècle en l'honneur de Man, dieu des fonctionnaires et de la littérature, et de Mo, dieu de la guerre et des arts martiaux qui affiche un visage rouge et un air farouche.

Ce petit temple possède une entrée en granit poli, surmontée de corniches délicatement sculptées. Huit alcôves entourent une cour centrale où les habitants âgés conversent tranquillement en jouant au mah-jong ou aux cartes, à l'ombre des palmiers.

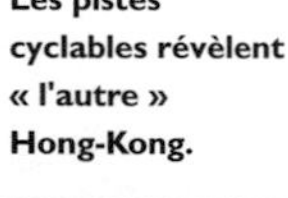

Les pistes cyclables révèlent « l'autre » Hong-Kong.

À vélo

Faire du vélo à Kowloon ou sur l'île de Hong-Kong n'est pas seulement déconseillé mais dangereux. Certaines régions des Nouveaux Territoires s'y prêtent davantage et plusieurs villes nouvelles possèdent des pistes cyclables. Celle qui relie Tai Wai – juste au sud de Sha Tin – et Tai Po longe le Shin Min River Channel et le Tolo Harbor. Vous trouverez facilement des locations à Tai Wai et dans Tung Cheung Street, à Tai Po. Un parcours plus agréable consiste à suivre Bride's Pool Road entre les villages de Tai Mei Tuk et de Luk Keng, dans le nord-est. Les vélos se louent à Tai Mei Tuk. Évitez le dimanche surpeuplé.

Neuf zones au sein des parcs nationaux sont accessibles aux cyclotouristes, sous réserve d'en faire la demande auprès de l'Agriculture, Fisheries, and Conservation Department (*tél. 2708-8885*).

Le Hong Kong Cyclist Club organise des excursions dans le territoire (*tél. 2788-3898*). ■

TAI PO KAU NATURE RESERVE

À mi-chemin entre Tai Po et Sha Tin, cette réserve de 460 ha, la plus ancienne de Hong-Kong, fut créée dans les années 1920 pour contribuer à la reforestation des Nouveaux Territoires, en grande partie déboisés par l'agriculture, la construction immobilière et la collecte de bois pour le feu. (*Prenez le KCR East jusqu'à la gare de Mai Po Market, puis empruntez un taxi.*)

Cinq sentiers de 800 mètres à 10 km, chacun indiqué d'une couleur différente, traversent les forêts épaisses. Les itinéraires figurent sur un panneau à l'entrée. Passant sous la canopée, ils longent de paisibles ruisseaux et des coteaux envahis de fougères et entrecoupés de rochers moussus. Ils permettent de voir les forêts subtropicales de Hong-Hong sans avoir à grimper en haut de crêtes et de ravins abrupts, comme c'est le cas dans les autres parcs nationaux du territoire. Le sentier de découverte de la nature, de 800 mètres, est le plus facile, mais aucun d'entre eux ne demande de gros efforts.

La réserve présente une avifaune d'une grande richesse, avec plus d'une douzaine d'espèces d'oiseaux qui peuplent le site. Vous pourrez également observer et photographier la multitude de papillons présents ici.

Des mammifères comme le pangolin (une sorte de tatou), la civette et le sanglier vivent dans ces forêts épaisses. Vous avez très peu de chances d'en croiser, mais vous entendrez parfois le curieux « aboiement » du muntjac. ■

Bulbuls de Chine, zostérops du Japon et coucous font partie des nombreux oiseaux que vous verrez peut-être voleter dans le feuillage subtropical de Tai Po Kau.

Plover Cove

DANS LE NORD-EST DES NOUVEAUX TERRITOIRES, JUSTE EN DESSOUS DE LA frontière avec la Chine continentale, cette zone est l'une des moins peuplées et des plus isolées de Hong-Kong. Des immigrants hakka en provenance de Chine s'installèrent à l'origine ici il y a 300 ans, mais la terre se révéla trop difficile à cultiver et les rares hameaux restent à l'écart et presque déserts.

Le Plover Cove Reservoir fut aménagé pour remédier aux pénuries d'eau chroniques de Hong-Kong.

Plover Cove

- 155 F4
- Plover Cove Country Park Visitor Center, Bride's Pool Rd.
- Fermé mar.
- Bus : 75K depuis Tai Po

La région abrite aujourd'hui deux parcs nationaux dont les sentiers parfois difficiles récompenseront les randonneurs par de superbes panoramas sur des collines qui ondoient et des chaînes de montagne escarpées, jusqu'aux eaux de Tolo Harbor et de Starling Inlet. Séparés par une vallée verdoyante, le **Plover Cove Country Park**, à l'est, et le **Pat Sin Leng Country Park**, à l'ouest, se tiennent entre le Plover Cove Reservoir et la baie de Starling Inlet, qui s'étire vers la Chine continentale.

La porte d'entrée de la région est le village de **Tai Mei Tuk** (*bus 75K depuis la gare KCR de Tai Po Market*). Proche du barrage du Plover Cove Reservoir, il est apprécié des pique-niqueurs et des excursionnistes. Le barrage fut construit dans les années 1960 pour pallier la pénurie d'eau due à la sécheresse et à la croissance démographique. À la sortie du village, empruntez Bride's Pool Road sur 360 mètres jusqu'au **centre des visiteurs** qui abrite une petite exposition sur la flore et la faune de la région.

De là, vous pouvez continuer dans Bride's Pool Road en passant devant des aires de barbecue souvent bondées le week-end. Une meilleure solution consiste à gravir la colline à gauche le long du **Pat Sin Leng Nature Trail**. Ce parcours de 4 km offre des points de vue sur le Plover Cove Reservoir et les grands ensembles de la ville nouvelle de Ma On Shan, au bord de Tolo Harbor, puis sur les pics du Plover Cove Country Park si vous grimpez à 400 mètres. Plus loin, la vue embrasse

de vertes collines ondoyantes et, au-delà de Starling Inlet, vous apercevrez au fond les hautes tours de Shau Tau Kok, qui borde la frontière avec la Chine continentale. Le sentier redescend ensuite vers Bride's Pool Road et se termine en face du **Bride's Pool Nature Trail**, qui serpente sur 800 mètres au fond d'une petite portion d'une vallée extrêmement boisée. Alimentant l'immense réservoir situé au sud, Bride's Pool est l'un des plus grands bassins hydrographiques de Hong-Kong. Le Pat Sin Leng Nature Trail débute au niveau du panneau portant le plan du parc régional, à côté d'un petit pavillon vert, et suit une crête avant de redescendre jusqu'au Plover Cove Reservoir.

Vous pouvez également emprunter Bride's Pool Road au nord sur 5 km jusqu'au hameau de **Luk Keng**. Des maisons anciennes et récentes côtoient au petit bonheur de petits temples blottis les uns contre les autres sur les rives de Starling Inlet. De là, des minibus partent pour Tai Mei Tuk avant de continuer vers Fanling.

Entre la fin mars et août, le hameau, ses bassins et ses anciennes rizières en terrasse deviennent la plus grande aire d'alimentation des aigrettes de Hong-Kong. D'immenses vols d'oiseaux se rassemblent sur la petite île d'**A Chau**, située à gauche du village.

Vous pouvez louer des vélos à Tai Mei Tuk pour parcourir Bride's Pool Road jusqu'à Luk Keng. Cet itinéraire de 10 km traverse la vallée qui sépare les deux parcs. Si vous cherchez le calme, évitez le week-end. ■

La région de Plover Cove abrite des villages vieux de plusieurs siècles.

Des plages de sable blanc ourlent le littoral vallonné de Clear Water Bay.

Sai Kung et Clear Water Bay

Avec ses sentiers à flanc de coteau menant à des plages isolées, ses criques, ses baies, ses dizaines d'îles désertes et ses minuscules villages nichés dans des vallées profondes, la partie orientale des Nouveaux Territoires est le lieu idéal pour découvrir une nature à la beauté encore intacte. Il est difficile de croire que l'on se trouve à 40 minutes seulement de la cohue, du bruit et des gratte-ciel de Kowloon.

La majeure partie de la région est occupée par des parcs nationaux offrant de nombreuses activités de loisirs. Vous pourrez marcher, camper et nager, pratiquer la planche à voile et le canoë ou louer un bateau – *kaido* (embarcation à moteur) ou yacht de luxe – pour gagner des plages et des îles isolées. Pour profiter vraiment des splendeurs de la région, venez plutôt en semaine. Le week-end, et surtout le dimanche, les plages et les sentiers de randonnée fourmillent de monde.

Point d'accès vers les parcs nationaux, la plaisante ville de pêcheurs de Sai Kung se prête parfaitement à la détente après une longue balade ou une journée à la plage. À la pointe sud-est des Nouveaux Territoires, la péninsule venteuse de Clear Water Bay abrite le superbe terrain de golf du très chic Clear Water Bay Country Club, au bord de la mer de Chine méridionale. Des plages facilement accessibles et de nombreux chemins de randonnée vous y attendent également. ■

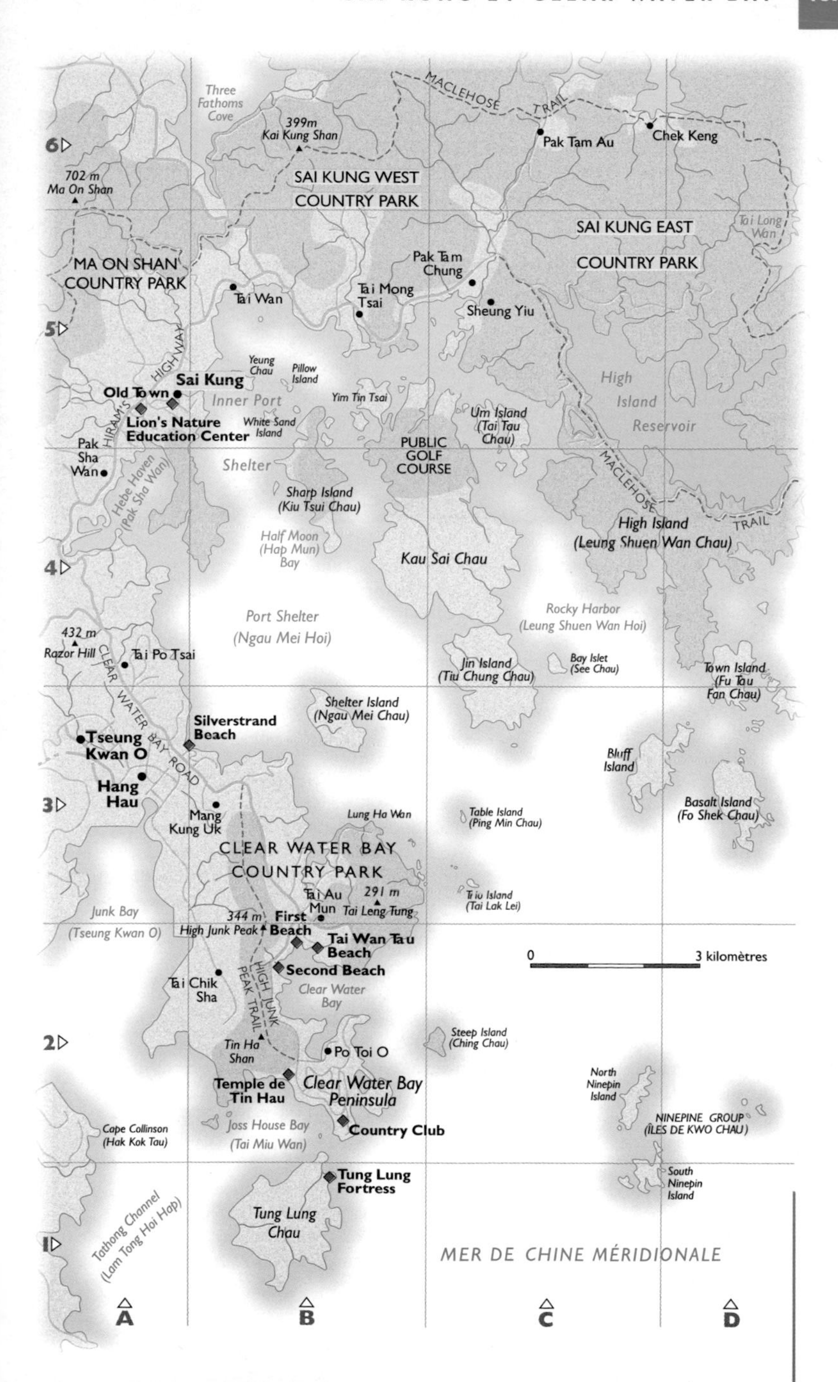
MACLEHOSE TRAIL
Three Fathoms Cove
399m Kai Kung Shan
Pak Tam Au
Chek Keng
702 m Ma On Shan
SAI KUNG WEST COUNTRY PARK
SAI KUNG EAST COUNTRY PARK
Tai Long Wan
MA ON SHAN COUNTRY PARK
Pak Tam Chung
Tai Wan
Tai Mong Tsai
Sheung Yiu
HIRAM'S HIGHWAY
Yeung Chau
Pillow Island
Sai Kung
Old Town
Inner Port
Yim Tin Tsai
High Island Reservoir
Lion's Nature Education Center
White Sand Island
Um Island (Tai Tau Chau)
Pak Sha Wan
PUBLIC GOLF COURSE
Shelter
Hebe Haven (Pak Sha Wan)
Sharp Island (Kiu Tsui Chau)
High Island (Leung Shuen Wan Chau)
Half Moon (Hap Mun) Bay
Kau Sai Chau
Port Shelter (Ngau Mei Hoi)
Rocky Harbor (Leung Shuen Wan Hoi)
432 m Razor Hill
Tai Po Tsai
CLEAR WATER BAY ROAD
Jin Island (Tiu Chung Chau)
Bay Islet (See Chau)
Town Island (Fu Tau Fan Chau)
Shelter Island (Ngau Mei Chau)
Silverstrand Beach
Tseung Kwan O
Bluff Island
Hang Hau
Mang Kung Uk
Lung Ha Wan
Table Island (Ping Min Chau)
Basalt Island (Fo Shek Chau)
CLEAR WATER BAY COUNTRY PARK
Tai Au Mun
291 m Tai Leng Tung
Trio Island (Tai Lak Lei)
Junk Bay (Tseung Kwan O)
344 m High Junk Peak
First Beach
Tai Wan Tau Beach
Second Beach
0 3 kilomètres
Tai Chik Sha
HIGH JUNK PEAK TRAIL
Clear Water Bay
Steep Island (Ching Chau)
Tin Ha Shan
Po Toi O
North Ninepin Island
Temple de Tin Hau
Clear Water Bay Peninsula
NINEPINE GROUP (ÎLES DE KWO CHAU)
Cape Collinson (Hak Kok Tau)
Joss House Bay (Tai Miu Wan)
Country Club
Tung Lung Fortress
South Ninepin Island
Tathong Channel (Lam Tong Hoi Hap)
Tung Lung Chau
MER DE CHINE MÉRIDIONALE
6 5 4 3 2 1
A B C D

Clear Water Bay

À L'EXTRÉMITÉ SUD-EST DES NOUVEAUX TERRITOIRES, CLEAR WATER BAY est une région encore sauvage, dotée d'un littoral accidenté, de collines dénudées, de villas blanchies à la chaux et de panoramas exceptionnels sur la mer de Chine méridionale. Plages et parcs étant très fréquentés le week-end, mieux vaut venir en semaine.

À gauche : les plages de Clear Water Bay sont facilement accessibles mais bondées le week-end.

La plupart des visiteurs viennent pour les deux grandes plages de la région, **Clear Water Bay First Beach** et **Clear Water Bay Second Beach**, qui s'incurvent le long de la côte profondément découpée de Clear Water Bay. Ces étendues de sable blanc, propres et aisément accessibles, s'étirent au pied d'une falaise abrupte, dotée d'un escalier. Une autre plage plus petite, **Tai Wan Tau**, occupe le coin nord de la baie.

Avant d'arriver, d'autres plages se succèdent le long de Clear Water Bay Road. La jolie **Silverstrand Beach**, bordée de maisons et d'appartements accrochés à la falaise, est la plus accessible. Prenez l'escalier assez raide descendant du parking. Des filets de protection ont été installés après plusieurs décès dus à des attaques de requins au début des années 1990.

Le promontoire qui borde Clear Water Bay au nord forme la partie orientale du **Clear Water Bay Country Park**. À l'entrée se trouvent un centre des visiteurs, une aire dotée de barbecues et le départ du **Tree Walk** : ce court chemin circulaire traverse une zone forestière du parc. Peu après le début de l'itinéraire, un belvédère offre une vue magnifique sur plusieurs îles, dont le groupe des Ninepins Islands (Kwo Chau) et Tung Lung Chau (voir p. 214), ainsi que sur les parcours du Clear Water Bay Country Club, de l'autre côté de la baie.

Du parking situé à l'entrée du parc, un sentier bien indiqué conduit au sommet du **Tai Leng Tung** (290 m), où vous pourrez admirer un très beau panorama sur les îles et la mer, avant de continuer vers Lung Ha Wan, sur la côte nord du promontoire.

Une route côtière très peu fréquentée par les voitures permet d'effectuer à pied le trajet entre les plages de Clear Water Bay et le Clear Water Bay Country Club, 4 km plus au sud. Environ 800 m avant le country club, vous croiserez une route qui descend vers **Po Toi O**, village de pêcheurs situé au bord d'une agréable crique et destination de nombreuses croisières en jonque le week-end (voir p. 129). À l'entrée du country club, un panneau indique le départ du High Junk Peak Country Trail.

Clear Water Bay

- 187 B3
- Clear Water Bay Country Park Visitor Center
- 2719-0032
- Fermé mar.
- Bus : 91 depuis Choi Hung MTR

Ci-dessus : des élevages de poissons à Po Toi O. Le village a en partie conservé son caractère traditionnel.

TEMPLE DE TIN HAU

À l'est du panneau et à droite de l'entrée du country club, des marches descendent au temple de Tin Hau dominant Joss House Bay. Le site existe depuis 1266, ce qui en fait l'un des plus anciens de Hong-Kong. Des gravures rupestres indiquent qu'il reçut la visite d'un fonctionnaire de la dynastie Song en 1274. Élevé en 1878, le temple actuel fut sérieusement endommagé par le typhon Wanda en 1962. Il a été rénové depuis.

L'autel principal possède trois statues de Tin Hau, reine du ciel et protectrice des marins. Dans la « chambre à coucher » de la déesse se trouvent un lit pour chacune des statues, une table de toilette, un miroir et une cuvette. La salle principale du temple renferme une maquette de jonque du XVIIIe siècle, au pont peuplé de marins sculptés. Devant le temple, une esplanade et une jetée accueillent les visiteurs qui affluent par bateau lors de la fête annuelle de Tin Hau en avril (voir p. 48). Le reste du temps, l'endroit est désert. Au large, la grande île de Tung Lung Chau, avec sa vieille forteresse chinoise, garde l'entrée de Joss House Bay.

Si vous en avez l'énergie, vous pouvez regagner les plages de Clear Water Bay en empruntant le **High Junk Peak Country Trail** (4 km). L'itinéraire procure une belle vue sur la baie depuis les collines dénudées de Tin Ha Shan. Une bifurcation indiquée par un panneau redescend vers les plages, juste avant la rude ascension du **High Junk Peak** (Tu Tue Yung). ■

Sai Kung

CE PORT DE PÊCHE DYNAMIQUE SERT DE POINT DE DÉPART VERS LES sentiers de randonnée et les plages des environs (voir p. 192-193). Il accueille également de nombreux citadins hongkongais provenant des quartiers surpeuplés et attirés par son ambiance agréable, son air pur et son quai bordé de restaurants de fruits de mer réputés. La ville peut faire l'objet d'une plaisante sortie d'une journée, mais évitez le dimanche où la foule est à son comble.

Bateaux, sampans et jonques se pressent dans le port de pêche de Sai Kung.

Kau Sai Chau Public Golf Course

- 187 B4
- Kau Sai Chau
- 2791-3380
- €€€
- MTR : Choi Hung, puis Minibus 1

Commencez par flâner sur le **quai** au bout de Fuk Man Road, la rue principale, pour vous imprégner de l'atmosphère. Dans le **port** bourdonnant d'activité, des bateaux de pêche s'amarrent le long de la jetée pour livrer leur prise aux restaurants de poissons, tandis que des jonques emportent leurs passagers vers les îles, les plages et les paysages splendides de Shelter et de Rocky Harbor. De petites embarcations (*kaidos*) emmènent les visiteurs faire le tour du port ou les déposent sur les îles et sur l'essaim de plages de l'avant-port. Regardez devant les restaurants les énormes viviers qui contiennent un incroyable éventail d'espèces marines. Choisissez un poisson, après avoir demandé le prix, et emportez-le à l'intérieur de l'établissement pour qu'on vous le fasse cuire.

Lors de votre promenade sur le quai, on vous proposera sans doute une sortie d'une heure en kaido autour du port intérieur. Vous pouvez également prendre le ferry régulier qui dessert la plage de sable blanc de **Half Moon (Hap Mun) Bay**, sur Sharp Island (Kiu Tsui Chau). Des services moins fréquents rallient les plages de Pak Sha Chau (White Sand Island) et de Cham Tau Chau (Pillow Island).

Plus loin vers l'ouest le long du quai, derrière un petit temple de Tin Hau en retrait de Yi Chun Street, la **vieille ville** de Sai Kung offre un aperçu de la vie villageoise traditionnelle avec son dédale d'allées animées, ses herboristeries, ses boutiques de nouilles, ses épiceries chinoises et ses petites maisons.

GOLF

Si vous pratiquez le golf, n'hésitez pas à vous rendre dans la plus grande île de l'avant-port, **Kau Sai Chau**. Elle abrite le seul **terrain de golf** public de Hong-Kong et possède sur le quai un embarcadère réservé d'où des bateaux partent toutes les 20 minutes. Don du bienveillant Hong Kong Jockey Club, le terrain est l'un des plus pittoresques d'Asie, avec son point de vue ininterrompu et spectaculaire sur la mer de Chine méridionale, les îles des environs et les paysages accidentés du Sai Kung Country Park. Ce golf comprend deux 18-trous conçus par Gary Player, un practice éclairé de 72 postes et des installations

Dans les viviers installés sur le quai, on prélève les poissons et les crustacés destinés aux restaurants.

intérieures et extérieures pour s'entraîner au pitch et au putt.

Le clubhouse loue des clubs et des chaussures. Il est indispensable de réserver et de présenter une carte de handicap de jeu. Le terrain n'a rien de particulièrement bon marché selon les tarifs habituellement pratiqués : une partie de 18 trous coûte entre 85 et 115 $US selon le jour (les prix augmentent le week-end) et le parcours choisi. Les visiteurs paient jusqu'à deux fois plus cher que les habitants de Hong-Kong.

NORD DE LA VILLE

De retour sur le quai, revenez sur vos pas en laissant derrière vous Fuk Man Road pour suivre la promenade du front de mer vers le nord. Environ 800 mètres plus loin s'étend une plage qui se révèle assez peu propice à la baignade (ce qui ne dissuade en rien les foules de visiteurs qui l'envahissent le dimanche). Vous pourrez y louer une planche à voile ou vous détendre dans l'un des bars et des restaurants qui donnent sur la plage. Juste à l'ouest, dans le village côtier de **Tai Wan**, il est possible de sillonner la baie d'Inner Shelter Harbor en canoë.

Les abords de Sai Kung sont malheureusement en proie à une forte urbanisation qui risque de détruire ce qui reste du caractère et de l'atmosphère de la ville. Des tours résidentielles devraient bientôt s'élever à la périphérie nord. Hiram's Highway, la route qui rejoint Sai Kung depuis Clear Water Bay Road, est en train d'être élargie et son tracé modifié, pour faire face à la croissance de la région. ■

Parcs nationaux de Sai Kung

La péninsule de Sai Kung offre des paysages parmi les plus beaux et les plus sauvages de Hong-Kong, ainsi que certaines des plages les plus agréables du territoire. Cette région, qui fut longtemps reculée, est caractérisée par des pics élevés, un littoral découpé et de petits villages hakka isolés. Elle attire aujourd'hui de nombreux randonneurs dans la région. Ses sentiers bien entretenus et parfaitement balisés en font le lieu rêvé pour la marche.

Sai Kung Country Parks

- 187 B6
- Sai Kung Country Park Visitor Center, Pak Tam Chung
- 2792-7365
- Fermé mar.
- Bus : 94 depuis Sai Kung Town

En voiture, vous ne pourrez pas dépasser **Pak Tam Chung**. Les bus vont jusqu'à Wong Shek Pier et, le week-end et les jours fériés, jusqu'à Hoi Ha. Les taxis sont aussi autorisés à pénétrer dans le parc. Point de départ de la plupart des randonneurs, Pak Tam Chung possède un centre des visiteurs qui vous renseignera sur les itinéraires.

La péninsule couvre 10 500 ha et se compose de quatre parcs : Sai Kung East, Sai Kung West, Hoi Ha Wan Marine Park et Wan Tsai. Le plus grand et le plus fréquenté, **Sai Kung East**, abrite le High Island Reservoir – l'une des principales sources d'eau de Hong-Kong – et recèle des sentiers menant à des points de vue exceptionnels et des plages splendides.

De Pak Tam Chung, suivez la route vers l'est jusqu'à une bifurcation en haut d'une montée : là, commence le réservoir. Comptez 8 km pour atteindre le point de rencontre entre ce dernier et la mer de Chine méridionale. Le trajet n'a rien de très difficile mais si l'aller-retour (16 km) vous semble trop long, prenez un taxi à Pak Tam Chung jusqu'à l'extrémité du réservoir et revenez à pied.

Le chemin s'élève d'abord au-dessus du vaste réservoir. Plus loin, au premier mur du barrage, la vue embrasse des promontoires à pic, taillés dans le littoral déchiqueté et

des îles en forme de dos de baleine. Pour finir, le sentier passe au-dessus du second mur du barrage avant de descendre jusqu'à sa base, à la pointe est du réservoir. La mer s'étend en face, tandis que la paroi du barrage se dresse derrière vous de toute sa hauteur. À l'extrémité est du mur, une piste franchit un col vallonné pour rejoindre **Long Ke Wan**, baie en demi-cercle bordée d'une grande plage de sable blanc.

La plus belle plage de Hong-Kong, **Tai Long Wan**, se trouve à 40 minutes à pied de Pak Tam Au, plus à l'intérieur du parc sur la route de Wong Shek Pier. Le sentier, juste en retrait de la route, serpente le long des pentes fraîches et boisées de la colline de Ngau Wu Tun. Il offre de saisissants panoramas sur Long Harbor avant d'atteindre le tout petit hameau de **Chek Keng**, l'un des villages abandonnés de la région. Puis un chemin bétonné s'élève vers le col de Tai Mun Shan jusqu'à Tai Long Au. Contemplez le sable blanc et les vagues grondantes de Tai Long Wan (Big Wave Bay), puis descendez vers la plage. Juste avant celle-ci, un village vend des nouilles, de l'eau et des sodas. L'aller-retour représente environ 10 km.

Un itinéraire plus court, qui couvre 5 km, traverse le **Hoi Ha Wan Marine Park**, l'un des rares endroits de Hong-Kong où vous trouverez du corail. Petits ravins et anciennes rizières en terrasses composent le panorama.

Du village de Hoi Ha, suivez la plage vers l'est jusqu'à un sentier côtier longeant Ho Ha Bay. Franchissez une langue de terre pour rejoindre Wan Tsai et partez au nord en passant devant des stands de livres de poche, des acacias et des casuarinas. De la falaise, à la pointe du promontoire, on voit Mirs Bay et les deux petites îles qui marquent la limite du parc maritime. Vers le sud-est, de l'autre côté de Long Bay, s'élève le point culminant de la péninsule, Sharp Peak (468 m). Rentrez à Hoi Ha en longeant le côté est du promontoire.

Attention ! Sur les sentiers, on croise parfois des chiens errants ou domestiques. S'ils vous semblent agressifs, chassez-les en agitant un gros bâton qui pourra également vous servir de canne. ■

Tai Long Wan – « baie de la grosse vague » – est la plus belle plage de Hong-Kong.

Circuit routier dans la péninsule de Sai Kung

Partant de la jonction entre Clear Water Bay Road (qui court au nord-est depuis Kowloon) et Hiram's Highway, ce trajet pittoresque passe par la ville de Sai Kung en longeant la côte jusqu'au Sai Kung Country Park. Au retour, vous pouvez suivre Sai Sha Road, une route vallonnée à travers la campagne, pour rejoindre Kowloon, via la ville nouvelle de Ma On Shan, et Sha Tin.

Ce circuit permet d'admirer la côte luxuriante et découpée de la péninsule de Sai Kung, avec ses villages au bord de l'eau et ses îles éparpillées au large.

Le pic verdoyant de Ma On Shan (702 m), qui constitue l'un des plus élevés des Nouveaux Territoires, domine le paysage lorsqu'on quitte Clear Water Bay Road pour tourner à gauche dans Hiram's Highway. Remarquez les villas blanchies à la chaux et les lotissements luxueux construits sur les collines qui bordent la côte. Hiram's Highway descend en direction de la zone côtière de Sai Kung en serpentant sur deux km jusqu'à **Marina Cove** ❶, avec ses centaines de villas entourant un port de plaisance. Continuez sur Hiram's Highway environ 2 km, jusqu'au moment où la route s'ouvre sur **Pak Sha Wan** ❷, également appelée Hebe Haven. Cette large baie presque entièrement enfermée par une étroite péninsule incurvée abrite des dizaines de bateaux de plaisance. Vous pouvez vous garer à cet endroit et vous asseoir sur la terrasse du Hebe Haven Yacht Club (*101/2 Miles, Hiram's Hwy., tél. 2719-8300*) pour siroter un verre en contemplant la vue qui s'offre à vous.

Reprenez la route sur 3 km en passant devant des villages, des zones boisées et des pépinières pour atteindre, 3 km plus loin, la ville de Sai Kung ❸ (voir p. 190-191), princi-

pale localité de la région. Hiram's Highway devient brièvement Po Tung Road, avant de prendre le nom de Tai Mong Tsai Road. Elle dépasse le village et mène alors à une petite plage et à des restaurants au bord de l'eau, environ 800 mètres après la ville.

La route épouse ensuite les contours de Inner Port Shelter en offrant par moments un point de vue sur la mer à travers les eucalyptus et les aires de pique-nique couvertes d'herbe, qui bordent la baie jusqu'au rond-point de Shi Sha Road. Là, une route part à travers les collines vers la ville nouvelle de Ma On Shan, près de Sha Tin (voir p. 176).

Voir plan p. 155
Hiram Hwy. à Clear Water Bay Rd.
17 km ; 25 km Wong Shek Pier compris
1 heure 30 ; 2 heures Wong Shek Pier compris
Wong Shek Pier

À NE PAS MANQUER

- Sai Kung
- Sai Kung Memorial
- Wong Shek Pier

Des bateaux de plaisance émaillent la baie tranquille de Pak Sha Wan.

Après le rond-point, la vue s'ouvre sur les nombreux îlots de Inner Port Shelter et les étendues plus vastes de Sharp Island et de Kau Sai Chau. La route suit les méandres de la côte dans ses montées et ses descentes sur ce qui est la plus belle partie du parcours.

Sur une hauteur, à environ 6 km de Sai Kung, un obélisque surplombant la mer marque le **Sai Kung Memorial** ❹, hommage aux habitants de Sai Kung morts pendant l'occupation japonaise, entre 1941 et 1945. Au bord de la route se dresse une statue de bronze de belle facture, représentant des villageois et des combattants.

Continuez sur 2 km pour gagner l'entrée gardée du Sai Kung Country Park, à Pak Tam Chung (voir p. 192-193). Dans le **Country Park Visitor Center** ❺ (*Pak Tam Chung, Sai Kung, tél. 2792-7365, fermé mar.*), un petit musée digne d'intérêt présente des coraux ramassés au large, dans le Hoi Ha Wan Marine Park (voir p. 193), ainsi que des expositions sur les caractéristiques topographiques du parc, la faune et la flore de la région et la vie traditionnelle des villageois et des pêcheurs.

Des randonneurs en route pour Ma On Shan, l'un des plus hauts sommets des Nouveaux Territoires.

Les seuls véhicules privés autorisés dans le parc sont ceux des habitants ou de leurs invités. Vous pouvez cependant prendre un taxi ou, mieux encore, monter dans le bus à impériale n°94. Démarrant toutes les heures, il monte lentement au village de Pak Tam Au avant de descendre à travers des forêts et des petits hameaux vers **Wong Shek Pier** ❻, à la pointe sud de Long Harbor. Si possible, placez-vous en haut, sur le siège avant, pour profiter pleinement de la vue sur les pics escarpés qui dominent le paysage. Ce trajet de 8 km prend 10 ou 15 minutes.

Vous pouvez louer des planches à voile et des canots au **Wong Shek Water Sports Center** (*tél. 2328-2311*), flâner sur le front de mer ou vous détendre sur l'aire de pique-nique aménagée au bord de l'eau.

Pour rentrer à Kowloon, il est possible d'emprunter Sai Sha Road, qui traverse d'autres villages et offre par endroits une vue panoramique sur Three Fathoms Cove et Tolo Harbor avant de rejoindre la ville nouvelle de Ma On Shan. Cette cité est un exemple classique d'urbanisation à la hongkongaise, avec ses tours d'habitation surgies de terre là où se trouvait, il y a dix ans à peine, un groupe de petits hameaux. Puis, une fois arrivé à Ma On Shan, suivez les panneaux pour Kowloon. ■

Tap Mun Chau

TAP MUN CHAU (GRASS ISLAND) GARDE L'ENTRÉE DE LONG HARBOR à l'extrémité nord-est de la péninsule de Sai Kung, où l'étroit Tolo Channel rejoint Mirs Bay et la frontière avec la Chine continentale. Dans les années 1980 et au début des années 1990, l'île était le point d'entrée des clandestins chinois, jusqu'à ce que la police maritime hongkongaise intensifie la surveillance.

Alliant isolement et facilité d'accès, l'île mérite la visite si vous en avez le temps. Le week-end, des ferries assurent la correspondance avec le bus qui part toutes les heures de Sai Kung. En semaine, ils ne circulent que trois fois par jour. Mieux vaut louer un *kaido* qui vous conduira en 20 minutes à travers les eaux abritées de Long Harbor jusqu'à l'île dont le minuscule village abrite un **temple de Tin Hau**. Dernier du territoire hongkongais avant la haute mer, il possède un toit orné de jolies figurines. Les marins s'y rendent traditionnellement avant de s'embarquer, afin d'implorer la protection de la déesse durant leur voyage (voir l'encadré p. 93).

Des figurines en porcelaine décorent l'entrée du temple de Tin Hau à Tap Mun.

Tap Mun doit son nom aux collines herbeuses et battues par les vents, présentes dans toute l'île. Ses nombreux sentiers, qui sillonnent le site, en font un lieu propice à la marche. La moitié nord de l'île est inhabitée et divinement calme. Prenez le chemin qui grimpe derrière le village – les itinéraires de randonnée figurent sur un panneau tout près de l'embarcadère – pour admirer les vagues qui fouettent la côte est. Descendez ensuite vers l'unique **plage** de Tap Mun Chau, à Chung Wai, avant de remonter pour partir au sud en direction de **Balanced Rock**. Cette étrange formation rocheuse se situe juste au large de l'extrémité sud-est de l'île. Le chemin continue autour de la pointe sud et longe les maisons récentes de New Fishermen's Village et une chapelle chrétienne, avant de regagner l'embarcadère et le village principal.

Vous trouverez deux restaurants au village. Le New Hon Kee Seafood Restaurant (*tél. 2328-2428*), perché sur pilotis, est un endroit agréable pour prendre un repas en attendant le ferry qui vous ramènera à Wong Shek Pier. Une fois encore, si vous voulez échapper à la foule, évitez de visiter l'île le dimanche. Le dernier ferry quitte l'île à 18h le week-end et à 16h40 en semaine. ■

Autres sites à visiter

Les Lam Tsuen Spirit Trees sont chargés d'offrandes colorées, lancées dans les branches pour porter chance.

CHINESE UNIVERSITY OF HONG KONG

Le musée d'Art de l'université possède une belle collection de peintures et de calligraphies réalisées par des artistes du Guangdong de l'ère Ming à aujourd'hui, et par d'autres artistes des dynasties Yuan, Ming et Qing. Il présente aussi des sceaux de bronze datant d'avant l'ère Qing à nos jours, ainsi que des céramiques et des fleurs sculptées dans le jade.

155 E3 Ma Liu Sui 2609-7416
KCR East jusqu'à Chinese University Station, puis navette

LAM TSUEN SPIRIT TREES (ARBRES À SOUHAITS)

Selon la légende, un pêcheur malade fut miraculeusement guéri par un dieu de la terre, alors qu'il priait devant ces deux arbres (une bauhinie et un banian), considérés depuis comme des porte-bonheur. Les visiteurs nouent des morceaux de papier coloré et une orange à chaque bout d'une corde rouge, avant de la lancer tout en faisant un vœu. Si la corde reste accrochée à une branche, leur vœu sera exaucé. Quiconque y parvient du premier coup est tenu pour extrêmement chanceux. Des centaines de ces offrandes colorées pendent dans les branches, d'autres sont brûlées au pied des arbres, sur l'un des deux autels dédiés au dieu de la terre. Vous pourrez en acheter une pour environ 20 $HK. Devant les arbres, un temple de Tin Hau, bâti en 1768, abrite un autel à la mémoire des personnes mortes lors d'un conflit entre deux villages au XIXe siècle.

154 D4 Lam Kam Rd., Lam Tseun, Tai Po
KCR East jusqu'à Tai Po Market, puis bus 64K

LIONS NATURE EDUCATION CENTER

Dans une jolie vallée, à quelques kilomètres de Sai Kung, cette ferme d'État reconvertie en centre de protection de la nature et d'éducation est une version plus modeste des Kadoorie Farm and Botanical Garden (voir p. 163). Sur 16 hectares se côtoient un verger planté de plus de 30 espèces d'arbres fruitiers, des jardins d'herbes aromatiques, des champs de légumes, un bosquet de bambous, une plantation de fougères, des bassins couverts de plantes aquatiques, un arboretum, ainsi qu'un sentier de découverte. Des salles abritent un insectarium et une collection de coquillages originaires du littoral hongkongais. Vous pourrez voir également une exposition sur l'appauvrissement des ressources marines, ainsi

qu'une présentation sur les techniques et les outils de la minuscule communauté agricole de Hong-Kong. Enfin, des explications sont fournies sur les parcs nationaux du territoire.
155 F2 Hiram's Hwy., Sai Kung
2792-2234 Fermé mar. MTR : Choi Hung, Minibus 1 pour Sai Kung, puis taxi

MACLEHOSE TRAIL

S'étendant sur 100 km de Sai Kung, à l'est, jusqu'à Tuen Mun, à l'ouest, ce sentier traverse huit parcs nationaux des Nouveaux Territoires en passant par des crêtes accidentées, des plages et des villages isolés. En chemin, il s'élève près du sommet du Tai Mo Shan et du Ma On Shan, deux des plus hautes montagnes de Hong-Kong. Offrant des points de vue époustouflants, ses dix tronçons sont classés par niveau de difficulté. Certains sont relativement faciles, d'autres réservés aux marcheurs aguerris. En novembre, une course par équipe baptisée Trailwalker attire des milliers d'amateurs. Les meilleures équipes ne mettent que 13 heures pour accomplir le parcours.

Plus long sentier de Hong-Kong, le MacLehose Trail (100 km) traverse les Nouveaux Territoires d'est en ouest.

Country Parks Management Office
155 G3 303 Cheung Sha Wan Rd., Kowloon 2150-6868 MTR : Tsim Sha Tsui

SHEUNG YIU VILLAGE

Le village fortifié de Sheung Yiu, bâti il y a 150 ans environ par un clan hakka du nom de Wong, a été partiellement restauré et transformé en musée. On peut y voir des meubles hakka, des ustensiles de cuisine et du matériel agricole. Suivez les panneaux à partir du centre des visiteurs du Sai Kung East Country Park (voir p. 192-193), et comptez 20 minutes de marche agréable le long du Pak Tam Chung Nature Trail.
155 G3 Sheung Yiu Village, Pak Tam Chung Nature Trail 2792-6365 Fermé mar. MTR : Choi Hung, Minibus 1 pour Sai Kung Town, puis bus 94

TAI FU TAI MANSION

Bâtie vers 1865 par Man Chung-luen, un membre du clan Man, et entièrement restaurée, la Tai Fu Tai Mansion permet de découvrir une maison traditionnelle chinoise de la petite noblesse lettrée. Des figurines en céramique et des moulures animent l'élégante façade, un mur vert en brique sur une base en granit. Au-dessus de l'encadrement de la porte, le nom de la demeure figure en caractères chinois dorés sur une planche de bois rouge. Le toit aux bords relevés est également orné de moulures et de statuettes en céramique.

Deux salles latérales entourent la cour centrale, tandis que trois chambres à coucher occupent le devant de la maison. D'autres salles sont adossées au mur extérieur, la salle principale se trouvant au fond de la cour. Toutes sont décorées de moulures en plâtre, de sculptures sur bois et de peintures murales.

La salle principale a conservé une partie de ses meubles d'origine en bois noir. Sous ses corniches, deux planches « honorifiques » portent des inscriptions en chinois et en mandchou gravées en lettres d'or. Au fond de la salle trônent des portraits de Man Chung-luen et d'autres membres du clan.

Non loin, la **Man Fung Lung Ancestral Hall**, bâtie vers la fin du XVIIe siècle, a également été restaurée. Moins ornée que la Tai Fu Tai Mansion, elle mérite cependant la visite pour ses imposantes colonnes de pierre et ses équerres de soutien admirablement sculptées.
154 C4 Tung ChanWai, San Tin
Fermé mar. KCR East pour Sheung Shui, puis bus 76K ■

Charme bucolique, quais bourdonnant d'activité, succulents fruits de mer, plages désertes et, dans bien des cas, calme et repos attendent le visiteur qui prend le temps de découvrir les nombreuses îles environnant Hong-Kong.

Les îles autour de Hong-Kong

Au temple de Pak Tai, à Cheung Chau.

Les îles autour de Hong-Kong

MODESTES AFFLEUREMENTS ROCHEUX ÉMERGEANT DE LA MER OU VASTES PARCELLES DOTÉES de pics montagneux, de longues plages isolées et de villages de pêcheurs ou de fermiers : 234 îles s'éparpillent au large de Hong-Kong. Toutes possèdent une atmosphère plus rurale que les Nouveaux Territoires et l'on y trouve encore quelques poches de vie traditionnelle. Consacrez au moins une journée à l'une d'entre elles.

Le port de Cheung Chau : l'île tire une grande partie de ses revenus de la pêche.

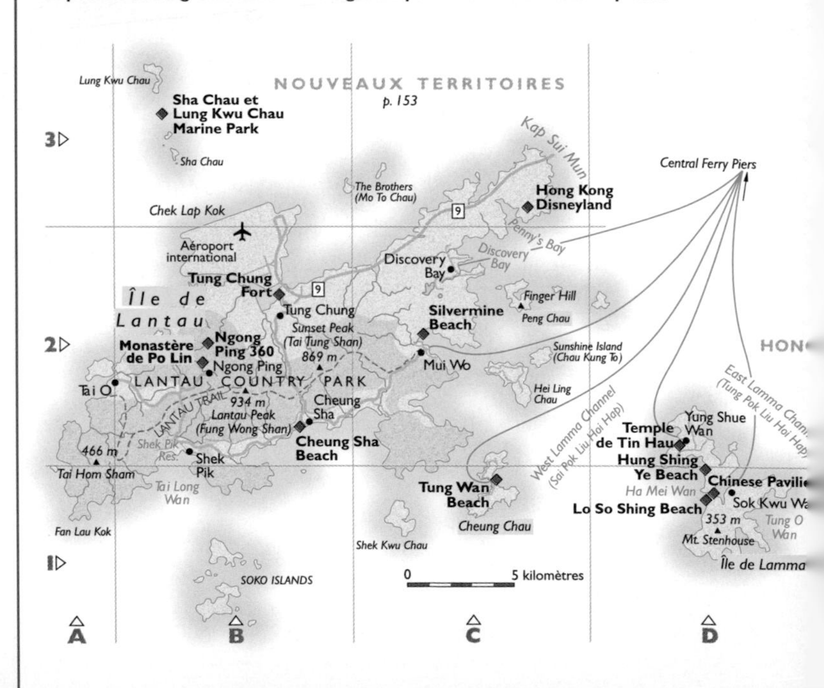

Les îles avoisinantes abritent moins de 2% de la population de Hong-Kong, soit 100 000 habitants. Depuis une trentaine d'années, beaucoup partent tenter leur chance dans les grosses agglomérations urbaines, laissant derrière eux les résidents âgés, certains vivant encore de façon traditionnelle. Dans le même temps, les îles les plus grandes et les plus centrales voient pousser des villes-dortoirs où viennent notamment s'installer de nombreux expatriés occidentaux en quête de calme et de tranquillité.

Situées à moins d'une heure du Outlying Islands Ferry Terminal de Central, les principales îles sont régulièrement desservies par bateau. Elles sont prises d'assaut, le week-end et les jours fériés, par des foules de visiteurs venus profiter des plages, des restaurants en bord de mer et des innombrables sentiers de randonnée. Avec ses pics escarpés, ses paisibles monastères à flanc de colline, ses villages de pêcheurs et ses étendues de sable blanc, Lantau est très appréciée. Chek Lap Kok, au nord, abrite le vaste aéroport international de Hong-Kong et la dernière-née des villes nouvelles, Tung Chung. Le reste de l'île a peu souffert du développement urbain. Près de l'aéroport, à l'extrémité nord-est, un grand Disneyland a ouvert en 2005.

L'île de Cheung Chau charme de nombreux visiteurs grâce à son port dynamique, son front de mer animé et ses possibilités de sports nautiques et de promenades. Quant à Lamma, ses atouts résident dans ses restaurants de fruits de mer, ses plages magnifiques, son ambiance détendue et ses fabuleuses randonnées.

Des figurines vernissées ornent le temple de Pak Tai de Cheung Chau.

Compte tenu du temps et des efforts nécessaires, peu de voyageurs s'aventurent dans les autres îles alentour. Elles en valent pourtant la peine, si la marche et les horaires irréguliers des traversées ne vous rebutent pas. Le week-end, une agréable excursion en ferry par le Tolo Channel permet de rejoindre Ping Chau, au milieu de Mirs Bay, au nord-est des Nouveaux Territoires. Battue par les vents, Tap Mun Chau (voir p. 198) offre, quant à elle, une agréable retraite en semaine. ■

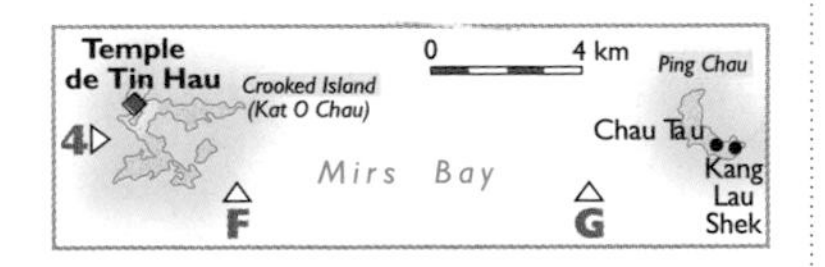

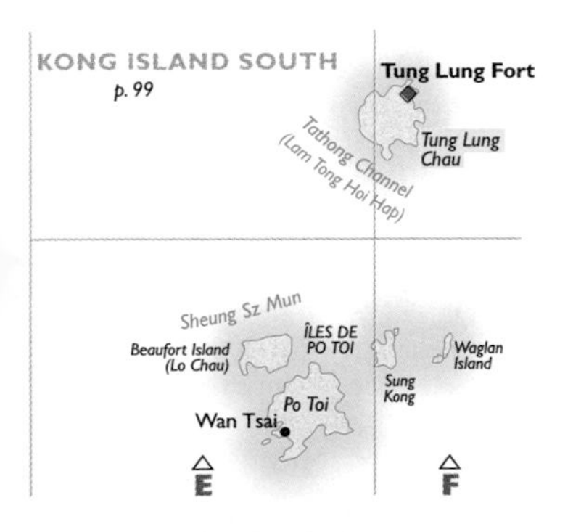

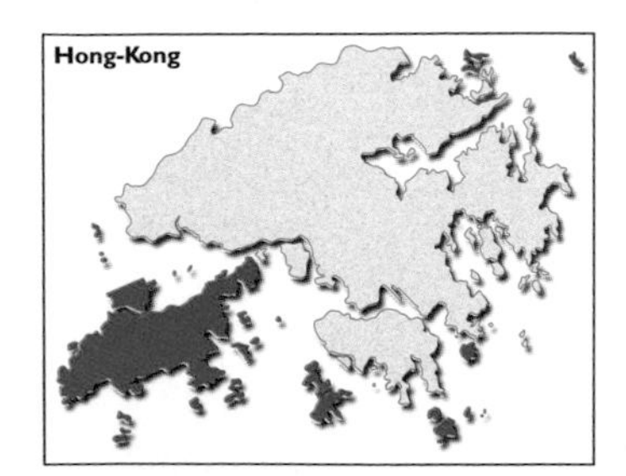

Sok Kwu Wan est l'un des deux villages de l'île.

Lamma

LA PLUS PROCHE DES ÎLES ALENTOUR ET LA TROISIÈME PAR LA TAILLE APRÈS Lantau et Hong-Kong même, Lamma est une paisible communauté de pêcheurs, de fermiers et d'expatriés occidentaux, à l'atmosphère bucolique. Ses villas et ses appartements perchés à flanc de colline au-dessus de la mer, de même que ses restaurants au bord de l'eau lui confèrent une allure quasi méditerranéenne. Fréquemment desservie par le ferry, elle est accessible en 30 minutes.

Lamma

202 D1

New World First Ferry : 2131-8181

Ferry : Outlying Islands Ferry Pier 5, quartier de Central, île de Hong-Kong

Point d'arrivée des ferries, **Yung Shue Wan**, à l'extrémité nord, est l'un des deux villages de Lamma. Son cadre rustique et ses loyers modiques séduisent de nombreux expatriés qui sont désireux d'échapper au bruit, à la cohue et aux coûts de l'île de Hong-Kong.

De Yung Shue Wan, on accède aisément à pied au second village, Sok Kwu Wan, par un chemin bétonné de 2,4 km de long. Le parcours se fait en 75 minutes et offre par moments de très beaux points de vue. Depuis Sok Kwu Wan, des ferries desservent l'Outlying Islands Ferry Pier de Central District, sur l'île de Hong-Kong.

Yung Shue Wan occupe une petite baie, avec ses maisons qui s'éparpillent sur ses terres et gravissent les collines environnantes. Le village n'a pas été épargné par les promoteurs : des maisons à trois étages couvrent une grande partie des terres agricoles qui l'entouraient jadis, tandis que la construction d'un brise-lames et d'une digue ont transformé le

visage de la baie. Malgré tout, l'endroit avec ses collines environnantes est parvenu à conserver son charme.

Partant de l'extrémité du débarcadère, Main Street est jalonnée de petites boutiques, d'échoppes de fruits de mer, de restaurants et d'une poignée de bars. Quelques minutes suffisent pour traverser le village. Juste après le carrefour principal, un petit sentier conduit à un temple centenaire gardé par deux lions de pierre. Dédié à Tin Hau, déesse de la mer et protectrice des pêcheurs (voir l'encadré p. 93), il abrite des images de la divinité arborant un voile et une coiffure de mariée.

À la périphérie du village, suivez le chemin bétonné qui serpente entre des champs d'herbes hautes, des bananeraies, des acacias et des maisons de couleurs vives jusqu'à rejoindre la **Hung Shing Ye Beach**. Dépourvue de filet anti-requins, cette plage de sable ne manque pas d'attrait à condition d'ignorer les cheminées de l'immense centrale électrique de Lamma.

Au sud de la plage, on aperçoit le mont Stenhouse (353 m), point le plus élevé de l'île. Le chemin part ensuite au nord le long de collines dénudées pour aboutir à un **pavillon chinois** au toit de tuiles. Faites une pause pour admirer le mont Stenhouse et la côte ponctuée de baies et de criques. Le week-end et les jours fériés, des bateaux de plaisance croisent au large.

Plus loin, **Sok Kwu Wan** se profile derrière les collines. Le village occupe une anse profonde, pareille à un fjord, où sont établis des établissements piscicoles. Les marques laissées par une ancienne carrière de l'autre côté de la baie gâchent quelque peu le paysage, mais la végétation a déjà repoussé par endroits. Descendez ensuite vers la charmante **Lo So Shing Beach**, nichée dans une crique juste avant le village.

Sok Kwu Wan se blottit le long de la baie, au pied d'un escarpement. Sur l'eau fourmillent bateaux de plaisance et embarcations de pêcheurs qui viennent déverser leurs prises dans les viviers des restaurants situés sur les quais. Attablez-vous devant un repas de fruits de mer dans une ambiance conviviale avant de reprendre le ferry pour l'île de Hong-Kong. ■

Une vendeuse de dim sum à Yung Shue Wan : le week-end, les restaurants de l'île attirent de nombreux visiteurs.

Le dauphin à bosse du Pacifique

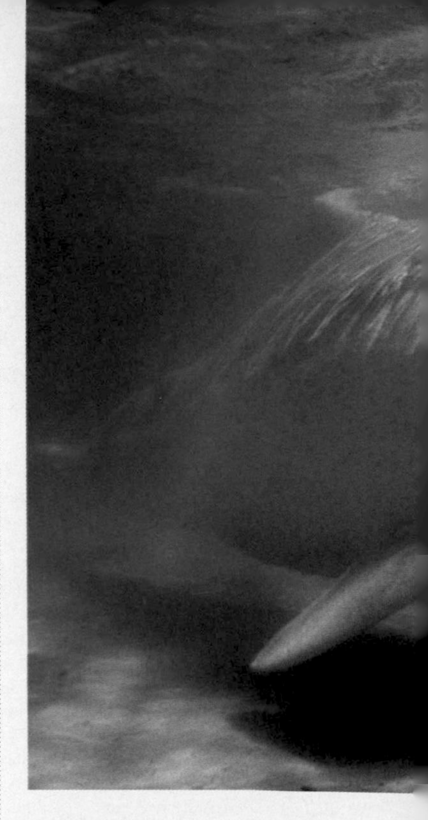

Au début des années 1990, le lancement des travaux de construction du nouvel aéroport dans les eaux au large de Chek Lap Kok a permis à Hong-Kong de redécouvrir l'un de ses trésors nationaux, le dauphin à bosse du Pacifique, également appelé sotalie de Chine ou, plus communément, dauphin rose.

Ces cétacés vivent le long des côtes, souvent à l'embouchure des rivières ou près des mangroves. Déjà mentionnés dans des textes remontant à la dynastie Tang (618-907), ils font partie des 80 espèces de dauphins dont on observe de petites populations en Australie, en Afrique du Sud et le long du littoral chinois jusqu'au Yangtze.

C'est leur couleur qui fait la spécificité des dauphins à bosse du Pacifique (*Sousa chinensis*). Presque noirs à la naissance, ils deviennent ensuite gris clair avant d'acquérir leur teinte rose pâle caractéristique. Mesurant trois mètres environ, ils peuvent vivre jusqu'à 40 ans. Bien que les jeunes mâles tendent à s'écarter du groupe, les dauphins sont attachés à leur territoire, donc peu susceptibles de quitter leur habitat, ce qui les rend particulièrement vulnérables au risque d'extinction.

Les biologistes marins de Hong-Kong estiment à un millier le nombre de ces animaux dans le delta de la rivière des Perles, dont les eaux saumâtres constituent l'environnement idéal. Hong-Kong en compterait 163, essentiellement au nord de l'île de Lantau.

Le sort de ces dauphins a sensibilisé l'opinion publique à l'occasion de la construction de l'aéroport : celui-ci a en effet entraîné le nivellement de l'île de Chek Lap Kok, près de Lantau, et gagné une large bande de terre sur la mer. Ce projet s'est soldé par la destruction d'une grande partie des aires d'alimentation des dauphins, tandis que le trafic des bateaux continue à les gêner dans leur environnement, les blesser ou les tuer. La pêche intensive ajoutée à la pollution – due au déversement des eaux usées et aux produits chimiques charriés par les affluents de la rivière des Perles – ont aggravé en outre le problème.

Le battage médiatique a suscité la conduite d'études scientifiques sur les dauphins et leur habitat. Sous la pression, les autorités ont déployé des efforts conséquents pour les protéger et leur fournir un environnement plus sûr. Ainsi, le gouvernement de Hong-Kong a créé des récifs artificiels pour attirer les poissons dont ils se nourrissent, établi un parc maritime de 12 km² et imposé des restrictions aux projets de travaux publics dans les zones où vivent ces animaux.

Hong-Kong connaît un engouement croissant pour l'observation des dauphins, qui viennent souvent s'ébattre au large de l'aéroport. La société **Hong Kong Dolphinwatch** (voir p. 129) organise régulièrement des sorties pour observer ces mammifères (si vous n'en apercevez aucun, une deuxième excursion vous est offerte gracieusement). ■

Ci-dessus : la pollution et la circulation des bateaux menacent les 200 dauphins à bosse vivant dans l'estuaire de la rivière des Perles, près de Lantau.
Ci-dessous : l'observation des dauphins a sensibilisé le public au sort de ces mammifères.

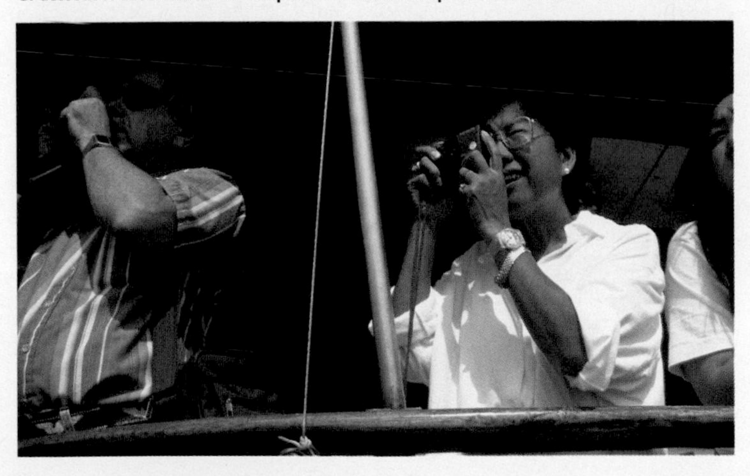

Lantau
202 B2
Ferry : Outlying Islands Ferry Pier, Central District, Hong Kong Island

Lantau

LANTAU, LA PLUS GRANDE DES ÎLES, FAIT DEUX FOIS LA SUPERFICIE DE CELLE de Hong-Kong. Elle a été peu touchée par le développement jusqu'à la construction de l'aéroport international sur sa côte nord-est en 1998. Sa taille lui a néanmoins permis d'absorber cet immense chantier sans trop perdre son atmosphère paisible et bucolique.

Une vendeuse de poissons à Tai O. La transformation du poisson a remplacé la contrebande comme principale activité de la ville.

De l'Outlying Islands Ferry Pier, à Central District, sur l'île de Hong-Kong, comptez un trajet de 50 minutes pour atteindre **Mui Wo**. Ce site est également appelé Silvermine Bay en souvenir des mines d'argent qui l'entouraient jadis. Au bord d'une profonde baie découpée dans la côte sud-est, le village présente un aspect quelque peu délabré que compensent ses beaux points de vue sur l'intérieur des terres et sa vaste plage bien entretenue, **Silvermine Beach**, très prisée des visiteurs en été.

Mui Wo est le point de départ du **Lantau Trail**, un sentier de randonnée long de 70 km et divisé en 12 tronçons de difficulté variable. Le parcours comporte quelques montées assez raides mais offre sur toute sa longueur des panoramas tout à fait spectaculaires. Le camping est autorisé. En chemin, vous verrez le deuxième plus haut sommet de Hong-Kong, Lantau Peak (934 m), appelé en chinois Fung Wong Shan ou « montagne du phoenix », et Sunset Peak (869 m).

Du débarcadère de Mui Wo, des bus empruntent régulièrement South Lantau Road et suivent la côte sud en direction de la longue et étroite bande de sable de **Cheung Sha Beach**. Celle-ci est bordée sur sa partie est de maisons, de restaurants et d'appartements de vacances.

À mi-chemin, Tung Chung Road traverse l'île au nord pour rejoindre Tung Chung, la plus récente des villes nouvelles, édifiée en face de l'aéroport à Chek Lap Kok.

À environ 1,6 km de Tung Chung, on atteint **Tung Chung Fort**, bâti en 1832. Ceint d'un mur de granit, il possède trois portes cintrées portant des inscriptions en caractères chinois. Sur les remparts, les six canons étaient autrefois braqués sur la mer, prêts à faire feu sur les pirates.

Si vous n'avez qu'une journée à consacrer à Lantau, oubliez la visite du fort et poursuivez votre chemin sur South Lantau Road. L'itinéraire longe Shek Pik Reservoir pour rejoindre la route qui conduit au **monastère de Po Lin** et à son immense bouddha (voir p. 210). Puis il descend vers le village de Tai O, avec ses maisons sur pilotis installées dans une crique. Bâti en partie sur l'île et relié à un petit îlot par un pont de 15 mètres, **Tai O** était autrefois le plus grand village de

À l'extrémité ouest de Lantau, le village de pêcheurs de Tai O avec ses maisons sur pilotis.

Lantau. Ses habitants, de l'ethnie des Tanka, vivent de la pêche et du commerce du sel avec la Chine.

À la fin des années 1980 et au début des années 1990, le port de Tai O était connu pour ses pratiques de contrebande. Des barques en bois effectuaient la courte traversée vers la Chine, chargées de téléviseurs et d'autre matériel électronique.

Malgré la construction de maisons en béton, le village conserve son charme un peu vétuste et reste imprégné d'une forte odeur de poisson, conséquence de son activité économique. Vous pouvez faire un petit trajet en *kaido* (bateau à moteur) sur le canal pour voir de plus près les maisons branlantes sur pilotis et pousser jusqu'au port, où viennent mouiller péniches et vieux bateaux de pêche.

Le contraste est total avec **Discovery Bay**, sur la côte est de l'île de Lantau. Communément surnommée DB ou Disco Bay, cette ville-dortoir moderne n'a plus grand-chose à voir avec l'image traditionnelle que l'on peut avoir de l'Asie. Dotée d'une marina, d'un terrain de golf, de restaurants et d'une plage (dont le sable fut apporté par bateau), elle ne présente guère d'intérêt en soi, si ce n'est le spectacle quelque peu surréaliste de ses habitants sillonnant les rues dans des voiturettes de golf. La ville est accessible en 20 minutes par les ferries rapides, amarrés à côté du Star Ferry Pier, à Central District.

Au nord de Discovery Bay, Penny's Bay accueille un grand parc d'attractions Disneyland qui fut inauguré en 2005. ■

Le plus grand bouddha assis du monde attend les visiteurs dans le monastère de Po Lin.

Monastère de Po Lin

LA GIGANTESQUE STATUE DE BRONZE EN PLEIN AIR DU MONASTÈRE DE Po Lin (« lotus précieux ») – le plus grand bouddha assis en extérieur de ce type au monde – constitue la principale curiosité de Lantau. Malgré les foules de touristes et l'ambiance de parc d'attractions qui y règne, on ne peut qu'être impressionné par la majesté de l'endroit.

Monastère de Po Lin

- 202 B2
- Île de Lantau
-  €
-  Ferry pour Mui Wo, Lantau, puis bus 2 depuis Mui Wo

Avant l'érection du bouddha de Tian Tau à la fin des années 1980, Po Lin était une paisible et sereine retraite religieuse, qui se trouvait retranchée dans un splendide isolement sur le plateau de Ngong Ping, au pied du Lantau Peak. Une fois la statue achevée, le nombre de visiteurs se trouva tout naturellement restreint par l'étroitesse des routes grimpant jusqu'au site.

Haute de 26 mètres et formée de 202 pièces moulées par une usine de Nanjing, la statue coûta quelque 60 millions de $HK et demanda trois années de travail. Trônant en haut d'un escalier très raide, elle occupe le centre d'une vaste plate-forme sur laquelle six bodhisattvas de bronze lui présentent des offrandes.

Le monastère se trouve à 140 mètres de l'escalier. Dans le temple principal, de belles sculptures dorées représentent le bouddha historique, Shakyamuni, avec le bouddha guérisseur à sa droite et Amitabha à sa gauche. Notez la décoration foisonnante du bâtiment, les ornements en bois sculpté, les fresques tourbillonnantes et colorées ornant portes et fenêtres, ainsi que les lanternes en forme de bulbes à plusieurs niveaux, suspendues aux poutres du plafond.

À gauche du temple, de grandes salles à manger servent des repas végétariens (*achetez un ticket au guichet installé en bas de l'escalier menant au grand bouddha*). Pour échapper à la foule, évitez le week-end, surtout le dimanche. Vous pouvez dormir dans les dortoirs du monastère et explorer le complexe le lendemain matin. ■

Le château de la Belle au bois dormant, à Hong Kong Disneyland.

Hong Kong Disneyland

HONG KONG DISNEYLAND OCCUPE DES TERRES CONQUISES SUR LA MER, près de l'aéroport de Hong-Kong. Ouvert en septembre 2005, il regroupe les grandes attractions phares de l'enseigne américaine, tout en faisant certaines concessions à la culture chinoise : aucune horloge dans Main Street, U.S.A. (superstition oblige) et saveurs résolument asiatiques pour la nourriture.

L'entrée principale donne dans **Main Street, U.S.A.**, artère jalonnée de cafés, de restaurants et de boutiques aux rayonnages regorgeant de multiples peluches et souvenirs divers. En vous rendant au centre d'information situé dans City Hall, sur Town Square, vous pourrez réserver un restaurant pour le soir, vous procurer un plan du parc et même changer des devises.

Le **Hong Kong Disneyland Railroad**, qui fait le tour du complexe à partir de Main Street, est une excellente façon de se familiariser avec la disposition des lieux. Ce train à vapeur s'arrête une fois sur le parcours, à Fantasyland, qui est situé de l'autre côté du parc.

D'inspiration aquatique, les attractions d'**Adventureland** vous font dévaler des rivières à travers la jungle et gagner en radeau la maison de Tarzan, bâtie en haut d'un arbre sur une île. Les incontournables, que sont le château de la Belle au bois dormant et le grand huit couvert de Space Mountain, dominent **Fantasyland** et **Tomorrowland**.

Le cinéma Mickey's PhilharMagic possède un écran géant en 3D où sont projetés de grands classiques, tels *La Petite Sirène*, *Le Roi Lion* et *La Belle et la Bête*, accompagnés d'effets spéciaux saisissants.

Deux hôtels jouxtent le parc et prolongent l'immersion dans cet univers de fantaisie : le Hong Kong Disneyland Hotel, à l'élégance victorienne ostentatoire, et l'immense et extravagant Disney's Hollywood Hotel (voir p. 258). ■

Hong Kong Disneyland

- 202 C1
- Penny's Bay, île de Lantau
- 1-830-830
- MTR : Hong Kong Resort Station
- €€€€€

Une promenade dans Cheung Chau

À 12 km au sud-ouest de l'île de Hong-Kong, Cheung Chau ne mesure que 2,4 km². Du fait de sa petite taille et de sa topographie relativement plate, la plupart de ses centres d'intérêt peuvent se visiter à pied en moins de deux heures. La promenade décrite ici vous fait découvrir le cœur animé de l'île, mais aussi des temples à l'atmosphère paisible ainsi qu'une agréable campagne.

La promenade débute dans **Praya Street**, face au port. Suivez cette rue commerçante et résidentielle animée vers le nord jusqu'à ce que vous ayez dépassé le mur de boutiques et de restaurants. À droite, après un terrain de sport, le **temple de Pak Tai** ❶ accueille, tous les ans en mai, le festival des Petits Pains (Bun Festival) de Cheung Chau. Admirez le toit surmonté de dragons et de figurines éclatantes, les piliers de granit ouvragés, les sculptures en bois doré de l'autel et les peintures murales.

Prenez à droite dans Pak She Street, bordée de maisons et d'échoppes, qui prend le nom de **San Hing Street** après avoir croisé Kwok Man Street. Les stands de légumes, les boutiques d'herbes médicinales et d'encens, les magasins de vêtements et de sacs débordent sur la chaussée, tandis que sur les balcons, du linge sèche dans la brise. Malgré le peu d'espace, la vie ici est étonnamment paisible.

La rue débouche sur une petite place. Tournez à gauche et descendez Tung Wan Road jusqu'à **Tung Wan Beach** ❷, vaste plage limitée au sud-est par une avancée verdoyante. Prenez Cheung Chau Beach Road à gauche et longez la mer jusqu'à un petit parc où une sculpture abstraite honore la plus célèbre résidente de l'île : Lee Lai-san offrit à Hong-Kong sa toute première médaille d'or en planche à voile, lors des Jeux olympiques d'Atlanta en 1996.

Regagnez la place, puis partez au sud dans Hing Lung Main Street, qui devient brusquement Tai San Street. Par endroits, la ruelle est si étroite que les auvents des magasins se rejoignent presque au-dessus de votre tête.

Un pâté de maisons avant la fin de la rue, tournez à droite et empruntez la première allée à gauche. Suivez-la jusqu'au bout, montez quelques marches et prenez à droite pour atteindre le **temple de Hung Shing** ❸ dédié à un dieu de la mer. Dans l'enceinte du bâtiment, des lumières colorées clignotent au-dessus de l'autel principal, orné de fleurs sculptées en bois. Le temple est tourné en direction du port.

Prenez Tai Hing Tai Road à gauche et continuez vers le sud. Lorsque la rue s'incurve vers la droite, un superbe panorama s'ouvre sur le port et ses centaines de jonques, avec en arrière-plan les pics de l'île de Lantau toute proche. Un peu plus loin sur la gauche se tient un temple de Tin Hau au toit surmonté de figurines colorées.

Derrière le front de mer de Cheung Chau se niche un dédale de ruelles.

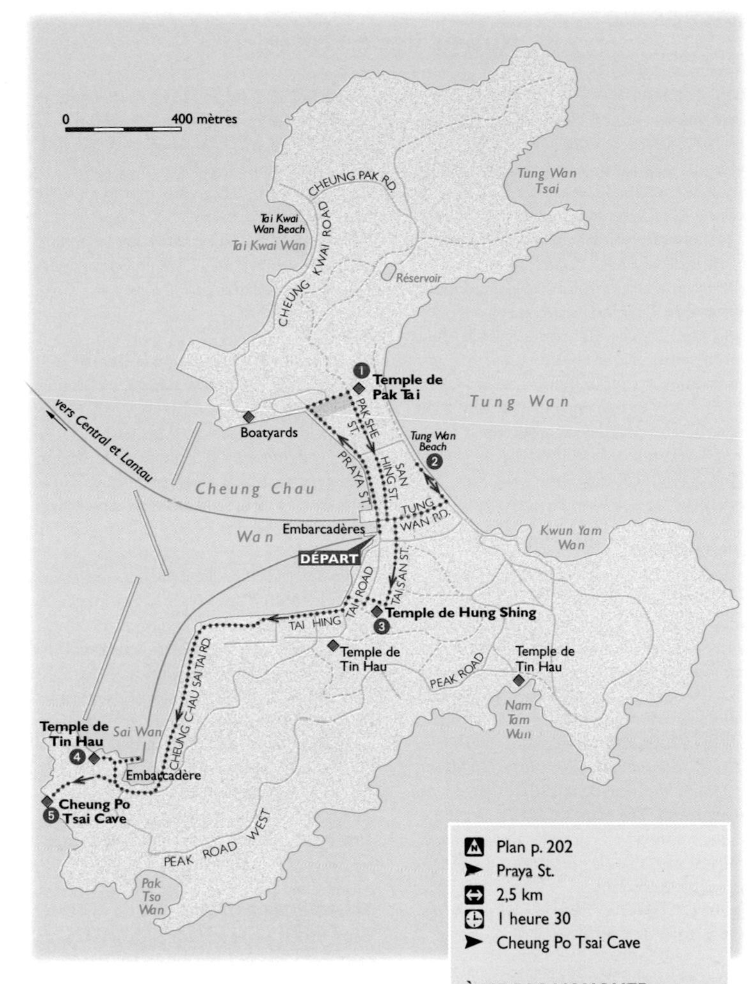

- Plan p. 202
- Praya St.
- 2,5 km
- 1 heure 30
- Cheung Po Tsai Cave

À NE PAS MANQUER

- Praya Street
- Temple de Pak Tai
- Temple de Tin Hau

La route longe à présent la côte et devient Cheung Chau Sai Tai Road. Tout au bout à droite, un sentier boisé monte au **temple de Tin Hau** ❹, dominant la mer à l'extrémité sud de l'île. Notez les délicates figurines en porcelaine sur le toit.

Rebroussez chemin jusqu'à rejoindre un petit sentier menant à **Cheung Po Tsai Cave** ❺. Cette grotte aurait jadis abrité le butin du célèbre pirate Cheung Po Tsai, qui dirigeait une flotte de plus de 700 vaisseaux au début du XIXe siècle, avant d'être défait par les forces navales chinoises, britanniques et portugaises. Ensuite, reprenez le sentier pour gagner Sai Wan Bay, près du temple de Tin Hau. De là, rentrez au village de Cheung Chau en *kaido* (petit bateau à moteur) pour observer de près les jonques amarrées dans le port. ■

Autres îles à visiter

KAT O CHAU

Située entre Plover Cove et la frontière chinoise, au nord-est des Nouveaux Territoires, cette île isolée abrite une petite population vivant de la pêche, du séchage et de la vente de poisson. Ses falaises sont trouées de grottes où les pirates entreposaient autrefois leur butin. Près du débarcadère, à Kat O Wan (« île tortueuse »), se trouvent plusieurs édifices religieux, dont un **temple de Tin Hau** bien conservé.

Compte tenu de sa proximité avec la Chine continentale, l'île n'est accessible que sur autorisation, en suivant une visite organisée. Pour trouver un tour-opérateur et accomplir les formalités nécessaires, contactez le Hong Kong Tourism Board (*tél. 2508-1234*).

203 F4 KCR East : Sheung Shui, bus 78K pour Shau Tau Kok Ferry Pier, puis bateau

PENG CHAU

Juste à l'est de Lantau, cette île en forme de fer à cheval compte 8 000 habitants pour à peine 1,3 km². Maisons, boutiques et restaurants se serrent le long de ses étroites ruelles animées. Sur un panneau, juste au débarcadère, sont affichés plusieurs itinéraires qui permettent de faire l'ascension du point culminant de l'île, **Finger Hill** (95 m), et de profiter de splendides panoramas. Wing On Street, située en face du débarcadère, abrite un **temple de Tin Hau** du XVIIIe siècle. Les visiteurs viennent ici pour les restaurants de fruits de mer, mais la plage, à Tung Wan, n'a rien de très attrayant.

202 C2 Ferry : Outlying Islands Ferry Pier, quartier de Central, île de Hong-Kong

PING CHAU

Située dans Mirs Bay, au nord-est des Nouveaux Territoires, près de la frontière chinoise, Ping Chau fait partie du Plover Cove Country Park (voir p. 184-185). La majeure partie des habitants a depuis longtemps quitté l'île, mais les visiteurs apprécient ses longues et belles plages. Un sentier, qui dessine une boucle le long de la côte, vous fera découvrir deux cascades ainsi que d'étranges formations rocheuses. La traversée jusqu'à Ping Chau justifie, à elle seule, le déplacement. Le ferry traverse le Tolo Channel, un large chenal semblable à un fjord, et s'arrête en chemin dans des villages isolés. Vous pouvez passer la nuit au camping de **Kang Lau Shek** (« rocher de la tour du tambour »), à l'extrémité sud-est de l'île, ou louer une chambre ou un lit à Chau Tau, près du débarcadère.

203 G4 KCR East University Station, puis ferry depuis le Mai Liu Shui Ferry Pier, les sam., dim. et jours fériés

PO TOI

L'archipel de Po Toi occupe la lisière méridionale du territoire hongkongais, à 5 km au sud-est de Stanley, dans le sud de l'île de Hong-Kong. L'île principale au relief accidenté, Po Toi, est sillonnée d'agréables chemins de randonnée offrant des vues splendides sur la mer et les îles. Les rares habitants tiennent quelques restaurants de fruits de mer au-dessus de Tai Wan Bay, non loin de l'unique village.

En descendant du ferry, prenez le sentier qui traverse **Wan Tsai** vers le sud et longez les potagers et les bananiers. À droite, un escalier descend vers des gravures rupestres préhistoriques représentant des animaux et des poissons stylisés, entrelacés de spirales. Continuez sur le sentier jusqu'aux curieuses formations naturelles de l'extrémité sud de l'île. Le dimanche, les visiteurs affluent.

203 E1 *Kaidos* (bateaux à moteur) depuis St. Stephen's Beach, Stanley, les sam., dim. et jours fériés. Depuis Aberdeen, les mar., jeu., sam., dim. et jours fériés

TUNG LUNG CHAU

Cette île rocheuse se situe juste au large de l'extrémité sud de Clear Water Bay Peninsula (voir p. 188), à l'entrée est de Victoria Harbor. Du petit hameau qui entoure le débarcadère, un sentier conduit en une heure environ au **Tung Lung Fort**, bâti sur un promontoire rocheux dans le nord-est de l'île. En chemin, vous bénéficierez de forts beaux points de vue sur la côte. Un sentier partant en sens inverse mène à des gravures rupestres préhistoriques, censées figurer un dragon juché sur une falaise.

203 F2 MTR : Sai Wan Ho, puis ferry depuis le Sai Wan Ho Ferry Pier les sam., dim. et jours fériés ■

Les rues pavées et le charme désuet de Macao tranchent avec le rythme trépidant de Guangzhou, symbole de la Chine moderne. Ces deux destinations sont facilement accessibles depuis Hong-Kong.

Escapades

Le temple de Ma Kok Mui, à Macao.

Macao

Jusqu'au 20 décembre 1999, date de sa rétrocession à la Chine par le Portugal, Macao était la plus ancienne enclave européenne en Asie. Son charme surprend agréablement les rares touristes qui prennent la peine d'effectuer le trajet d'une heure en bateau depuis Hong-Kong. L'implantation de grands casinos est néanmoins en train de changer la donne.

Le Portugal fut le premier pays européen à essayer de commercer avec la Chine. À force d'obstination – et de menaces – il obtint un bout de terre sur une minuscule péninsule à l'embouchure de la rivière des Perles en 1557. Au fil du temps, l'influence de Macao diminua à mesure que les autres nations européennes se disputaient de juteux privilèges commerciaux. Au moment de la colonisation de Hong-Kong en 1841, son déclin était total.

En 1966, la Révolution culturelle atteignit l'enclave où éclatèrent émeutes et tueries. Les Portugais menaçant de se retirer de Macao, la Chine modéra son ardeur par crainte des

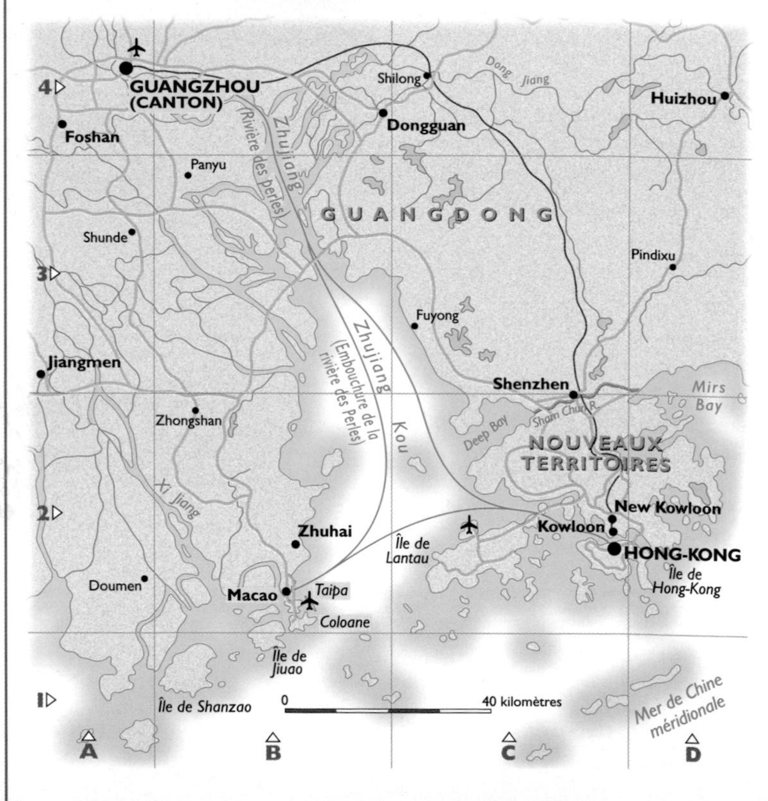

Ci-dessus : le Casino Lisboa offre une descente fascinante dans l'univers macanais du jeu.
À gauche : le temple de A-Ma, dédié à la reine du ciel, est le plus ancien de Macao.

conséquences pour le commerce. En 1974, lorsque le Portugal commença à se défaire de ses colonies, il proposa de nouveau de rendre Macao, en vain. Ce n'est qu'après la Déclaration conjointe sino-britannique de 1984 sur la rétrocession de Hong-Kong qu'un accord similaire fut passé avec le Portugal, en 1987. En vertu de ce dernier, Macao devait, comme Hong-Kong, continuer de jouir pendant 50 ans d'un haut degré d'autonomie.

Ce minuscule territoire – 23,5 km^2 en incluant les îles de Taipa et de Coloane – accueille annuellement dix millions de visiteurs, venus presque exclusivement de Hong-Kong et de Chine continentale.

La fin du monopole des établissements mal famés a marqué un énorme changement et le début d'une ère nouvelle pour l'industrie du jeu. Si l'on en croit le battage publicitaire, Macao deviendra le « Las Vegas de l'Asie ». De gigantesques chantiers sont en cours sur Cotai Strip, bande de terre conquise sur la mer entre les îles de Taipa et de Coloane. Cette artère regroupera jusqu'à 20 casinos, à commencer par celui du groupe Sands de Las Vegas. Le premier hôtel, le Regal Galleria, devrait ouvrir fin 2007 ; il comportera 1 690 chambres.

Autre projet touristique ambitieux, le Fisherman's Wharf, dans l'arrière-port, regroupera un complexe de loisirs, des boutiques, des restaurants, des hôtels, une marina et un palais des congrès. Un immense volcan avec feux d'artifice et coulées de lave y sera accessible avec des wagonnets de mineurs.

Vous prendrez plaisir à flâner dans les rues de cette ville riche d'un héritage colonial qui lui a valu d'être classée au patrimoine mondial de l'humanité en 2005.

Pour venir, montez simplement dans l'un des hydroglisseurs rapides et confortables qui quittent, toutes les 15 minutes, le Macao Ferry Terminal du quartier de Western, à Hong-Kong. Prenez votre passeport, car vous devrez passer l'immigration à l'aller comme au retour. ■

Péninsule de Macao

MACAO N'A JAMAIS CONNU LES FLAMBÉES DE CROISSANCE CARACTÉRIStiques de Hong-Kong, ainsi qu'en témoignent son architecture, tout comme son atmosphère. Les rues pavées tortueuses, les bâtiments coloniaux aux teintes pastel, les demeures restaurées du début du XXe siècle, les églises baroques, les parcs, le rythme de vie paisible, l'ambiance détendue, tout ici évoque la Méditerranée, à des années-lumière de la frénésie de Hong-Kong.

EST DE LA PÉNINSULE

À dix minutes à pied du terminal des ferries, le Centre d'activités touristiques, dans la Rua Luis Gonzaga Gomes, abrite deux musées. Le **musée du Grand Prix** enchantera les amateurs de sport automobile qui pourront admirer les Formule 3 rutilantes et les autres voitures et motos qui, tous les ans en novembre depuis 1954, investissent les rues de la ville et leurs alentours lors du Grand Prix de Macao.

Juste à côté du musée du Grand Prix, dans le même bâtiment, le **musée du Vin** présente des crus produits dans les différentes régions du Portugal, une maquette de cellier, ainsi que des ustensiles utilisés dans la viticulture. Le prix d'entrée donne droit à un verre de vin.

Le Centre d'activités touristiques fait partie d'un vaste complexe baptisé le **Forum**. Passez le coin du bâtiment pour rejoindre l'entrée principale, dans l'Avenida de Marciano Baptisto. Là, une salle d'exposition accueille une remarquable collection de présents qui furent offerts par les provinces chinoises après la rétrocession de Macao en décembre 1999.

Parmi les présents les plus impressionnants, on peut admirer une extraordinaire boule de jade sculptée reposant sur un morceau de cristal en forme de fleur de lotus, un paravent au cadre en bois de rose gravé et incrusté de 78 000 pierres précieuses, parmi lesquelles des perles, de l'agate et du jade, et un superbe cadran solaire soutenu par neuf dragons, sculpté dans un bloc de jade de 500 kg.

À deux rues au sud-est du Forum, l'artère principale, l'Avenida de Amizade, court du terminal du ferry jusqu'au centre-ville. Cette avenue longeait autrefois le front de mer avant l'ajout d'une large bande de terre gagnée sur la mer par assèchement. Au bord de l'eau, à l'angle sud-est, le Centre culturel abrite le **musée d'Art de Macao**. Sur cinq étages, ses collections permanentes et ses expositions temporaires permettent notamment de découvrir la plus riche collection de calligraphie et de céramiques chinoises de la ville, et des toiles d'artistes occidentaux.

L'Avenida de Amizade prend fin au niveau de la tour principale de l'hôtel **Lisboa** (voir p. 258). Ce bâtiment, en forme de tonneau de couleur moutarde, arbore une silhouette caractéristique – la partie supérieure ressemble à une roulette géante – et constitue l'un des points de repère de la ville. Son immense sous-sol accueille le casino le plus fréquenté de Macao, où la passion des Chinois pour le jeu se manifeste dans toute son intensité, assortie de ses côtés les plus sordides.

Près de l'hôtel Lisboa, sur les lacs artificiels Nan Van, la **Fontaine cybernétique** se compose de 86 jets dont le plus puissant propulse en l'air des colonnes d'eau

Musée du Grand Prix et musée du Vin
- Plan p. 224
- Centre touristique, 431 Rua Luis Gonzaga
- 798-4108
- Fermé mar.
- €
- Bus : 1A, 3, 3A, 10A, 10B, 12, 17, 23, 28A, 28B, 28C, 32

Forum
- Plan p. 225
- Avenida de Marciano Baptista
- 853/988-4117

à 80 mètres de hauteur. L'ensemble jaillit en un plaisant spectacle aquatique son et lumière tous les soirs, sauf le vendredi, de 18h30 à 19h30, puis de 21h30 à 22h30.

SUD DE LA PÉNINSULE

Dans la Rua Central, en face du Largo do Senado (place du Sénat, voir p. 222), vous pourez découvrir l'esplanade pavée du Largo de Santo Agostinho qui regroupe un bel ensemble de bâtisses anciennes. **São Agostinho** (église Saint-Augustin) fut édifiée par des moines augustins en 1586, bien que la structure actuelle date de 1814.

Cette église baroque en pierres de couleur crème est dotée de colonnes blanches et de fenêtres entourées de motifs. Elle possède un intérieur spacieux et un autel revêtu de marbre, surmonté d'une statue du Christ portant la croix.

En face de l'église et jouxtant le **Teatro Dom Pedro V**, le plus ancien théâtre européen de Chine méridionale, rénové et toujours en activité, se dresse **São Jose** (chapelle Saint-Joseph). Cet édifice fait partie d'un séminaire qui fut fondé en 1728 pour former des prêtres chinois. La chapelle, construite 30 ans plus tard, présente un plan en croix et une façade à trois étages blanchie à la chaux et coiffée de tours jumelles au toit en brique. À côté de l'autel principal très travaillé, une porte s'ouvre sur une serre et un splendide jardin clos.

De retour dans la Rua Central, longez la Rua de São Lourenço vers le sud pour atteindre un autre site religieux impressionnant de la ville.

Les remparts de la Fortaleza do Monte dominent Macao.

Musée d'Art de Macao

- Plan p. 225
- Avenida Xian Xing Hai
- 853/791-9814, 9800, 9802
- Fermé lun.
- €
- Bus : IA, 23

Teatre Dom Pedro V

- Plan p. 224
- Largo de Santo Agostinho

L'imposante **São Lourenço** (église Saint-Laurent), dotée d'un escalier et d'un portail ornemental, date des années 1560 – la façade fut ajoutée au XIXᵉ siècle.

L'édifice affichant une façade blanc et crème est animé par deux tours jumelles carrées et un toit en tuiles de style chinois. À l'intérieur, notez les lustres suspendus aux poutres blanc et or qui courent le long du splendide plafond. Une statue de saint Laurent, habillé de vêtements multicolores, se tient sur l'autel principal richement orné.

Continuez au sud depuis l'église Saint-Laurent et prenez la rue Rua Padre Antonio, qui prend le nom de Calcada da Barra après une autre place, le Largo Lilau, et conduit au **temple de A-Ma**. Dédié à A-Ma, la reine du ciel (appelée Tin Hau à Hong-Kong), ce temple, le plus ancien de la ville, est antérieur à la colonisation portugaise. Le nom « Macao » vient de A-Ma Gau, ou « baie de A-Ma ».

Bâti sur les flancs boisés de la colline de Penha, le complexe se compose de salles de prière, de pavillons et de cours où cheminent des vieilles femmes portant des sébiles, le tout ponctué de rochers et de portes de la lune. Le temple principal, à droite de l'entrée, renferme des statues de A-Ma et la maquette d'une jonque de guerre dotée de petits canons.

En face du temple de A-Ma, juste à l'entrée de l'avant-port, le **Musée maritime** est aisément reconnaissable à ses murs évoquant des voiles et à ses fenêtres en forme de hublot. Des dizaines de modèles réduits de bateaux, superbement travaillés pour certains, vous attendent ici pour une visite passionnante. Ne manquez pas la maquette au 1:40 du *Sagres,* le navire école portugais, toutes voiles dehors.

Dirigez-vous ensuite à l'est dans la Rua se São Tiago da Barra jusqu'à ce qu'elle s'incurve pour devenir l'Avenida da Republica, à l'extrémité méridionale de la péninsule. Là s'étend un autre lac artificiel, le Sai Van. De l'autre côté du lac, au sud, le front de mer est dominé par l'immense **Porte de l'Entente**, une arche de granit noir édifiée en 1993 pour cimenter les relations entre Macao et la Chine. Plus loin à l'est se profile la silhouette élancée de la **tour de Macao** qui, avec ses 338 mètres de haut, est le bâtiment le plus élevé de la ville. De la plate-forme d'observation extérieure, au 61ᵉ étage, se déploie un panorama époustouflant sur Macao et la Chine. Par beau temps, on aperçoit même Hong-Kong, à 65 km de distance. Sous la plate-forme se tient un restaurant tournant.

La tour fait partie du Macao Convention and Entertainment Center dont elle jouxte l'entrée. Là, plusieurs restaurants et cafés donnent sur une vaste esplanade où sont aménagés d'autres cafés, des fontaines, une aire de jeu pour les enfants, des bancs et une promenade en planches au bord de l'eau.

Si vous aimez les sensations fortes, montez dans le **Sky Jump**, un téléphérique qui plonge du haut de la tour à 75 km/h, avant de freiner en douceur juste avant d'atteindre le niveau du sol. Vous pourrez également essayer le **Skywalk X** qui vous fait marcher sur un rebord de la tour, en étant attaché à un harnais à 230 mètres du sol.

L'**Avenida da Republica** suit la rive nord du lac Sai Van, un lieu propice à la promenade où les arbres, les murs de soutènement en pierres, les allées pavées, ainsi que les petits parcs et les bancs exhalent un parfum d'Europe.

L'avenue prend fin près de la **résidence du consul portugais** bâtie au sommet d'une hauteur. Il s'agit de l'ancien Bela Vista Hotel qui fut jadis l'un des hôtels les plus

Musée maritime de Macao

Plan p. 224
Largo do Pagode da Barra
595-481
Fermé mar.
€
Bus : 1, 1A, 2, 5, 6, 7, 9, 10, 10A, 11, 18, 21, 21A, 34

Une jonque sculptée sur un rocher dans le temple de A-Ma symbolise les liens de la déesse avec la mer.

célèbres d'Asie. Ce bâtiment colonial aux allures de château fut construit au XIXe siècle. Il servit tour à tour de pensionnat, d'abri pour les réfugiés et également d'hôtel.

NORD DE LA PÉNINSULE

Fondé au XIIIe siècle (l'édifice actuel date de 1627), le vaste et somptueux **temple de Kun Iam Tong**, dans l'Avenida do Coronel Mesquita, honore la déesse de la miséricorde, appelée Kwum Yam à Hong-Kong. L'imposante porte d'entrée surmontée d'une profusion de figurines en porcelaine constitue le parfait prélude à la découverte de ce ravissant temple. Dans la salle principale se dresse une statue de Kun Iam, accompagnée de 18 *arhats* (sages chinois) et vêtue de magnifiques soieries brodées. Derrière le temple, des jardins en terrasses abritent des fontaines s'insérant dans des perspectives chinoises.

Descendez l'Avenida do Coronel Mesquita vers le nord et suivez à droite l'Avenida do Almirante Lacerda pour rejoindre le **Lin Fong Miu** (temple du Lotus). Sur le mur extérieur, un bas-relief du XIXe siècle représente des personnages de l'histoire et de la mythologie chinoises. La première salle après l'entrée, gardée par des lions de pierre, est dédiée à A-Ma. Derrière, vous verrez une cour ornée d'une frise de dragons et un bassin de lotus.

Empruntez ensuite l'Istmo Ferreira do Amaral vers le nord jusqu'à la **Porta do Cerco** (« porte du siège »), érigée en grande pompe au XIXe siècle pour marquer la frontière entre Macao et la Chine. ■

De beaux bâtiments coloniaux, dont l'Igreja de São Domingos, bordent le Largo do Senado.

Une promenade dans Macao

Ce parcours démarre dans le centre et remonte vers le nord et l'est, en passant par certains des sites les plus célèbres, pour finir par une vue panoramique sur la ville et le port.

La promenade commence au cœur du vieux Macao, sur le **Largo do Senado** (place du Sénat). De beaux bâtiments coloniaux bordent cette esplanade couverte de pavés noirs et blancs dessinant des vagues. Une fontaine aux eaux jaillissantes domine l'ensemble. Le **Leal Senado** ❶ abrite aujourd'hui les bureaux du conseil municipal, face à la place, de l'autre côté de l'Avenida Almeida Riberio. Achevé en 1784, cet imposant bâtiment doit son surnom de « Sénat loyal » au refus catégorique de Macao de reconnaître l'occupation du Portugal par l'Espagne au XVIIe siècle. On rajouta un siècle plus tard sa façade de plâtre blanc aux volets verts. Dans le hall d'entrée, un escalier de pierre orné de carreaux bleus et blancs conduit à un agréable jardin. En haut des marches se trouvent la chambre du sénat et la bibliothèque, toutes deux lambrissées.

Arborant une façade d'une blancheur éclatante, tranchant sur les colonnades et les murs pastel des autres bâtiments, la **Santa Casa da Misericordia** ❷ (« sainte maison de la miséricorde ») fut fondée en 1568. C'est l'une des plus anciennes missions d'Asie.

À l'extrémité nord de la place se dresse l'**Igreja de São Domingos** ❸ (église Saint-Dominique), l'un des meilleurs exemples d'architecture coloniale portugaise de la ville, qui mêle style baroque du XVIIIe siècle et éléments locaux. Un toit de tuiles chinois, l'usage généreux du bois et de grandes fenêtres à volets enrichissent son ordonnancement classique. Les trois étages de sa façade couleur crème présentent des motifs en stuc blanc, des colonnes ioniques, des portes en bois sculpté et des fenêtres protégées par des volets verts à claire-voie. Une croix en bronze couronne le pédiment triangulaire.

L'intérieur, qui se révèle tout aussi impressionnant, contient un autel de pierre doté de moulures en stuc blanc et de colonnes torsadées, qui s'élève jusqu'au plafond. La pièce maîtresse est une statue de Notre-Dame du Rosaire du XVIIe siècle, flanquée de saint Dominique et de sainte Catherine de Sienne.

La croix qui se trouve en dessous de la Vierge est celle de l'ordre dominicain.

À côté, le **musée Saint-Dominique** ❹ *(Largo de São Domingos)* présente, dans une salle du rez-de-chaussée, des photos retraçant les étapes de rénovation de l'église. On peut aussi voir des vêtements en soie de Chine et 300 œuvres d'art sacré, réparties sur trois étages. Ces images religieuses insolites, en bois tropical et ivoire, ont été exécutées dans les anciennes colonies portugaises en Afrique, en Malaisie, en Inde et à Macao.

Sortez du musée et prenez à gauche dans l'étroite Rua da Pahla, qui devient bientôt la Rua São Paulo. Passez ensuite devant une série de petites bâtisses coloniales et de maisons de commerce chinoises pour rejoindre le grandiose escalier de pierre et la remarquable façade de **Ruinas de São Paulo** ❺ (ruines de Saint-Paul, voir p. 226). Ce symbole phare de Macao est considéré comme l'un des plus beaux monuments chrétiens d'Asie.

Juste à droite de l'église, en haut d'une volée de marches, faites quelques pas vers la droite et empruntez l'escalator qui conduit au **musée de Macao** ❻ *(forteresse de Monte, ☎ 357-9111, ⌚ fermé lun., € €)*. Occupant un côté de la **Fortaleza do Monte** ❼ (forteresse de Monte), cet excellent musée occupant trois étages fait revivre l'histoire de Macao et souligne le rôle joué par les Portugais et les Chinois dans son développement.

Du dernier étage du musée, on accède à l'enceinte de la forteresse de Monte, qui recèle un agréable jardin. De là, n'oubliez pas de profiter de la vue majestueuse sur Macao et observez les emplacements originaux du corps de garde et des canons. La forteresse fut construite par les jésuites entre 1617 et 1626. Les canons ne servirent qu'une fois, lors de l'invasion hollandaise de 1622. Un boulet de canon tiré par un prêtre fit exploser un baril de poudre sur l'un des navires ennemis, semant la panique et permettant aux Portugais de repousser les attaquants.

Retraversez le musée jusqu'aux ruines de Saint-Paul, descendez l'escalier, tournez à droite dans la Rua de Santo Antonio. Cette rue est célèbre pour ses antiquités et ses reproductions chinoises – c'est ici que viennent se fournir nombre d'antiquaires de Hong-Kong qui revendent ensuite leurs acquisitions dans leurs boutiques. Continuez jusqu'à l'**Igreja de Santo Antonio** ❽ (église Saint-Antoine) qui occupe le site de la première chapelle de Macao, bâtie en 1558. L'église a subi trois incendies, dont le dernier en 1930. Sa façade actuelle, massive et grise, date de 1940 et lui donne un air plus sévère qu'esthétique.

Des citoyens américains et britanniques reposent dans le paisible cimetière protestant.

Face à l'église Saint-Antoine, un mur solide protège la **chapelle et le cimetière protestant de Macao** ❾. Derrière la petite chapelle blanchie à la chaux s'étend un cimetière bien entretenu dont les tombes et les pierres tombales sont disposées au milieu de pelouses vertes plantées de frangipaniers. La plupart de ces pierres tombales honorent la mémoire de résidents britanniques et américains, victimes de noyade, de naufrage, de fièvre et de maladie aux XVIIIe et XIXe siècles. Ici reposent notamment George Chinnery (1774-1852), réputé pour ses tableaux de Macao, et Robert Morrison (1782-1834), missionnaire protestant qui traduisit une grande partie de la Bible en chinois.

Jouxtant le cimetière, le **jardin de Camões** ❿ *(Praca Luís de Camões)* est un parc luxuriant planté de banians, de fougères et de massifs de bambous. Ses sentiers sinueux s'élèvent vers un belvédère d'où l'on peut contempler le port intérieur et la Chine continentale. Le parc est dédié à Luís de Camões, poète portugais du XVIe siècle qui composa l'épopée en vers *Os Lusiada* (Les Lusiades). À l'entrée du parc, une grotte abrite un buste en bronze de Camões.

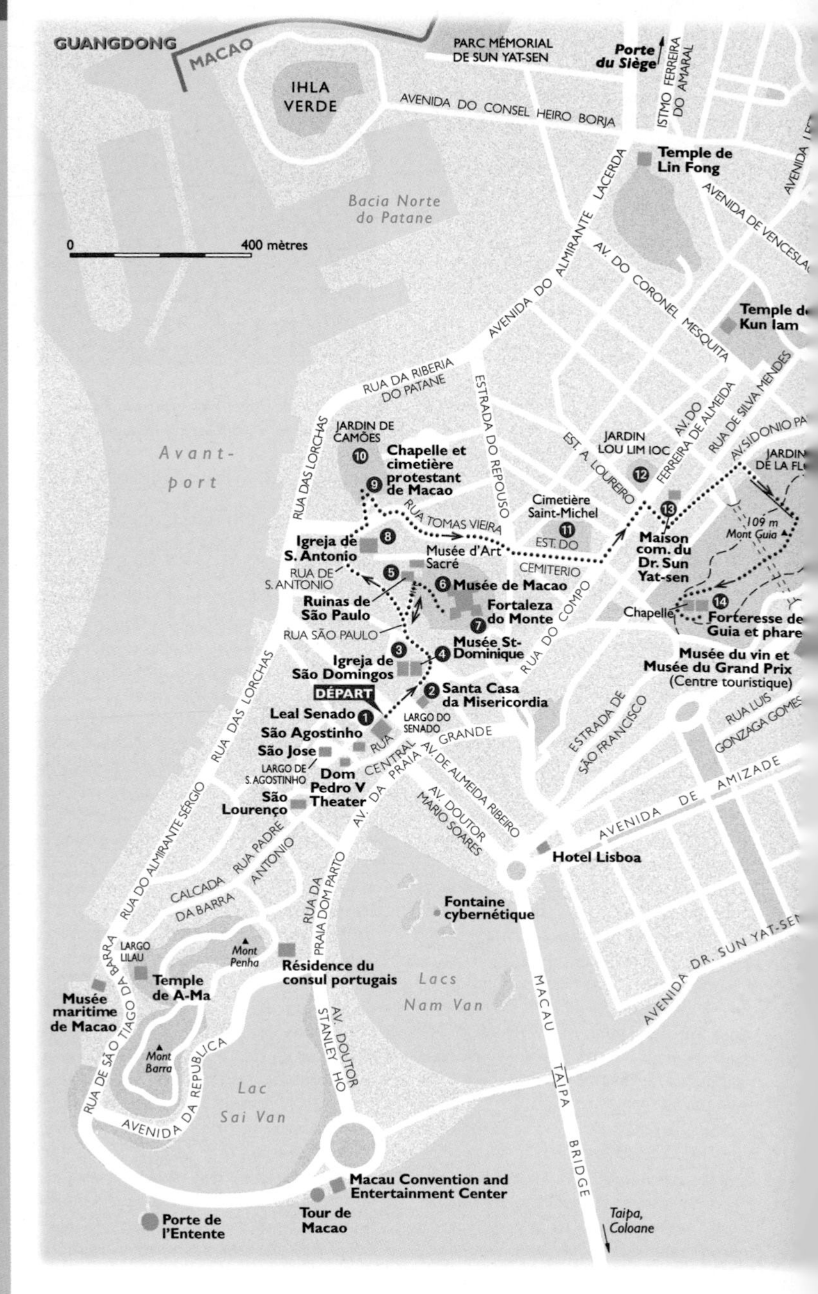
GUANGDONG
MACAO
IHLA VERDE
PARC MÉMORIAL DE SUN YAT-SEN
Porte du Siège
ISTMO FERREIRA DO AMARAL
AVENIDA DO CONSEL HEIRO BORJA
Temple de Lin Fong
AVENIDA DE VENCESLAU
Bacia Norte do Patane
0 400 mètres
AVENIDA DO ALMIRANTE LACERDA
AV. DO CORONEL MESQUITA
Temple de Kun Iam
RUA DA RIBERIA DO PATANE
ESTRADA DO REPOUSO
RUA DE SILVA MENDES
AV. DO FERREIRA DE ALMEIDA
AV SIDONIO PA
JARDIN DE CAMÕES
JARDIN LOU LIM IOC
JARDIN DE LA FL
Avant-port
RUA DAS LORCHAS
10 Chapelle et cimetière protestant de Macao
9
EST. A. LOUREIRO
12
13
RUA TOMAS VIEIRA
Cimetière Saint-Michel
11
EST. DO CEMITERIO
109 m Mont Guia
8 Igreja de S. Antonio
Musée d'Art Sacré
Maison com. du Dr. Sun Yat-sen
RUA DE S. ANTONIO
5
6 Musée de Macao
Ruinas de São Paulo
Fortaleza do Monte
7
Chapelle
14 Forteresse de Guia et phare
RUA SÃO PAULO
RUA DO COMPO
3 Igreja de São Domingos
4 Musée St-Dominique
Musée du vin et Musée du Grand Prix (Centre touristique)
DÉPART
2 Santa Casa da Misericordia
1 Leal Senado
LARGO DO SENADO
São Agostinho
São Jose
LARGO DE S. AGOSTINHO
Dom Pedro V Theater
São Lourenço
RUA CENTRAL
RUA GRANDE
ESTRADA DE SÃO FRANCISCO
RUA LUIS GONZAGA GOMES
AVENIDA DE AMIZADE
AV. DA PRAIA
AV. DE ALMEIDA RIBEIRO
AV. DOUTOR MARIO SOARES
RUA DO ALMIRANTE SÉRGIO
RUA PADRE ANTONIO
CALCADA DA BARRA
Hotel Lisboa
Fontaine cybernétique
RUA DA PRAIA DOM PARTO
LARGO LILAU
Mont Penha
Résidence du consul portugais
Lacs Nam Van
AVENIDA DR. SUN YAT-SEN
Musée maritime de Macao
Temple de A-Ma
RUA DE SÃO TIAGO DA BARRA
Mont Barra
AVENIDA DA REPUBLICA
AV. DOUTOR STANLEY HO
Lac Sai Van
MACAU TAIPA BRIDGE
Macau Convention and Entertainment Center
Porte de l'Entente
Tour de Macao
Taipa, Coloane

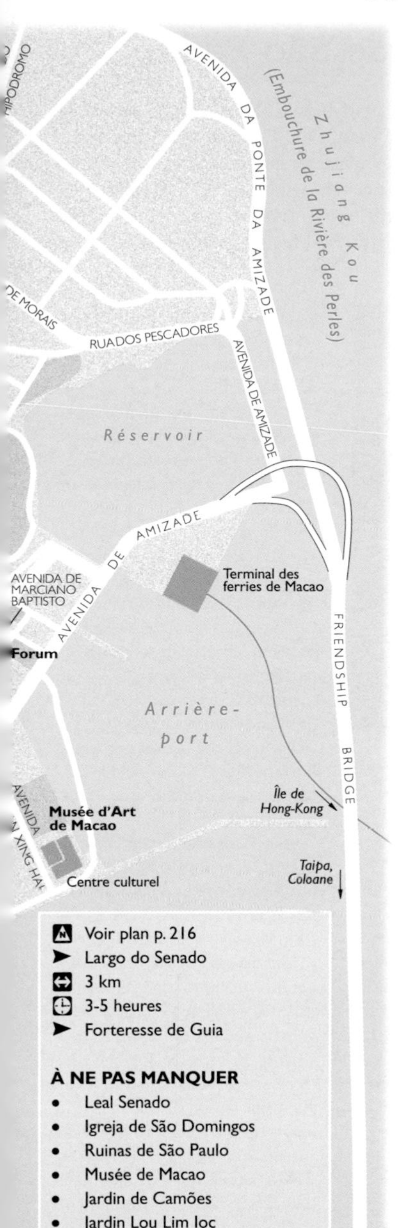

Poursuivez votre chemin en passant à l'arrière de l'église Saint-Antoine et longez la Rua Tomas Vieira vers l'est jusqu'à un petit rond-point. Continuez en face dans l'Estrada do Cemiterio pour atteindre le **cimetière Saint-Michel** ⓫. Ce cimetière catholique à flanc de colline regorge de pierres tombales décorées de saints, de grandes statues de la Vierge et d'anges jouant de la harpe.

Continuez vers l'est dans l'Estrada do Cemiterio et empruntez à gauche l'Avenida do Conselheiro Ferreira de Almeida. Là, se succèdent de jolis bâtiments des années 1920, peints en brun et jaune vif. Aujourd'hui restaurés, ils sont occupés par des administrations. Au croisement avec l'Estrada Adolfo Loureiro, faites une pause dans le **jardin Lou Lim Ioc** ⓬. Très boisé, ce superbe parc paysager clos s'inspire des célèbres jardins de Suzhou. Une somptueuse demeure coloniale transformée en galerie d'art fait face à un grand bassin. Des sentiers serpentent entre des ponts en zigzag, des bosquets de bambous, des pavillons en forme de pagode et des bassins foisonnant de lotus.

Du jardin, continuez dans l'Estrada Adolfo Loureiro et traversez l'Avenida do Conselheiro Ferreira pour rejoindre l'Avenida Sidonio Pais. Tournez à droite et marchez sur une courte distance jusqu'à la Rua de Silva Mendes et **la maison commémorative du Dr. Sun Yat-sen** ⓭ *(Av. Sidonio Pais, ☎ 574-064, ⌚ fermé mar.)*. Cette résidence de style mauresque fut bâtie dans les années 1930 par la famille du révolutionnaire chinois pour remplacer l'humble logement où il vivait lors de ses séjours à Macao. Des objets et des photos retracent ses quarante années de lutte pour renverser la dynastie Qing et établir la république de Chine (voir p. 33).

Poursuivez au nord dans l'Avenida Sidonio Pais jusqu'aux jardins de la Flore où un téléphérique *(⌚ fermeture 18h, €)* vous emmènera en 80 secondes en haut de la colline de Guia (109 m) qui forme le point culminant de la ville. Là, prenez le sentier qui conduit à la **forteresse de Guia** ⓮ du XVIIe siècle. Admirez le phare le plus ancien de la côte chinoise (1865), toujours en activité, explorez les ruines de la forteresse et profitez de la vue sur Macao depuis la plate-forme des canons. Près du phare, une modeste chapelle contient une belle Vierge à l'Enfant. ■

Ruinas de São Paulo

Ruinas de São Paulo
Plan p. 224

De toutes les églises de Macao, la plus impressionnante est indéniablement São Paulo (Saint-Paul), même s'il n'en subsiste aujourd'hui que la façade en pierres, remarquablement restaurée. Bâtie au début du XVIIe siècle par des jésuites, cette imposante structure incarne l'architecture religieuse dans ce qu'elle a de plus sublime. Lors de sa construction, Saint-Paul fut salué comme le plus bel édifice chrétien d'Asie.

Bien que la façade soit le seul vestige de cet édifice autrefois spectaculaire, São Paulo demeure le symbole de Macao.

En 1762, après l'expulsion des jésuites par le gouvernement portugais, l'église fut transformée en caserne. Un incendie se déclara dans les cuisines en 1835, détruisant l'ensemble des bâtiments à l'exception de la façade en pierre. Tombée lentement en décrépitude, celle-ci semblait dans les années 1980 sur le point de s'effondrer. Heureusement, les autorités entamèrent en 1991 des travaux de restauration qui s'achevèrent en 1995.

La façade à étages est richement émaillée de gravures et de statues. Le niveau supérieur, triangulaire, porte une colombe de bronze symbolisant le Saint-Esprit. Tout autour, les étoiles, le soleil et la lune représentent « le lieu de la divinité ». Juste en dessous, au deuxième niveau, une alcôve contient l'Enfant Jésus flanqué des outils de la crucifixion, tandis que des anges, de part et d'autre, portent la croix et le pilier de la flagellation.

Au 3e niveau, une grande statue de Notre-Dame de l'Assomption, également placée dans une alcôve, est entourée d'anges qui célèbrent son ascension vers le ciel. À gauche, la Vierge Marie guide un galion portugais à travers la « Mer des Tourments du Péché ». À droite, une figure similaire surmonte une hydre à sept têtes. Une légende en caractères chinois proclame : « la Sainte Mère foule aux pied les têtes d'un dragon. »

Le 4e niveau comporte les statues de quatre éminents jésuites. À l'extrême gauche se tient Francisco de Borja béatifié. Ensuite vient le fondateur de l'ordre jésuite, saint Ignace, puis, plus loin à droite, l'apôtre de l'Orient, saint François Xavier, et enfin Luis Gonzaga béatifié. Au-dessus du portail central, au niveau inférieur, sont inscrits les mots *Mater Dei* (Mère de Dieu).

Derrière la façade, des fouilles ont mis au jour la crypte du fondateur de l'église, le père Alessandro Valignano. Près de sa tombe, des vitrines en verre contiennent des ossements dont quelques crânes de plusieurs martyrs catholiques du Japon et du Vietnam. La crypte est aujourd'hui intégrée au **musée d'Art sacré** qui regroupe dans une unique salle une collection de sculptures, de peintures et d'objets religieux provenant de plusieurs églises de la ville. ■

Les îles de Macao

Deux longs ponts en forme d'arc mènent de Macao à l'île de Taipa, elle-même reliée par une digue à une seconde île, Coloane. D'une superficie de 6,2 km², Taipa a largement acquis la physionomie d'une ville nouvelle hongkongaise, avec des dizaines de gratte-ciel résidentiels et une atmosphère sans âme. Coloane, un peu plus grande, est moins développée. Toutes deux comptent quelques sites intéressants qui se visitent aisément en une demi-journée.

Avenida da Praia Residences

Avenida da Praia, Taipa

853/827-103, 527

Fermé lun.

Bus : 11, 22, 28A, 30, 33, 34

TAIPA

Au sud de l'île, le charmant **village de Taipa** possède des ruelles étroites, bordées de maisons de commerce chinoises, de restaurants en plein air et de bâtiments coloniaux couleur pastel. À l'est, l'**église Notre-Dame-du-Carmel** se dresse sur une place pavée en haut d'une colline. De là, descendez vers la petite **Avenida da Praia**, ombragée de banians, qui compte plusieurs demeures restaurées des années 1920, baptisées les **Résidences**. La première est la **Maison macanaise** : ce musée aux volets à claire-voie, aux vastes vérandas et aux meubles d'époque vous fera découvrir la vie d'une famille de Macao au début du XXe siècle. Les quatre autres résidences, de style architectural similaire, abritent une galerie, des expositions sur les régions du Portugal et l'histoire de Taipa et Coloane, une salle de réception et un restaurant.

COLOANE

Près du village de Taipa, une longue digue relie les deux îles. Le bus menant à Coloane vous déposera sur une jolie petite place, le **Largo Presidente A.R. Eanes**, dans le village un peu décrépit de Coloane. Suivez le front de mer vers la gauche pour rejoindre la **chapelle Saint-François-Xavier**. Ajout tardif à la pléthore d'édifices religieux macanais, ce bâtiment à la façade blanc et crème et aux portes bleues en bois date de 1928. Prenez au sud l'Avenida Cinco Outubro pour rejoindre le **temple de Tam Kong**, dédié au dieu taoïste des marins. Doté d'un toit en tuiles décoré de figurines de porcelaine, il renferme un bateau-dragon sculpté dans un fanon de baleine de 1,2 mètre de long, complété d'un équipage en manteau rouge et chapeau jaune.

De la place du village, montez dans un bus pour le court trajet jusqu'à la **plage de Hac Sa**, ou « plage de sable noir », ainsi nommée en raison de sa couleur.

La plus grande statue de A-Ma au monde coiffe le **pic Coloane**. À côté, le **village culturel de A-Ma** (*fermé lun.*) rend un hommage plus appuyé à la protectrice des marins. Il comprend plusieurs bâtiments de l'époque Qing, notamment un « palais » de A-Ma et un musée. ■

Hac Sa, une plage très populaire.

Taipa

Plan p. 225

S'Y RENDRE

Des bus circulent fréquemment de la péninsule de Macao vers ces deux îles. Pour le village de Taipa, prenez le bus 11, 22, 28A ou 33. Pour le village de Coloane, empruntez le 21A, 25 ou 26A, tous trois continuant vers la plage de Hac Sa. ■

Guangzhou

Locomotive économique de la Chine, cette métropole tentaculaire de dix millions d'habitants s'est servie de sa proximité et de ses liens avec Hong-Kong pour se hisser vers la prospérité. Guangzhou permet de découvrir le visage de la Chine moderne, avec ses gratte-ciel étincelants, sa population relativement aisée et une vitalité qui peut presque concurrencer celle de Hong-Kong, à 120 km au sud-est.

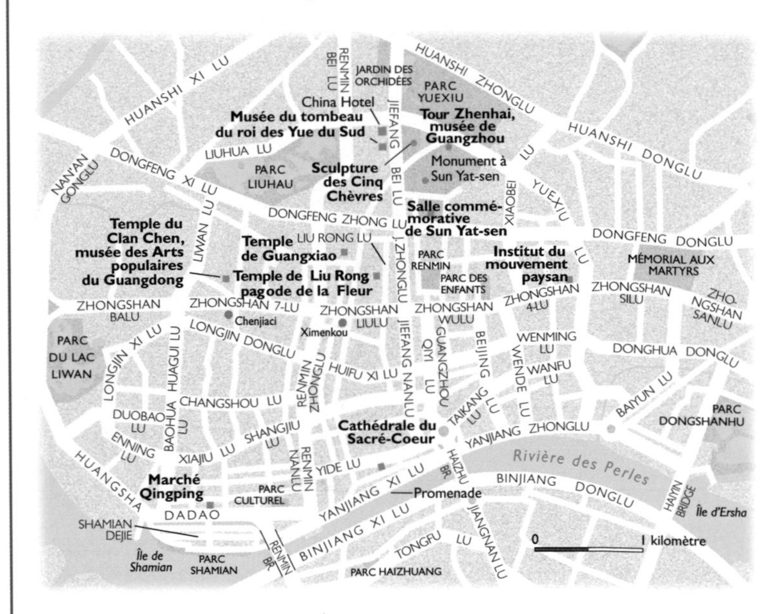

Cette vitalité n'a rien de surprenant. C'est de Guangzhou (Canton) et de sa province, le Guangdong, que viennent la plupart des habitants de Hong-Kong. En vingt ans, ceux-ci ont fait de leur ville la cité la plus moderne et la plus dynamique du pays.

À quelques heures seulement de Hong-Kong en empruntant le train ou le ferry rapide, Guangzhou constitue l'excursion idéale pour les visiteurs curieux de découvrir une Chine en pleine mutation.

Guangzhou n'a rien de particulièrement attrayant, ni de très touristique. Elle présente toutes les caractéristiques d'une ville asiatique moderne, lancée dans une quête effrénée de croissance. Pour autant, ne vous laissez pas intimider par sa circulation, sa taille et son vacarme constant, car ses temples, parcs et musées méritent que l'on s'y attarde, du moins pour une journée ou deux. Assez proches les uns des autres et aisément accessibles, ces sites sont, pour certains, desservis par un métro moderne, quoique restreint. Par ailleurs, les taxis bon marché ne manquent pas.

Les visiteurs se limitent généralement au vieux Guangzhou, qui prend naissance sur les berges de la rivière des Perles. Dans l'ensemble, ce secteur se prête bien à la marche avec ses promenades au bord de l'eau, ses maisons de commerce des années 1920, ses ruelles, ses marchés impromptus et son animation marchande.

La charmante île de Shamian, ancienne concession britannique et française, reste fortement imprégnée de son passé colonial. De là, suivez la rive vers l'est en contemplant l'animation du fleuve, puis partez au nord en vous

L'échangeur d'Ozhong, à Guangzhou, témoigne de la modernité de la Chine.

promenant dans les petites rues de la ville jusqu'aux imposantes flèches gothiques de la cathédrale du Sacré-Cœur, bâtie au XIXe siècle. Plus loin au nord, le cœur de la ville abrite les temples anciens de Guangxiao et Lui Rong. À l'ouest se dresse le temple du clan Chen, à la décoration exubérante.

Près du China Hotel, le musée du tombeau des Han de l'Ouest comporte une étonnante collection d'objets enterrés avec Wen Di (137-122 av. J-C.), second empereur de la courte dynastie des Yue du Sud. En face, le vaste parc Yuexi a plusieurs atouts dignes d'intérêt. Non loin, la Salle commémorative de Sun Yat-sen honore le fondateur de la Chine moderne. À l'ouest, l'Institut du mouvement paysan, installé dans un temple confucéen du XIVe siècle, présente une facette du grand dirigeant chinois, Mao Zedong. ■

Autour de l'île de Shamian

La rive nord de la rivière des Perles compte parmi les quartiers les plus anciens et les plus intéressants de Guangzhou. L'animation y bat son plein à l'ombre des vestiges du colonialisme. Les berges sont partiellement occupées par de grandes promenades où les habitants viennent flâner et prendre l'air. Mêlez-vous à eux avant d'aller explorer les ruelles débordantes d'activité.

Île de Shamian
Plan p. 228 (coin S.O.)

Tortues vivantes au célèbre marché Qingping de Guangzhou.

C'est sur cette modeste frange de terre sur la rive nord de la rivière des Perles, séparée de la ville par un étroit canal, que vous découvrirez l'**île de Shamian**. Cette ancienne concession britannique et française fut cédée par la Chine en 1859. Les Européens construisirent ici de grandioses bâtisses, aménagèrent des rues pavées, plantèrent des rangées de banians et des jardins entourés de haies. De façon surprenante, l'endroit a échappé à la fièvre immobilière qui s'est emparée de la ville dans les années 1990.

Restaurées ces denières années, les demeures coloniales abritent aujourd'hui des bureaux, des restaurants et des boutiques. Des haies soigneusement taillées, des arbres et des places pavées de briques, agrémentées de bancs se succèdent le long du boulevard principal, **Shamian Dejie**, qui traverse l'île en son milieu d'est en ouest. La rareté des voitures rend la promenade fort agréable. Situé au bord de l'eau, le **parc Shamian** est doté de restaurants en plein air. Asseyez-vous et prenez plaisir à siroter une bière, tout en regardant passer les bateaux ; l'expérience est tout à fait agréable. Le charme vieillot et l'élégance de Shamian offrent un contraste saisissant avec l'agitation du reste de Guangzhou.

De l'autre côté du canal de l'île de Shamian, on aperçoit la façade à colonnades, de type colonial, du plus célèbre marché de la ville, **Qingping**. L'un des premiers de son espèce en Chine, il fut établi peu après l'introduction de l'économie de libre marché à la fin des années 1970. Dans les galeries de devant, des échoppes vendent l'assortiment habituel de produits médicinaux séchés, tels les champignons, les épices, les hippocampes, l'anis, les écorces d'arbre et les bois de cerf. En pénétrant plus avant dans le marché,

vous découvrirez des stands dans le dédale des allées, qui proposent des marchandises plus ordinaires : poissons, fruits et légumes frais, fleurs, plantes vertes et poissons rouges. En s'enfonçant plus avant, toutefois, on pénètre dans un étrange univers. Là, les Cantonais viennent se fournir en singes, chiens, civettes, cerfs, scorpions vivants, mille-pattes grouillants, cafards, crapauds, grenouilles sautillant maladroitement et tortues rampantes, tous voués à entrer dans la composition de diverses spécialités culinaires. Plus perturbante encore est la vision occasionnelle de pattes de tigre et de cornes de rhinocéros disposées par terre sur des nattes.

De retour sur l'île, après le parc Shamian, suivez vers l'est le large boulevard ombragé de banians où les habitants se retrouvent pour jouer au badminton, faire du tai chi et bavarder sur les bancs. Quittez l'île par un petit pont donnant dans Yangjian Xi Lu (rue Yangjian Ouest). Au bout de 200 mètres environ, la rue rejoint le bord de l'eau et s'ouvre sur une vaste **promenade.** Avec les branches des banians s'inclinant au-dessus des trottoirs, cet endroit est prisé des amoureux le soir et des adeptes du tai chi tôt le matin.

À quelques rues en retrait de la berge, Yide Lu (rue Yide) recèle la plus ancienne église catholique du pays, l'imposante **cathédrale du Sacré-Cœur**, appelée en chinois *shi shi jiaotang* ou « maison de pierre ». Commencée en 1863, sa construction s'acheva en 1888. Avec ses flèches jumelles, ses lourdes portes en bois, ses rosaces et ses vitraux en forme de fleur, l'édifice d'inspiration gothique détonne dans ce quartier de maisons de commerce, de logements délabrés et d'allées étroites et animées. Notez les lions sculptés de style chinois faisant saillie sur les murs.

Immédiatement au nord-est de l'île de Shamian, dans l'avenue Huangsha, le **Parc culturel** offre un curieux mélange d'attractions vieillottes : une patinoire, une salle d'aspect pitoyable où se tiennent des spectacles de dauphins, une exposition sur les poissons aux aquariums vides, plusieurs manèges délicieusement surannés et une salle de la dynastie Hang à l'intérêt relatif. ■

La pittoresque île de Shamian dégage une atmosphère paisible.

Les vieux quartiers de la ville abritent toujours d'anciennes maisons de commerce.

Le vieux Guangzhou

MALGRÉ L'IMMENSITÉ DE LA VILLE, BON NOMBRE DES PRINCIPAUX SITES touristiques se concentrent dans un périmètre relativement restreint, ce qui permet d'aller de l'un à l'autre par de courts trajets en taxi. Entre deux visites, les larges avenues hérissées de tours de bureaux et encombrées de voitures, les rues bordées de maisons de commerce et les étroites ruelles vibrantes d'activité vous plongeront dans l'animation de la vie urbaine chinoise.

Guangzhou

Plan p. 228

Temple du clan Chen et musée des Arts populaires du Guangdong

Plan p. 228

Zhongshan 7-Lu

8181-7371

€

Chenjiaci

Commencez votre circuit dans Zhongshan 7-Lu (rue Zhongshan, secteur 7), au **temple du clan Chen**, voisin de la station de métro Chenjiaci. L'un des rares temples à avoir survécu à la Révolution culturelle des années 1960 et 1970, il compte parmi les plus beaux et les plus décorés de Chine.

Ce vaste complexe comprend 19 bâtiments, émaillés de cours arborées et reliées entre elles par un réseau de longues vérandas. Sur les faîtes et les corniches, des milliers de personnages expressifs en porcelaine, peints de couleurs vives, illustrent toutes sortes de scènes mythologiques, tandis que des bas-reliefs de pierre sur le même thème ornent le dessus des portes.

Les robustes portes principales, décorées de peintures figurant les gardiens chinois Qin Qiong et Wei Chigong, s'ouvrent sur un plafond voûté, soutenu par des poutres en bois sculpté d'où pendent des lanternes décorées. Des panneaux de bois magnifiquement ouvragés séparent l'entrée de la première cour. Là, des vérandas embellies par des treillis de bois et également surmontées de figurines de porcelaine conduisent aux autres salles du complexe, toutes aussi somptueusement décorées.

Plusieurs salles accueillent le **musée des Arts populaires du Guangdong** qui présente des objets d'art et d'artisanat de toute la Chine, mais surtout de la province du Guangdong. Cette splendide collection date essentiellement de la dynastie Qing à nos jours. Elle a l'avantage de réunir des broderies, des objets en porcelaine, des émaux, des céramiques, des papiers découpés, des gravures sur verre, des mosaïques en coquillage, des paniers et des laques. Mentionnons également les objets sculptés dans du jade, de la pierre, de l'ivoire, de la corne, du coquillage et du bois.

Ne manquez surtout pas les deux autels dorés en forme de chaise à porteurs, destinés à accueillir les tablettes ancestrales, qui encadrent l'autel de la salle principale. Ces pièces de toute beauté portent des tableaux religieux taoïstes, sculptés avec une extraordinaire minutie, ainsi qu'une scène figurant des dizaines de crabes gravissant une pente. En explorant davantage le musée, vous découvrirez également de minuscules gravures sur ivoire de moins d'un centimètre de long, si petites qu'il faut une loupe pour les observer, celle-ci étant fournie.

Reprenez le métro jusqu'à la station suivante (Xinemkou) pour gagner le **temple de Guangxiao**, dans Hongshu Lu (rue Hongshu). Datant du IVe siècle, c'est l'un des plus anciens de la ville. Une fois passé le bouddha rieur au ventre rond qui trône à l'entrée, les haies soigneusement taillées et les banians incitent à la promenade. Les bâtiments restaurés présentent un ingénieux système d'équerres en bois qui soutiennent les larges toits à corniches, aux faîtes décorés de statuettes. Dans la spacieuse salle principale, après trois grands bouddhas dorés, placés côte à côte, une sereine déesse de la miséricorde, Kwun Yam, est entourée de *lohans*. Derrière elle, une fresque colorée dépeint des scènes mythologiques.

Un peu plus loin à l'est, dans Liu Rong Lu (rue Liu Rong), le **temple de Liu Rong** (« temple des Six Banians »), datant du VIe siècle environ, s'articule autour de l'imposante **pagode de la Fleur**. Du haut de cette structure octogonale haute de 60 mètres, dotée de neuf étages extérieurs et de 17 étages intérieurs, on bénéficie d'une vue exceptionnelle sur la ville. Derrière la pagode, le temple principal, rebâti en 1984, contient trois grandes statues dorées du Bouddha.

En 1983, des bulldozers exhumèrent accidentellement la tombe de Wen Di, second empereur des Yue du Sud (137-122 av. J.-C.), dynastie locale de cinq rois qui s'éteignit en moins d'un siècle. Le site est aujourd'hui occupé par le **Musée du tombeau du roi des Yue du Sud** (Han de l'Ouest), juste à l'est du China Hotel dans Jeifang Bei Lu (rue Jeifang Nord). Le musée recrée l'emplacement de la tombe. Depuis un tertre herbeux, vous emprunterez quelques marches qui descendent dans les salles où le roi fut enterré avec ses concubines, ses cuisiniers, ses gardes et ses musiciens, tous sacrifiés pour l'occasion. Le musée expose les restes de Wen Di et de ses compagnons. On peut aussi voir les milliers d'objets funéraires en jade, en or, en bronze, en fer, en cristal et en tissu retrouvés dans la sépulture, notamment le linceul de l'empereur, fait d'un millier de morceaux de jade.

En face du musée, toujours dans Jeifang Bei Lu, le **parc Yuexiu**, le plus grand de la ville, englobe un terrain vallonné et boisé de 93 hectares. Sur l'une de ses collines, près de l'entrée menant à la porte sud, se trouve l'un des pôles d'attraction de la ville : la **sculpture des Cinq Chèvres**, érigée en 1959. Toutes de béton, ces statues de chèvres grimpant une colline, par ailleurs assez vilaines, sont le symbole de Guangzhou dont le nom signifie « Cité des chèvres ». La légende raconte qu'il y a plusieurs centaines

Un bouddha dans le temple de Liu Rong, datant du VIe siècle environ.

Musée du tombeau du roi des Yue du Sud

Plan p. 228
867 Jiefang Bei Rd.
8666-4920
 €

Salle commémorative de Sun Yat-sen
Plan p. 228
Donfeng Zhong Lu
3428-1366
€

Institut national du mouvement paysan
Plan p. 228
42 Zhongshan 4-Lu.
8333-3936
Fermé lun.
€

d'années, cinq êtres célestes chevauchant ces animaux auraient fendu l'air jusqu'à la ville et offert aux habitants des plants de riz pour les préserver à jamais de la famine.

À droite de la sculpture des Cinq Chèvres, suivez le chemin qui descend la colline jusqu'au joli lac Nanxui. Franchissez un pont et remontez tout droit devant vous jusqu'à la **tour Zhenhai**. Bâtie en 1380 (la version actuelle date de 1928), elle fut utilisée par les troupes françaises et britanniques lors des guerres de l'Opium (voir p. 29-32), en raison de sa situation élevée, dominant le sud de la ville. Elle accueille aujourd'hui le **musée de Guangzhou**, qui retrace de façon intéressante l'histoire de la ville de l'époque néolithique à aujourd'hui. Le balcon du 5e étage offre un beau point de vue.

Dans le parc Liuhau, on peut louer une barque pour canoter sur le lac.

À droite de la tour, aménagé sur une autre colline, un obélisque en marbre et granit honore le révolutionnaire Sun Yat-sen (voir p. 33). Ce dernier provoqua la chute de la dynastie Qing en 1912. Le monument fut édifié en 1929, soit quatre ans après sa mort. L'obélisque surplombe la **salle commémorative de Sun Yat-sen**, située derrière une vaste pelouse impeccablement entretenue. L'accès se fait par Dongfeng Zhong Lu (rue Dongfeng Centre). Construit en 1931 sur le site de la résidence du gouverneur Qing, dans un style traditionnel richement décoré, cet immense bâtiment de 47 mètres de haut sur 71 mètres de long arbore de grands toits couverts de tuiles bleues. Dans l'enceinte de l'édifice, un plafond en forme de dôme s'élève au-dessus d'un théâtre de 3 200 places.

À côté de ce bâtiment, une petite salle d'exposition contient une collection de photographies d'époque dont les légendes ne sont malheureusement rédigées qu'en chinois.

À l'ouest de la Salle commémorative, dans Renmin Bei Lu (rue Renmin Nord), vous apercevrez le charmant **parc Liuhau**. Ce jardin renferme le plus grand lac artificiel de la ville, que l'on peut sillonner sur une barque de location.

Guangzhou possède plusieurs musées de la Révolution. Parmi les plus intéressants, mentionnons l'**Institut national du mouvement paysan**. Ce musée occupe un temple confucéen datant de 1370. Dans un cadre sublime, composé de cours arborées, de toits en forme de proue couverts de tuiles et ornés de personnages en porcelaine, de treillis et enfin de poutres artistiquement ciselées, vous découvrirez l'univers plus prosaïque du mouvement paysan.

Fondé en 1924, l'Institut est célèbre pour avoir accueilli les dirigeants communistes Mao Zedong et Zhou Enlai, qui formaient ici les jeunes membres du parti. Le site a été transformé en musée, les salles de classe, les dortoirs, les bureaux, la bibliothèque, l'infirmerie et les logements de Mao ayant été conservés en l'état. Une petite salle est entièrement consacrée au Grand Timonier, avec une quantité de photos, d'affiches, de badges, de statues, de bustes et d'autres objets à son image. ■

Informations pratiques

Conducteur de tram, île de Hong-Kong.

INFORMATIONS PRATIQUES

PRÉPARER SON VOYAGE

QUAND PARTIR

CLIMAT

Hong-Kong s'étend dans la mer de Chine méridionale, au sud du tropique du Cancer, et bénéficie d'un climat subtropical. Les températures peuvent fluctuer de 10°C à 25°C en hiver (décembre à février). Des vents relativement frais en provenance de l'Arctique soufflent alors sur le continent asiatique. Le thermomètre peut exceptionnellement descendre à zéro dans les Nouveaux Territoires, mais chute rarement en dessous de 7°C dans les zones urbaines. Les précipitations sont rares et l'humidité relativement faible. L'arrivée du printemps donne le signal d'une brusque élévation du taux d'humidité. L'été (juin à août) est chaud. L'humidité atteint, voire dépasse, les 90% et le climat est sujet à des périodes de fortes précipitations. Les meilleures saisons pour se rendre à Hong-Kong s'étalent de mars à avril et de fin septembre à novembre, lorsque le taux d'humidité baisse et que les précipitations sont faibles ou nulles.

Hong-Kong est implantée dans une zone où sévissent les cyclones. Le territoire peut ainsi être frappé par des précipitations torrentielles et des vents violents, qui peuvent entraîner l'arrêt total de l'activité économique et des services publics pendant 24 heures ou plus. Les cyclones se forment entre mai et novembre, août étant le mois le plus exposé. L'arrêt des transports publics et autres services est régi par des signaux d'alerte numérotés (1 pour vigilance, 3 pour vigilance renforcée, 8 pour repli immédiat vers un abri, etc.), largement affichés et diffusés sur les chaînes de TV et de radio. Les boutiques et les bureaux cessent leur activité durant les alertes de niveau 8, ainsi que la majorité des transports publics une fois que les résidents ont regagné leurs foyers.

Les températures moyennes à Hong-Kong sont les suivantes :

Printemps	Mars à mai	22°C
Été	Juin à août	30°C
Automne	Sept. à nov.	24°C
Hiver	Déc. à février	17°C

QUE PRENDRE AVEC SOI

L'hiver et le printemps pouvant être frais, notamment après le coucher du soleil, mieux vaut se munir d'un pull léger ou d'une veste. L'été, les restaurants, les bars, les théâtres, les bureaux et les transports publics sont climatisés, ce qui peut justifier d'emporter une veste légère. Un parapluie est quasi obligatoire en été. Prévoyez également un vêtement de pluie léger.

Les hommes sont priés de porter une veste, voire une cravate, dans certains restaurants haut de gamme. Cependant, la majorité s'accommode de vêtements décontractés de bonne tenue.

Des vêtements amples en coton léger sont la meilleure option entre le milieu du printemps et la fin de l'automne. En ville, vous pourrez porter des tee-shirts et des shorts, à plus forte raison en été. Quel que soit votre style vestimentaire, évitez les tenues négligées, car les Hongkongais vous jugeront d'après votre apparence. La ville est certes cosmopolite, mais les femmes devront se passer de tenues trop suggestives.

ASSURANCES

Souscrivez une assurance de voyage couvrant les frais médicaux et le rapatriement avant votre départ, afin de parer aux pires éventualités. Sur place, les contrats de location de voiture n'incluent qu'une assurance au tiers.

La perte ou le vol de biens couverts par une assurance individuelle doivent être signalés aux services de police de Hong-Kong dans les plus brefs délais. Il vous faudra vous rendre en personne au poste de police, où l'on vous remettra un formulaire à remplir. La police est efficace et particulièrement polie envers les visiteurs.

FORMALITÉS D'ENTRÉE

VISAS

Les citoyens canadiens et les ressortissants de l'Union européenne peuvent séjourner jusqu'à trois mois à Hong-Kong sans visa, à condition d'être en possession d'un passeport valable un minimum de trois mois à la date d'entrée à Hong-Kong. Il peut arriver que les officiers d'immigration demandent aux visiteurs arrivant à Hong-Kong de justifier qu'ils possèdent des ressources financières suffisantes et un billet de retour, mais cela reste rare.

Faites une demande de visa auprès des services de la Région administrative spéciale (RAS) d'une ambassade, d'un consulat ou d'un service de délivrance des visas de la République de Chine, avant votre arrivée, si vous souhaitez séjourner à Hong-Kong pour une période plus longue.

Les visiteurs ne sont pas autorisés à travailler sur place (même sans être rémunérés) et à créer ou rejoindre les rangs d'une entreprise.

Le service d'immigration de Hong-Kong est au 2/F, Hong Kong Immigration Tower, 7 Gloucester Rd., Wan Chai, tél. 2824-6111, www.info. gov.hk/immd/.

La loi oblige les citoyens de Hong-Kong à avoir leur carte d'identité sur eux en toutes occasions. Les visiteurs doivent aussi pouvoir présenter un document d'identité avec photo. Les forces de police peuvent vous demander de justifier de votre identité à tout moment, bien que cela arrive rarement aux visiteurs étrangers. Un permis de conduire comportant une photographie est suffisant.

Macao

Les ressortissants des pays de l'Union européenne et les citoyens canadiens peuvent séjourner à Macao sans visa pendant un mois. Le passeport devra disposer d'une validité au moins égale à six mois au moment de votre arrivée.

Guangzhou

Tous les visiteurs doivent être munis d'un visa. La seule exception concerne la Zone économique spéciale de Shenzhen, frontalière de Hong-Kong, où les ressortissants canadiens et européens peuvent se rendre pour une durée de 72 heures.

À Hong-Kong, vous pourrez obtenir des visas à entrée simple ou entrées multiples (30 jours par séjour) pour la Chine auprès des agences de voyages ou de China Travel Services (tél. 2789-5401). Les agences de voyages prélèvent une commission dont le montant varie entre 100 et 700 $HK selon le nombre d'entrées et votre urgence. Prévoyez une photo d'identité. La solution la plus économique consiste à s'adresser au service des visas du ministère des Affaires Étrangères de la République populaire de Chine (5e étage, Low Block, China Resources Bldg., 26 Harbor Rd., Wan Chai, tél. 2983-9812), mais leurs bureaux sont souvent bondés et le service peut s'avérer extrêmement lent. Les visas sont généralement délivrés en deux ou trois jours. Vous pourrez réduire ce délai à 24 heures en acquittant un supplément.

DOUANE

Le port de Hong-Kong est une zone hors taxes. Des restrictions s'appliquent sur les quantités d'alcool, de cigarettes et de parfum que vous pourrez apporter dans le pays. Les adultes (plus de 18 ans) peuvent importer sans s'acquitter de taxes un maximum de 200 cigarettes ou 500 cigares ou 250 grammes de tabac, un litre de vin ou d'alcool, 60 ml de parfum et 250 ml d'eau de toilette.

L'importation d'animaux ou de parties d'animaux est strictement réglementée. Les armes à feux, les narcotiques, les articles soumis au copyright et les produits issus d'espèces animales en voie de disparition, comme l'ivoire ou les peaux de tigre, est interdite. Les armes à feux doivent être déclarées et déposées dans un lieu gardé jusqu'au jour du départ.

Les véhicules à usage personnel peuvent pénétrer sur le territoire sans frais de douane. Les devises ne sont soumises à aucune restriction.

Drogues et narcotiques

Bien qu'elles soient inférieures à celles pratiquées dans certains autres pays d'Asie, les peines en vigueur en cas d'importation de drogue n'en sont pas moins sévères. Vérifiez que vos médicaments personnels soient clairement identifiés et demandez une attestation à votre médecin si vos bagages contiennent une quantité de médicaments importante. Munissez-vous de votre ordonnance pour les petites quantités.

COMMENT SE RENDRE À HONG-KONG

COMPAGNIES AÉRIENNES

Hong-Kong est la plaque tournante régionale de nombreux vols pour l'Asie. La principale compagnie est Cathay Pacific, qui assure des vols quotidiens depuis le Canada et l'Europe. La seconde compagnie de Hong-Kong, Dragonair, assure des liaisons quotidiennes avec de nombreuses villes chinoises. Air France, Malaysia Airlines et Thai Airways desservent également Hong-Kong. Comptez 12 heures environ depuis Paris.

Numéros utiles à Hong-Kong

Air France, tél. 2524-8145
Air China, tél. 2525-1512
British Airways, tél. 2822-9000 ou 800-AIRWAYS
Cathay Pacific, tél. 2747-1234 ou 800-233-2742
Malaysia Airlines, tél. 2916-0088
Thai Airways, tél. 2366-8818

AÉROPORT

Ouvert en 1998, l'aéroport de Hong-Kong (Hong Kong International Airport) est situé à Chek Lap Kok, sur l'île de Lantau. Il est séparé du quartier de Central, sur l'île de Hong-Kong, par 45 km. Près des trois-quarts de sa superficie sont bâtis sur des terres gagnées sur la mer. L'aérogare, dessinée par l'architecte britannique Sir Norman Foster, est le plus vaste édifice de Hong-Kong.

Le train à grande vitesse Airport Express est la liaison la plus rapide depuis le centre-ville. Il circule toutes les 15 min. de 5h30 à 1h15, et relie en 25 min. l'aéroport au quartier de Central, sur l'île de Hong-Kong où vous trouverez des correspondances directes avec le métro et le Mass Transit Railway (MTR, station Hong Kong). Une station de taxis vous attend à l'arrivée. La ligne compte également un arrêt à Kowloon. Il est possible d'enregistrer ses bagages aux guichets des compagnies aériennes de la station Hong Kong avant de prendre place dans le train. Le billet aller simple revient à 100 $HK (10,45 €) par adulte et 50 $HK (5,20 €) par enfant. L'aller-retour adulte, qui reste valable un mois, coûte 180 $HK (18,80 €).

Un bus dessert l'aéroport toutes les 15 min. Il rejoint le quartier de Central en une heure au prix de 40 $HK (4,20 €).

Les bureaux de change de l'aéroport ouvrent de 6h à 23h tous les jours mais pratiquent des taux peu avantageux. Vous trouverez des distributeurs automatiques dans le hall des arrivées.

Quant à la taxe de départ, qui est généralement incluse dans le prix des billets, elle s'élève à 120 $HK (12,50 €).

Les taxis reviennent cher et sont plus longs que le train du fait de l'éloignement de l'aéroport. Attendez-vous à débourser 350 $HK (36,50 €) pour gagner le quartier de Central et 280 $HK (29,20 €) pour Tsim Sha Tsui.

COMMENT SE RENDRE À MACAO

La TurboJet Company assure un service de ferries rapides depuis le terminal de Macao, au Shun Tak Center, 200 Connaught Road Central – au-dessus de la station de MTR Sheung Wan, dans le quartier de Western. Les ferries quittent le quai toutes les 15 min. de 7h à 1h45, et toutes les 45 à 90 min. de 2h30 à 6h. Le trajet dure une heure et les formalités d'immigration sont rapides et efficaces. Vous pourrez acheter les billets sur place mais il est sage de réserver durant les week-ends. Composez le 2859-3333 pour les renseignements et le 2921-6688 pour les réservations.

Les hélicoptères d'Heli-Express (tél. 2108-4838) volent entre Hong-Kong et Macao toutes les demi-heures de 9h à 23h. Les rotations sont quotidiennes et partent de l'héliport du Shun Tak Center. Le tarif de 1 700 $HK (177 €) aller simple inclut les taxes et l'assurance. Le vol dure 16 minutes.

Comment se rendre à Guangzhou

Les trains directs partant de la gare KCR (Kowloon-Canton Railway) de Hong-Kong, à Kowloon permettent de rejoindre facilement Guangzhou, en moins de 2 heures. Sept départs ont lieu chaque jour et les procédures d'immigration sont rapides. Prévoyez 230 $HK (24 €) en classe Premium, 190 $HK (19,80 €) en première classe et 180 $HK (18,80 €) en classe standard. Contactez le 2947-7888 pour les renseignements et les réservations. China Travel Services (tél. 2789-5401) vend des billets.

Comment circuler

SE DÉPLACER À HONG-KONG

VOITURE

Les raisons de prendre le volant étant limitées, la location de voiture est nettement moins utilisée à Hong-Kong que dans nombre d'autres destinations touristiques. Les visiteurs y ont rarement recours. Cette option est par ailleurs onéreuse : une location d'une journée peut dépasser les 80 €. Les visiteurs sont autorisés à louer et conduire un véhicule avec leur permis étranger. On conduit à gauche.

Trois tunnels à péage relient l'île de Hong-Kong à Kowloon. Le stationnement dans les quartiers très fréquentés comme Central, Causeway Bay et Kowloon peut s'avérer difficile, voire impossible, et la police veille étroitement au respect de la réglementation. Vous pourrez cependant avoir recours aux parkings publics, souterrains ou couverts.

Les véhicules sont interdits à Lamma, Cheung Chau et dans la majorité des îles environnantes. Des restrictions de circulation sont en vigueur sur l'île de Lantau, reliée à l'aéroport par un pont.

Le port de la ceinture de sécurité est obligatoire, à l'avant comme à l'arrière. Les nombreux policiers à moto qui réglementent la circulation ne manquent jamais d'arrêter les automobilistes qui ne portent pas leur ceinture de sécurité.

Les barrages routiers visant à appréhender les immigrants illégaux étant fréquents, munissez-vous toujours de votre passeport ou de votre permis de conduire. La réglementation antialcoolisme au volant est stricte. Ne prenez pas le volant si vous avez bu plus d'une pinte de bière (5°), deux verres de vin (200 ml) ou un verre d'alcool distillé (40°).

Les cartes routières sont largement distribuées dans les librairies.

Louer une voiture

Le représentant d'Avis et de Hertz est : Tiglion Travel Services Limited, Yue Xiu Building, 160-174 Lockhart Rd., Wan Chai, Hong-Kong
Tél. (852) 2511-7189
Fax (852) 2519-7296
E-mail : travel@tiglion.com
Website : www.tiglion.com

TRANSPORTS EN COMMUN

Le réseau de transport public, qui regroupe des services privés et étatiques, est efficace, bon marché et bien conçu. Vous aurez rarement à attendre plus de quelques minutes avant qu'un moyen de transport ne se présente.

Horaires

Des plans et horaires des réseaux de bus, train et métro (le MTR – Mass Transit Railway) sont disponibles dans les bureaux du Hong Kong Tourism Board (HKTB, voir p. 242) et dans les librairies.

Bus

Hong-Kong compte sans conteste l'une des plus grandes flottes de bus à impériale du monde. Aux heures de pointe, certaines rues de Central sont embouteillées par des files ininterrompues de bus. Partout ailleurs, ils constituent souvent le moyen de transport le plus rapide, le plus propre et le plus confortable.

Tous les bus étant équipés de la climatisation – même en hiver – prévoyez une veste légère pour les trajets de 20 min. et plus.

Les bus à deux étages circulent en général entre 6h et minuit. Les tarifs sont affichés à côté du conducteur. Insérez la somme exacte dans la boîte située elle aussi à côté du conducteur (aucun change n'est donné) ou présentez votre carte « Octopus » (voir p. 239) devant le lecteur électronique.

Des minibus de 16 places – appelés « maxicabs » – complètent cette offre sur les itinéraires les plus fréquentés. Les minibus de couleur rouge circulent sur l'île de Hong-Kong et à Kowloon, les verts dans les Nouveaux Territoires. N'ayant pas d'horaires prédéfinis, ils prennent et déposent les passagers le long de leur parcours. Faites savoir au conducteur quand vous souhaitez descendre. Certaines lignes de l'île de Hong-Kong et de Kowloon opèrent toute la nuit.

Les systèmes de paiement varient : on pourra vous rendre la monnaie dans les minibus rouges où l'on paie en sortant. En revanche, s'agissant des minibus verts, la somme exacte doit être insérée dans la boîte située à côté du conducteur, en entrant.

Tramways

Hong-Kong est l'une des deux villes mondiales à utiliser encore des tramways à deux étages (la seconde est la localité balnéaire britannique de Blackpool). Le réseau s'étend entre Kennedy Town, dans le quartier de Western et Shau Kei Wan, à l'extrémité est de l'île de Hong-Kong. Des tramways desservent également l'hippodrome de

Happy Valley, à un intervalle de quelques minutes, de 6h à 1h tous les jours. Un forfait de 2 $HK s'applique quelque soit votre trajet. Entrez par l'arrière du véhicule et payez en descendant par l'avant, en insérant 2 $HK dans la boîte située près du conducteur. On ne vous fera pas la monnaie. Des circuits touristiques à bord de tramways à ciel ouvert ont lieu deux fois par jour. Renseignez-vous au 2548-7102.

Peak Tram

Construit en 1888, ce funiculaire emmène ses passagers jusqu'aux hauteurs du quartier du Peak. Les rotations ont lieu chaque jour, toutes les 15 min., de 7h à minuit, et durent 12 min. Vous pourrez rejoindre le centre-ville au niveau du terminus de Star Ferry en prenant le bus 15. Une navette gratuite relie le Star Ferry et la station inférieure du funiculaire, sur Garden Road, à Central.

Ferries

Des flottes de ferries écument les eaux du port de Hong-Kong, reliant l'île de Hong-Kong et Kowloon aux îles périphériques et aux villes satellites bordant le rivage des Nouveaux Territoires.

Le plus célèbre est le Star Ferry. Il relie les quais du « Star », dans le quartier de Central et de Wan Chai, sur l'île de Hong-Kong, à Sha Tsui et Hung Hom, à Kowloon. Les ferries, qui arborent de longue date leurs couleurs vert olive et crème et leurs intérieurs de bois brun, appareillent toutes les 5 ou 10 min. de 6h30 à 23h30. Le trajet dure 8 min. Des services similaires circulent entre Tsim Sha Tsui et Wan Chai, et entre Central et Hung Hom, et ce à intervalles moins réguliers.

Des ferries et des hydroglisseurs assurent des services quotidiens réguliers entre les îles de Lamma, Lantau, Peng Chau et Cheung Chau. Comptez une heure de traversée.

Un hydroglisseur rapide relie l'île de Hong-Kong à Discovery Bay, sur l'île de Lantau, en 25 min. Ces navires appareillent depuis les « Outlying Islands Ferry piers » (quais des îles avoisinantes) qui font face au bâtiment ifc (International finance center). Contactez le 2508-1234 pour les renseignements concernant la visite du port assurée chaque jour.

Mass Transit Railway (MTR)

Ce réseau ferré souterrain réunit plusieurs lignes reliant Hong-Kong à la péninsule de Kowloon. Sur l'île de Hong-Kong, l'itinéraire couvre presque toute la longueur de la zone urbaine, côté port, de Sheung Wan, à l'ouest, à Wan Chai, à l'est. Vous trouverez des correspondances avec les lignes de Kowloon aux stations Admiralty et North Point. Le service est assuré à des intervalles de quelques minutes, tous les jours, de 6h à 1h environ. Il est rapide et sûr ; les rames sont très propres.

Trains

Le Kowloon-Canton Railway (KCR) relie la frontière séparant la Région administrative spéciale (RAS) de Hong-Kong et la Chine. Ses 34 km s'étendent entre Lo Wu, côté République Populaire de Chine, et Hung Hom, à Kowloon, côté Hong-Kong. Les trains partent toutes les 5 ou 10 min. (davantage aux heures de pointe), dans les deux sens, de 6h à minuit. Tél. 2947-7888.

Light Rail Transit (LTR)

Suivant cinq itinéraires situés à l'ouest des Nouveaux Territoires, ce réseau relie les quartiers suburbains séparant les villes nouvelles de Yuen Long et de Tuen Mun, de 5h30 à 0h30. La correspondance entre le LTR et un service de ferries en direction de Central est assurée à Yuen Long.

Renseignements sur les billets

Les cartes électroniques prépayées, valables pour des trajets multiples et baptisées « Octopus », s'utilisent aussi bien sur les réseaux du MTR, du KCR, du LTR, de City Bus, de Kowloon Motor Bus et des ferries desservant les îles alentour. De valeurs diverses, elles sont vendues dans les stations du MTR et du KCR. Présentez la carte devant le lecteur électronique pour acquitter le prix du trajet.

Taxis

Environ 18 000 taxis équipés de compteurs sillonnent Hong-Kong. Leurs tarifs sont bas en comparaison avec la majorité des villes occidentales.

La couleur des véhicules varie : ils sont rouges sur Kowloon et l'île de Hong-Kong ; verts au-delà de la zone urbaine et dans les autres îles.

Vous devrez payer un supplément de 20 $HK pour traverser le port en empruntant l'un des tunnels. Les taxis ne peuvent déposer ou charger des passagers aux endroits signalés par une barre jaune sur le côté de la chaussée. Il s'agit en général des lieux sujets à embouteillages.

La plupart des chauffeurs parlent un peu anglais et connaissent la localisation des principaux hôtels et sites touristiques.

Le numéro d'identification du véhicule est affiché sur le tableau de bord. Composez le 2527-7177 pour toute réclamation.

Pour les objets trouvés, contactez le 2385-8288.

Conseils pratiques

COMMUNICATIONS

BUREAUX DE POSTE

Les deux bureaux principaux sont celui qui jouxte le quai de Star Ferry sur l'île de Hong-Kong et celui du 10 Middle Road, à Kowloon. Ils sont ouverts de 8h à 18h du lundi au samedi, et de 8h à 14h le dimanche. Les bureaux plus petits ferment à 17h du lundi au vendredi, à 13h le samedi et n'ouvrent pas leurs portes les dimanches et jours fériés. Appelez le 2921-2222 pour connaître l'emplacement des autres bureaux.

TÉLÉPHONE

Vous trouverez pléthore de téléphones publics. Un appel local est facturé 1 $HK les 5 min. Certains n'acceptent que les cartes ou les pièces, d'autres vous permettront d'utiliser les cartes bancaires et les cartes téléphoniques. Des cartes prépayées de 50 $HK, 150 $HK et 200 $HK sont vendues par les commerçants.Les appels locaux depuis les téléphones fixes privés sont gratuits, et les habitants de Hong-Kong considèrent le fait de pouvoir passer des appels locaux gracieusement depuis les bars, restaurants et boutiques comme un droit inaliénable. Les numéros de téléphone sont composés de huit chiffres et ne comportent pas d'indicatif régional.

Pour appeler Hong-Kong depuis l'étranger, composez le code d'accès à l'international puis celui de Hong-Kong (852) avant le numéro. Composez le 10010 pour un appel en PCV, le 1081 pour les renseignements téléphoniques, le 10013 pour les informations sur les cartes prépayées et les renseignements internationaux.

CONVERSIONS

Le système de mesure impérial britannique est toujours en vigueur mais le système métrique est utilisé pour les poids et mesures.

1 mile = 1,6 km

1 kg = 2,2 lbs
1 tonne = 0,98 ton

1 litre = 1,75 pints

0°C = 32°F

ÉLECTRICITÉ

Tous les appareils électriques fonctionnent sur 220 volts. Les prises standard sont à trois broches rectangulaires. Elles correspondent à celles qui sont utilisées en Grande-Bretagne. La majorité des hôtels en sont équipés. Certains bâtiments anciens sont équipés d'un mélange de prises à deux broches rondes et à trois broches. Vous trouverez sans peine des adaptateurs dans les supermarchés et les boutiques spécialisées en matériel électrique.

JOURS FÉRIÉS

Les banques, bureaux de poste et administrations sont fermés les dimanches et jours fériés, tout comme la majorité des entreprises. La plupart des commerces, des restaurants et des bars restent en revanche ouverts, à l'exception des quelques jours qui marquent le Nouvel An chinois. Cette période, durant laquelle de nombreux Hongkongais se rendent à l'étranger, est la plus calme du calendrier. Les dates exactes varient d'une année sur l'autre, en général entre mi-janvier et mi-février. Il existe de nombreux autres jours fériés chinois dont la date est fixée selon le calendrier lunaire.

De nombreuses boutiques chinoises restent ouvertes le jour de Noël.

Les jours suivants sont fériés :

1er janvier
Nouvel An
Janvier/février
Nouvel An chinois
Fin mars/début avril
Vendredi saint, samedi saint et lundi de Pâques
Début avril
Ching Ming
Avril/mai
Anniversaire du Bouddha
1er mai
Fête du travail
1er juillet
Anniversaire de la rétrocession de l'ancienne colonie britannique de Hong-Kong à la Chine
17 août
Commémoration de la victoire de la guerre sino-japonaise
Septembre
Festival de la Mi-Automne
1er octobre
Fête nationale chinoise
25 et 26 décembre
Noël

RÉGLEMENTATION

Hong-Kong bénéficie de réglementations particulièrement libérales. L'alcool est potentiellement vendu partout, des kiosques de rue aux supermarchés, en passant par les ferries naviguant dans le port. La consommation d'alcool est autorisée à toutes heures, 7 jours sur 7. De nombreux bars ouvrent leurs portes de la fin de la matinée à 3h du matin. La vente d'alcool aux moins de 18 ans est interdite.

MÉDIAS

JOURNAUX

La presse hongkongaise est libre et ouverte au monde et aux idées. Elle inclut deux quotidiens locaux en anglais, *The South China Morning Post* et *The Standard*. Vous y trouverez des informations locales et internationales, des sections consacrées au football, au baseball, au basket et au hockey. L'*Asian Wall Street Journal* est publié à Hong-Kong. Le *Post* met l'accent sur les informations en provenance de Chine continentale. Plusieurs suppléments hebdomadaires gratuits *What's On* consacrés aux sorties et spectacles sont largement distribués dans les bars et les restaurants. Pléthore de quotidiens en chinois s'ajoutent à cette offre. De nombreux magazines hebdomadaires sont par ailleurs basés à Hong-Kong, parmi lesquels *Far Eastern Economic Review*, *Time Asia* et *Asiaweek*. La presse internationale est disponible dans les kiosques et les librairies. Les kiosques à journaux situés dans le hall de Star Ferry, à Tsim Sha Tsui, proposent une large sélection de journaux européens, canadiens et asiatiques.

RADIO

Treize stations de radio diffusent musique, informations et autres programmes sur la bande FM et les ondes courtes. Elles sont pour la plupart cantonaises, mais certaines proposent des programmes en anglais. Les bulletins d'informations internationales, émis toutes les heures sur les ondes courtes par le BBC World Service, sont retransmis sur une fréquence d'ondes moyennes locale qui leur garantit une excellente réception. Vous pourrez capter également Radio France Internationale (www.rfi.fr) et Radio Canada International (www. rcinet.ca).

TÉLÉVISION

Deux chaînes de télévision terrestre gratuites en anglais émettent à Hong-Kong. Dans la majorité des hôtels, elles côtoient de nombreux bouquets diffusés par câble ou satellite et incluant CNN, CNBC, BBC World et des chaînes thématiques consacrées au sport ou au cinéma.

QUESTIONS D'ARGENT

La monnaie en vigueur, indexée au dollar américain, est le dollar de Hong-Kong (le taux est d'environ 7,79 $HK pour 1 $US, soit 0,81 €). Le dollar de Hong-Kong se divise en 100 cents. Il existe des pièces de 10, 20 et 50 cents, et de 1 $, 2 $, 5 $ et 10 $. Les billets se présentent en coupures de 10 $, 20 $, 50 $, 100 $, 500 $ et 1 000 $.

Les billets existent en trois versions pour chaque montant et comportent les noms de trois banques différentes : la Standard Chartered Banking Corporation, la Bank of China, et la plus importante, la Hong Kong and Shanghai Banking Corporation (HSBC).

Les grandes agences bancaires, notamment celles du quartier des affaires de l'île de Hong-Kong, proposent des services de change de devises et de chèques de voyage. Vous trouverez des bureaux de change à l'aéroport et dans les principaux quartiers touristiques fréquentés par les visiteurs étrangers. Les taux qu'ils pratiquent sont en général plus bas que ceux des banques. Les banques et les bureaux de change prennent une commission. Renseignez-vous à l'avance.

Les hôtels proposent des services de change de devises et de chèques de voyage pour leurs clients, souvent à un taux plus intéressant que les banques et les bureaux de change.

Les distributeurs de billets situés en façade des banques sont largement utilisés pas les Hongkongais. Les machines « Electronic money » de la HSBC permettent aux possesseurs de cartes Visa et MasterCard de retirer de l'argent 24 h/24. Les titulaires de cartes American Express ont accès en outre aux distributeurs du réseau de banques locales Jetco et peuvent retirer de l'argent et des chèques de voyage auprès des machines « Express Cash ».

Un nombre croissant de distributeurs automatiques sont affiliés aux réseaux Maestro et Cirrus (Eurocard/MasterCard).

HEURES D'OUVERTURE

Les boutiques et les grands magasins ouvrent 7 jours sur 7. Les grands magasins accueillent le public de 10h à 20h ou 21h environ. Les commerces plus petits, notamment ceux de Kowloon et de Causeway Bay, ne ferment pas leurs portes avant 23h, voire plus tard. Certains marchés de nuit restent ouverts jusqu'à 23h.

Les horaires des principales banques s'étendent de 9h à 16h30 du lundi au vendredi, et de 9h à 12h30 le samedi. Les entreprises sont en général ouvertes de 9h à 17h du lundi au vendredi et le samedi matin. Les administrations accueillent le public de 9h à 17h du lundi au vendredi, et de 9h à 12h ou 13h le samedi. Certaines ferment entre 13h et 14h.

La majorité des boutiques restent ouvertes les week-ends et jours fériés (hormis quelques jours durant le Nouvel An chinois), mais les banques, bureaux de poste et administrations ferment.

RELIGION

Le bouddhisme et le taoïsme sont les principales religions. Ils côtoient une communauté chrétienne assez importante. On dénombre environ 80 000 musulmans et des petites communautés hindoue, sikh et juive.

LIEUX DE CULTE

Catholic Cathedral of the Immaculate Conception,
16 Caine Rd., Mid-Levels, île de Hong-Kong, tél. 2522-8212

Anglicane Dioceses of Hong Kong,
1 Lower Albert Rd., Central, tél. 2526-5335

Islam Union of Hong Kong, Osman Ramju Sadick Islamic Center,
40 Oi Kwan Rd., Wan Chai, tél. 2575-2218

Jewish Cultural Center and Synagogue,
1 Robinson Place, 70 Robinson Road, Mid-Levels, tél. 2801-5440

DÉCALAGE HORAIRE

La pendule affiche une différence de + 8 heures en hiver et + 7 heures en été avec le méridien de Greenwich (heure GMT).

Le décalage horaire avec Paris est ainsi de + 7 heures en hiver et de + 6 heures en été.

Aucun changement d'heure n'est appliqué entre l'été et l'hiver.

POURBOIRES

Le pourboire n'est pas une obligation à Hong-Kong. La plupart des hôtels et des restaurants de catégorie supérieure ajoutent 10% de service à la note, ce qui remplace le pourboire. Ailleurs, vous pourrez laisser un pourboire (moins de 10%) si vous le souhaitez et si la qualité de service le justifie. Déposer quelques pièces sur le plateau de service est courant dans les petits cafés et bars. Arrondissez au dollar supérieur dans les taxis.

VISITES GUIDÉES

Le **Hong Kong Tourism Board** (voir p. 242) propose d'excellentes visites guidées, en association avec plusieurs tours-opérateurs. Nous vous invitons à participer à certaines d'entre elles si votre temps est limité. Le circuit baptisé « The Land Between » propose un aperçu des Nouveaux Territoires. Les itinéraires consacrés au patrimoine vous feront découvrir des temples, des villages bordés d'enceintes et des temples ancestraux.

Un circuit vous emmènera à Lantau et à ses plages, à un village de pêcheurs et au monastère de Po Lin. Vous aurez aussi le choix entre différentes croisières dans le port, de jour ou de nuit. Un rapide survol de Hong-Kong en hélicoptère et une visite de la ville en limousine avec chauffeur sont également proposés.

VOYAGEURS HANDICAPÉS

Si de nombreux bâtiments modernes sont accessibles en fauteuil roulant, les édifices plus anciens posent davantage de problèmes. La plupart des hôtels de catégorie supérieure offrent des services adaptés aux handicapés. Mieux vaut les prévenir à l'avance. Se déplacer en fauteuil roulant dans les rues bondées de Hong-Kong peut tourner au cauchemar. Si certains chauffeurs de taxi sont prévenants et serviables, les transports publics, néanmoins, ne vous fourniront aucune aide.

INFOS TOURISTIQUES

Outre ses trois centres d'accueil, le Hong Kong Tourism Board (HKTB) possède un service d'information téléphonique (tél. 2508-1234, en anglais). Il fonctionne tous les jours, de 8h à 18h.

Aéroport
Dans le hall d'arrivée et la zone de transit. Renseignements de 7h à 22h tous les jours.

Kowloon
Terminal de Star Ferry,
tous les jours de 8h à 18h.

Île de Hong-Kong
The Center, 1er étage,
99 Queen's Rd. Central.
Ouvert tous les jours de 8h à 18h.

OFFICES DU TOURISME À L'ÉTRANGER

Le HKTB dispose de représentations dans de nombreux pays, dont voici les principales :

France
37, rue Caumartin, 75009 Paris
Tél. 01 42 65 66 64

Suisse
Allée David-Morse 5,
1211 Genève 20
Case postale 1211 Genève 20
Tél. 41 022 730 13 00

Pour les francophones
Alliance française
123 Hennessy Road, Wanchai, Hong Kong. Tél. 2527-7825.
Également à Kowloon et Macao.
www.alliancefrancaise.com.hk

URGENCES À HONG-KONG

CONSULATS

Belgique
St. John's Building (9th floor),
33 Garden Road, Central,
Hong-Kong, tél. 2524-3111

Canada
Exchange Square (14th floor),
Tour 1, 8 Connaught Place, Central,
Hong-Kong, tél. 2867-7348

France
Admiralty Centre, Tour II, 25/F and 26/F, 18 Harcourt Road,
GPO Box 13, Hong-Kong,
tél. 3196-6100, www.france.com.hk

Suisse
Suite 6206-07, Central Plaza,
18 Harbour Rd., Wan Chai,
tél. 2522 7147

NUMÉROS D'URGENCE

Police, pompiers ou ambulances sont accessibles au tél. 999.

SERVICES MÉDICAUX

Sur l'île de Hong-Kong :
Hôpital Queen Mary,
Pokfulam Rd., tél. 2855-3838

À Kowloon :
Hôpital Queen Elizabeth,
30 Gascoigne Rd., tél. 2958-8888

Les hôpitaux ci-dessous accueillent les patients 24h/24 :
Caritas Medical Center,
111 Wing Hung St., Sham Shui Po, Kowloon, tél. 3408--7911

Prince of Wales,
30-32 Ngan Shing St., Sha Tin,
Nouveaux Territoires,
tél. 2645-1222

Queen Mary Hospital,
102 Pokfulam Rd., Hong Kong,
tél. 2855-3111

DÉCLARATION DE PERTE OU DE VOL DE CARTES BANCAIRES ET DE CHÈQUES DE VOYAGE

American Express, tél. 2811-6122
Diners Card, tél. 2860-1888
MasterCard, tél. 800-966677
Visa, tél. 800-900 782

SANTÉ

Aucune précaution ou vaccination particulière n'est nécessaire. Glaçons et eau du robinet sont normalement potables dans les hôtels mais les visiteurs préfèrent s'en tenir à l'eau minérale.

Les visiteurs n'étant pas couverts par le service de santé public, il est conseillé de souscrire une assurance médicale avant le voyage. Les hôpitaux publics assurent des soins d'urgence 24h/24 aux étrangers moyennant une contribution modeste, mais ils sont souvent bondés. La majorité des grands hôtels pourront vous mettre en contact avec un médecin dans un délai rapide.

Les îles des environs de Hong-Kong et les sentiers de randonnée sont infestés de moustiques, à plus forte raison durant les mois d'été, chauds et humides. Ils piquent surtout à la tombée du jour et ne sont pas porteurs du paludisme, mais peuvent causer des démangeaisons sévères sur les peaux les plus sensibles. Il est conseillé de porter des vêtements couvrants et d'utiliser un anti-moustiques.

Buvez de grandes quantités d'eau minérale si vous marchez durant les mois chauds et humides. Prévoyez une crème solaire (protection 15 ou plus), le soleil subtropical pouvant causer des coups de soleil, même lorsque le temps est couvert.

SÉCURITÉ

Hong-Kong est une ville sûre. Vous ne rencontrerez en règle générale aucun problème lors de vos déplacements dans la majorité des quartiers. Cette règle s'applique de jour comme de nuit, pour les hommes comme pour les femmes. La criminalité envers les visiteurs est quasi-inexistante. Le grand nombre d'agents et la faible superficie de Hong-Kong aidant, les forces de police sont très présentes. Comme partout, ne laissez pas de sacs ou bagages sans surveillance dans les lieux publics. Des pickpockets tentent parfois leur chance dans le MTR et les marchés de nuit, aux heures d'affluence.

RESTAURANTS ET HÔTELS

Les hôtels de Hong-Kong ont longtemps figuré parmi les plus chers du monde. Les temps ont changé et les visiteurs trouveront maintenant de bonnes affaires sur place. La majorité des hôtels de la ville proposent un service efficace et des chambres bien équipées à un prix raisonnable. Les restaurants de Hong-Kong – ceux servant des spécialités cantonaises en tête – sont réputés dans toute l'Asie. Cette ville cosmopolite propose des cuisines en provenance de tous les pays du monde. La scène culinaire de la ville reste néanmoins onéreuse.

HÔTELS

Il y a encore quelques années, certains hôtels de l'île n'hésitaient pas à réclamer 155 € par nuit pour une chambre n'offrant guère plus qu'un équipement de base. La surabondance de chambres et la baisse de fréquentation suite à la rétrocession à la Chine de 1997 ont poussé de nombreux établissements de catégorie moyenne à revoir leurs tarifs à la baisse. L'arrivée de visiteurs en provenance de Chine continentale, qui ne pouvaient acquitter les sommes demandées, a également contribué à faire baisser les tarifs.

Les hôtels les plus réputés proposent un service et des prestations de la plus haute qualité, mais les tarifs sont à l'avenant. Ils sont regroupés dans les quartiers de Central et d'Admiralty, sur l'île de Hong-Kong, et à Tsim Sha Tsui. Des options moins onéreuses existent dans les quartiers de Western ou de Causeway Bay, en remontant Kowloon et dans les Nouveaux Territoires.

En règle générale, ne vous attendez pas à trouver des chambres de grande taille dans les établissements de catégorie moyenne ou bon marché. À l'image des logements de la ville, elles sont le plus souvent petites, au point, pour certaines, de ressembler à des cellules.

Commencez votre recherche de logement avant votre arrivée. La Hong Kong Hotel Association dispose d'un excellent site Internet (www.hkta.org/hkta/). Certains hôtels offrent des réductions dans le cas de réservations par Internet. Nombreux sont ceux qui proposent d'importantes réductions pour les séjours de sept nuits ou plus à ceux qui en font la demande. La majorité des établissements ajouteront 10% de service et 3% de taxe gouvernementale à votre note.

Macao compte des adresses proposant un excellent rapport qualité-prix. Les tarifs d'hébergement et de restauration y sont parfois jusqu'à trois fois moins élevés qu'à Hong-Kong.

La plupart des grands hôtels se doublent d'un restaurant de qualité. Ceux qui méritent l'attention sont signalés dans le paragraphe concernant l'hôtel.

RESTAURANTS

Hong-Kong affiche la plus grande concentration de restaurants par habitants du monde. Si de nombreux visiteurs s'y rendent d'abord pour y déguster de savoureuses spécialités chinoises, on y trouve aussi un large éventail de cuisines venues d'autres horizons : Sud-Est asiatique, Asie orientale et autres pays du monde.

Les restaurants de Hong-Kong ne sont pas particulièrement bon marché. La nourriture est de bonne qualité, mais les prix sont à l'avenant, même si de nombreux établissements proposent des plats du jour au déjeuner et des formules le soir meilleur marché. Les restaurants et bars ont également la fâcheuse habitude d'appliquer les mêmes tarifs aux boissons alcoolisées et sans alcool. Ne vous étonnez donc pas si un soda vous est facturé 5,50 ou 6,50 € dans certains établissements. Les tarifs des bouteilles de vin peuvent être particulièrement exorbitants, à plus forte raison dans les adresses luxueuses.

Macao est un cas à part. Outre les spécialités typiquement portugaises, cette cuisine de fusion intègre des saveurs d'origine indienne, africaine et locale.

PRIX

HÔTELS

Le nombre de € indique le coût d'une chambre double, petit déjeuner non compris.

€ € € € €	plus de 320 €
€ € € €	de 240 à 320 €
€ € €	de 160 à 240 €
€ €	de 80 à 160 €
€	moins de 80 €

RESTAURANTS

Le nombre de € indique le coût d'un dîner complet, boissons non comprises.

€ € € € €	plus de 70 €
€ € € €	de 50 à 70 €
€ € €	de 30 à 50 €
€ €	de 15 à 30 €
€	moins de 15 €

La fraîcheur des ingrédients est le maître mot de la cuisine cantonaise. Les menus sont ainsi le reflet du marché du jour. Les poissons et fruits de mer sont souvent gardés vivants et présentés sur place, prêts à être cuisinés à la demande.

Les restaurants ouvrent en général de 11h30 à 15h pour le déjeuner. Ils rouvrent pour le dîner, de 18h à 23h environ. Il n'est pas nécessaire de laisser un pourboire si vous constatez qu'un supplément de 10% a été ajouté à la note.

Nombre des restaurants ci-après étant très fréquentés – entre 13h et 14h et au dîner – il est préférable de réserver.

CLASSIFICATION

Restaurants : le tableau ci-après (p. 244-245) répertorie les restaurants par gamme de prix. Dans les pages qui suivent, les établissements sont classés par quartier, puis par ordre de prix décroissant à l'intérieur de chaque quartier.

Hôtels : le tableau des pages 252-253 répertorie les hôtels par ordre alphabétique. Dans les pages qui suivent, ils sont classés par quartier, puis par ordre de prix décroissant à l'intérieur de chaque quartier.

N°		tél.	fermeture	non-fumeur	cartes bancaires	couverts	parking
	moins de 15 €						
71	BOLO DE ARROZ	853/339-089		●		30	
15	GREENLANDS	2893-0587		●	●	35	
72	RIQUEXO	853/565-655		●	●	40	
37	STEAM AND STEW IN	2529-3913			MC,V	100	
	de 15 € à 30 €						
14	2 SARDINES	2973-6618		●	●	25	
43	BANANA LEAF	2573-8187		●	●	140	
29	BEIRUT	2804-6611	dim. 16h	●	●	48	
20	CHIU CHOW GARDEN	2845-4151		●	●	140	
44	DIM SUM	2834-8893		●	●	160	
21	DUBLIN JACK	2543-0081			●	68	
35	EIGHTEEN BROOK	2827-8802		●	●	90	
69	FERNANDO'S	853/882-264		●		50	
45	KUNG TAK LAM	2890-3127		●	●	90	
22	LA CITE	2522-8830		●	●	70	
47	LUCY'S	2813-9055		●	●	40	
46	OUTBACK STEACKHOUSE	2881-8012			●	90	
70	POUSADA DE COLOANE	853/882-143		●	●	80	●
63	SAMPAN SEAFOOD RESTAURANT	2982-2388			●	200	
49	SPICES	2812-2711		●	●	60	
13	STAUNTON'S WINE BAR & CAFÉ	2973-6611			●	60	
36	VICEROY	2827-7777		●	●	90	
	de 30 € à 50 €						
65	A LORCHA	853/313-195	mar.	●	●	70	
32	AMERICAN PEKING	2527-1000		●	●	140	
24	CAFÉ DES ARTISTES	2526-3880		●	●	40	
66	CLUBE MILITAR DE MACAU	853/714-000		●	●	70	
39	COVA	2907-3399		●	●	80	
40	FORUM	2891-2516		●	●	80	
33	HK LAO SHANG HAI	2827-9339		●	●	160	
57	HOI KING HEEN	2731-2883		●	●	110	
05	HUNAN GARDEN	2868-2880		●	●	80	
25	INDOCHINE 1929	2869-7399		●	●	60	
06	JIMMY'S KITCHEN	2526-5293		●	●	46	
07	KIKU	2521-3344		●	●	120	
67	LITORAL	853/967-878		●	●	76	●
34	LIU YUAN	2510-0483		●	●	90	
08	LUK YU TEA HOUSE	2523-1970		●	●	76	

Hong Kong Island North — Hong Kong Island South — Kowloon — Îles autour de Hong-Kong — Escapades

N°		tél.	fermeture	non-fumeur	cartes bancaires	couverts	parking
de 30 € à 50 €							
09	M AT THE FRINGE	2813-6262					
41	MYUNG GA	2882-5056		●	●	90	
10	ORANGE TREE	2838-9352		●	●	50	
26	POST 97	2186-1816		●	●	48	
27	RED PEPPER	2577-3811		●	●	50	
68	SAI NAM	853/574-072		●	●	120	
59	SAKURADA	2622-6164		●	●	80	
60	SPRING DEER	2366-4012		●	●	110	
42	SNOW GARDEN	2881-6837		●	●	110	
61	TAI PAN GRILL	2113-0088		●	●	80	
28	THAI LEMON GRASS	2905-1688		●	●	46	
62	WU KONG	2366-7244		●	●	120	
11	WYNDHAM STREET THAI	2869-6216	dim. déj.	●	●	36	
58	YAN TOH HEEN	2721-1211		●	●	90	
12	YUNG KEE	2522-1624		●	●	120	
19	ZEN	2845-4555		●	●	86	
de 50 € à 70 €					●		
53	BELVEDERE	2731-2880		●	●	50	●
54	CHESA	2315-3169		●	●	80	
55	FOOK LAM MOON	2366-0286			●		
56	HUGO'S	2311-1234		●	●	90	
02	LE TIRE BOUCHON	2523-5459		●	●	60	
18	MAN HO	2841-3853		●	●	80	
03	SHANGAI SHANGAI	2869-0328		●	●	90	●
04	SOHO SOHO	2147-2618		●	●	55	
30	THE PEAK LOOKOUT	2849-1000		●	●	90	
48	THE VERANDAH	2812-2722		●	●	80	
64	TUNG YEE HEEN	853/567-888			●	160	●
23	VA BENE	2845-5577		●	●	60	
38	W'S ENTRECOTE	2506-0133		●	●	90	
plus de 70 €					●		
16	BRASSERIE ON THE EIGHTH	2521-3838	sam. déj.	●	●	76	●
50	FELIX	2315-3188	déj.	●	●	76	●
51	GADDI'S	2315-3171		●	●	80	●
31	KAETSU	2588-1234		●	●	90	●
17	NICHOLINI'S	2521-3838		●	●	110	●
01	VONG	2825-4028		●	●	120	●
52	YU	2721-1211		●	●	90	

Principales cartes bancaires internationales acceptées.

MC : Master Card

V : Visa

HONG KONG ISLAND NORTH

CENTRAL

01 – VONG

€€€€€
MANDARIN ORIENTAL
5 CONNAUGHT RD.
TÉL. 2825-4028

La cuisine et le cadre ne ménagent pas leurs efforts pour mêler les styles français et asiatique. La carte fait la part belle aux fruits de mer, avec des spécialités comme la langouste aux herbes thaï et les rouleaux de printemps au crabe servis avec une sauce au tamarin. Goûtez l'assortiment de hors-d'œuvre appelé « black plate ».

02 – LE TIRE BOUCHON

€€€€
45 GRAHAM ST.
TÉL. 2523-5459

Ce restaurant français situé dans une rue calme vous accueille dans un cadre spacieux et romantique. Les spécialités incluent la salade de fromage de chèvre rôti, le foie de canard poêlé au calvados et aux pommes, et un savoureux châteaubriant.

03 – SHANGHAI SHANGHAI

€€€€
RITZ CARLTON
4 ROBINSON RD.
TÉL. 2869-0328

Pour les nostalgiques des clubs-restaurants des années 1920, allez au sous-sol du Ritz-Carlton. Le menu combine des plats cantonais et shanghaïens. L'une des spécialités est le poulet ivre, cuisiné selon une recette cantonaise avec une généreuse rasade de chardonnay. Pour la gastronomie de Shanghai, goûtez la queue de poisson en sauce brune et les nouilles braisées au poulet. Un spectacle musical débute à 21h30.

04 – SOHO SOHO

€€€€
43 LYNDHUST TER.
TÉL. 2147-2618

Ici, on prouve que les Britanniques peuvent servir autre chose que des fish and chips et des légumes trop cuits. D'où cette cuisine baptisée « Modern British », au carrefour de spécialités traditionnelles anglaises et de touches méditerranéennes, comme l'agneau rôti au poivre et aux épinards, et le foie de veau au bacon et à la tomate. Parmi les desserts, citons le pudding au caramel.

05 – HUNAN GARDEN

€€€
THE FORUM, 3e ÉTAGE
EXCHANGE SQ.
TÉL. 2868-2880

La cuisine du Hunan, plus riche et souvent plus épicée que la cantonaise, reste assez rare à Hong-Kong. Goûtez le délicat jambon du Hunan, la purée à la soupe de bambou ou les anguilles en sauce à l'ail. Vin de riz chinois à la carte.

06 – JIMMY'S KITCHEN

€€€
SOUTH CHINA BUILDING
1-3 WYNDHAM ST.
TÉL. 2526-5293

Pour de nombreux résidents, la scène culinaire de la ville ne serait plus la même sans « Jimmy's ». L'ambiance et le décor rococo façon pub anglais sont démentis par une cuisine d'inspiration britannique, rehaussée de touches chinoises. Les huîtres « kilpatrick » et le steak au poivre sont des classiques. La spécialité est l'assortiment de fruits de mer grillés.

07 – KIKU

€€€
13 BASEMENT, THE LANDMARK
TÉL. 2521-3344

Un repaire d'hommes d'affaires au cœur du quartier de la finance. Le buffet est apprécié pour la fraîcheur de ses sushis, son bœuf shabu shabu et sa soupe claire aux palourdes. Vin de ginseng.

RECOMMANDE

08 – LUK YU TEA HOUSE

€€€
LUK TEA BUILDING
24 STANLEY ST.
TÉL. 2523-1970

Des miroirs Art déco du début du XXe siècle aux murs lambrissés, en passant par les ventilateurs, tout est ici d'époque. L'ambiance est affairée et bruyante, mais on peut s'isoler dans un box privé. Parmi les spécialités cantonaises, citons les ailerons de requins et la soupe aux nids d'hirondelles. Des dim sum figurent également au menu.

09 – M AT THE FRINGE

€€€
2 LOWER ALBRET ROAD
CENTRAL
TÉL. 2813-6262

La table de Michelle Garnaut fait le bonheur des Hong-Kongais depuis près de 15 ans. Le superbe décor va de pair avec le menu, dont l'un des points forts est le gigot cuit lentement en croûte de sel, servi avec des aubergines grillées, du potiron rôti, des haricots et des pommes de terre.

10 – ORANGE TREE

€€€
17 SHELLEY ST.
TÉL. 2838-9352

Le chef et propriétaire hollandais Pieter Onderwater offre un éventail de plats orientaux et européens, dans un cadre intime le long de l'escalator des Mid-Levels. La majorité des poissons et l'anguille fumée sont importés de la terre natale du propriétaire. Les végétariens ne sont pas en reste, avec notamment l'artichaut aux asperges.

11 – WYNDHAM STREET THAI

€€€
60 WYNDHAM ST.
TÉL. 2869-6216

Un restaurant thaïlandais chic où le soin apporté à la fraîcheur des ingrédients s'illustre par les plats du jour. Les herbes, poivres et piments sont importés quotidiennement par avion, ce qui se ressent dans les prix. La salade de pamplemousse aux herbes est particulièrement savoureuse.

12 – YUNG KEE

€€€
32-40 WELLINGTON ST.
TÉL. 2522-1624

Cette institution dédiée à la cuisine cantonaise a été fondée dans les années 1940. L'oie rôtie a une réputation telle que le restaurant en sert 300 par jour. Le menu change fréquemment mais n'oublie jamais les végétariens. Des dim sum sont servis l'après-midi.

13 – STAUNTON'S WINE BAR & CAFÉ

€€
10-12 STAUNTON ST.
TEL. 2973-6611

Ce restaurant, bar et rendez-vous branché, niché le long de l'escalator des Mid-Levels, est le lieu idéal pour voir Hong-Kong et être vu.

14 – 2 SARDINES

€€
43 ELGIN ST.
TÉL. 2973-6618

Un air de Méditerranée semble flotter au-dessus de cet accueillant bistro de SoHo mitoyen de l'escalator des Mid-Levels. Les sardines et autres poissons sont la raison d'être des lieux. Petite sélection de vins européens à prix raisonnables.

15 – GREENLANDS

€
64-66 WELLINGTON ST.
CENTRAL
TÉL. 2893-0587

Sauces crémeuses et saveurs délicates sont la marque de fabrique de cette adresse indienne. Outre le menu, le chef propose les jours de semaine un buffet midi et soir d'un excellent rapport qualité-prix. Il est préférable de réserver.

ADMIRALTY

16 – BRASSERIE ON THE EIGHTH

€€€€€
CONRAD INTERNATIONAL
PACIFIC PLACE
TÉL. 2521-3838

Cette table française chic fait se côtoyer des plats traditionnels, comme la queue de bœuf braisée ou la bouillabaisse et des créations contemporaines plus légères, à l'image des coquilles Saint-Jacques aux graines de sésame.

17 – NICHOLINI'S

€€€€€
CONRAD INTERNATIONAL
PACIFIC PLACE
TÉL. 2521-3838

Vous découvrirez un point de vue panoramique sur le port et la péninsule de Kowloon depuis cet élégant restaurant italien. La cuisine s'inspire des spécialités de la région de Vérone d'où est originaire le chef réputé Giovanni Greggio. La carte fait la part belle aux produits de la mer, comme le calamar à la vénitienne et le bar rôti aux aubergines et aux olives. Les pâtes sont maison.

18 – MAN HO

€€€€
JW MARRIOTT, 1 PACIFIC PLACE
TÉL. 2841-3853

Le pigeon fumé au thé mérite, à lui seul, le déplacement, mais le canard braisé aux racines de lotus, servi avec une sauce savoureuse, reflète aussi bien la qualité du menu chinois. Man Ho est très fréquenté à l'heure du déjeuner.

19 – ZEN

€€€
THE MALL, 1ER SOUS-SOL
PACIFIC PLACE
TÉL. 2845-4555

Cantonais mais très occidentalisé, le Zen s'inspire de son alter ego ouvert de longue date à Londres. Il est bondé à l'heure du déjeuner et les clients font la queue, même pour acheter des plats à emporter. Ne manquez pas les ailes de poulet désossées, frites, farcies aux légumes et servies avec une sauce citronnée. Dim sum préparés à la demande.

20 – CHIU CHOW GARDEN

€€
RDC, LIPPO CENTER
TÉL. 2845-4151

Au bruit et à l'agitation qui caractérisent tous les bons restaurants chinois, s'ajoute ici un décor éclatant. Parmi les spécialités, citons le crabe poché servi froid, l'oie au soja et à la pâte de haricots et le porc émincé enrobé de feuilles d'olive. La carte propose des vins bon marché.

21 – DUBLIN JACK

€€
37 COCHRANE ST.
TÉL. 2543-0081

Ce véritable bar irlandais offre davantage qu'une large sélection de scotchs, whiskies et bières pression. Vous y trouverez de copieux ragoûts, des saucisses, de la purée maison et – personne ne le contredira – la meilleure friture de Hong-Kong.

22 – LA CITE

€€
1er SOUS-SOL, PACIFIC PLACE
TÉL. 2522-8830

Le lieu idéal pour regarder les passants si vous parvenez à mettre la main sur une table en extérieur, dans la cour aérée mais couverte de ce centre commercial. Ce bistro d'inspiration française est idéal pour un déjeuner.

LAN KWAI FONG

23 – VA BENE

€€€€
58 D'AGUILAR ST.
TÉL. 2845-5577

L'un des meilleurs restaurant italiens de Hong-Kong, Va Bene se double d'une belle cave. Les poissons tiennent le haut du pavé – notamment le garoupa (une variété de mérou) poêlé à l'ail et au vin blanc. Le carpaccio de bœuf est la spécialité de la maison.

24 – CAFÉ DES ARTISTES

€€€
30-32 D'AGUILAR ST.
TÉL. 2526-3880

Le mobilier en osier apporte sa touche à l'atmosphère détendue de ce café de style parisien dont le menu change avec les saisons. Essayez la soupe de carottes et de potiron, le magret de canard poêlé au cognac ou le bœuf grillé aux champignons sauvages.

25 – INDOCHINE 1929

€€€
CALIFORNIA TOWER, 2E ÉTAGE
D'AGUILAR ST.
TÉL. 2869-7399

La décoration dans le style colonial français côtoie ici la meilleure

INDICATIONS DE PRIX POUR UN REPAS, VIN NON COMPRIS

des cuisines vietnamiennes. Les plats vont des spécialités « franco-indochinoises » de Hanoi aux préparations, plus relevées, de Ho Chi Minh-Ville. La carte fait la part belle aux poissons. Essayez la spécialité des lieux : le crabe à l'ail. Les vins français sont à l'honneur.

26 – POST 97

€€€

COSMOS BUILDING
9-11 LAN KWAI FONG
TÉL. 2186-1816

Ce repaire des jeunes Chinois et Occidentaux branchés, qui doit son nom à la date de rétrocession de Hong-Kong à la Chine, sert une cuisine d'inspiration britannique ouverte aux influences de la Méditerranée et du Sud-Est asiatique. Blancs de caille aux artichauts et carré d'agneau accompagné de champignons sauvages et de raviolis maison ne sont que quelques-unes des spécialités maison.

27 – RED PEPPER

€€€

7 LAN FONG RD.
TÉL. 2577-3811

Cette cuisine épicée du Sichuan conviendra autant aux végétariens qu'aux amateurs de viande. Les grosses crevettes frites au piment, servies dans un poêlon, sont une valeur sûre.

28 – THAI LEMON GRASS

€€€

RDC, 30-32 D'AGUILAR ST.
TÉL. 2905-1688

Une cuisine thaï des plus subtiles, moins relevée qu'ailleurs, est servie ici dans une atmosphère élégante et chaleureuse. L'accent est mis sur les produits de la mer, à l'image du mulet mijoté à l'ail et au gingembre.

29 – BEIRUT

€€

27 D'AGUILAR ST.
TÉL. 2804-6611

Bondé mais agréable, ce restaurant libanais est naturellement spécialisé dans les *meze*, ce qui en fait une adresse de prédilection des végétariens. Essayez les bouchées fourrées aux légumes. Les amateurs de viande trouveront leur bonheur avec les généreuses portions de shawarma d'agneau épicé.

VICTORIA PEAK

30 – THE PEAK LOOKOUT

€€€€

121 PEAK RD.
TÉL. 2849-1000

Ce restaurant doté d'un beau panorama se décline entre un bar à huîtres et fruits de mer, et un barbecue à ciel ouvert. La cuisine mêle les spécialités régionales – satay, riz au poulet du Hunan – et une touche occidentale, à l'image du rôti du dimanche.

WAN CHAI

31 – KAETSU

€€€€€

GRAND HYATT , 1 HARBOR RD.
TÉL. 2588-1234, POSTE 7088

Kaetsu est le restaurant japonais le plus réputé de Hong-Kong. Les sushis, tout comme les sashimis de coquille Saint-Jacques, sont sans conteste les meilleurs de la ville. Les ingrédients arrivent par avion depuis le Japon et le menu change au fil des saisons. La carte des sakés, particulièrement détaillée, en propose des variétés chaudes et froides.

32 – AMERICAN PEKING

€€€

20 LOCKHART RD.
TÉL. 2527-1000

Véritable institution depuis 1948, American Peking sert des spécialités pékinoises dans un cadre lumineux qui s'étend sur deux étages. Le « poulet du mendiant », l'une des spécialités des lieux, doit être commandé la veille. Il s'agit de poulet farci avec des légumes, des champignons émincés et de la viande de porc, mariné durant deux heures, puis roulé dans des feuilles de lotus et passé au four.

33 – HK LAO SHANG HAI

€€€

CENTURY HONG KONG
238 JAFFE RD.
TÉL. 2827-9339

Vous serez accueilli dans ce vaste restaurant shanghaïen par de grandes jarres en terre cuite dans lesquelles vieillit du vin de riz chinois. Plusieurs variétés sont proposées sur la carte des vins. Essayez le crabe à la mode de Shanghai, mariné dans le vin de riz, le canard aux épices ou les crevettes d'eau douce délicatement poêlées.

34 – LIU YUAN

€€€

303 HENNESSY RD.
TÉL. 2510-0483

Certains font le trajet depuis Shanghai pour goûter la cuisine shanghaïenne de Liu Yuan. Les spécialités sont l'anguille croustillante et une préparation à base de haricots secs émincés et d'une sauce au jambon et au poulet.

35 – EIGHTEEN BROOK

€€

CONVENTION PLAZA,
8E ÉTAGE
1 HARBOR RD.
TÉL. 2827-8802

Cette cuisine d'inspiration cantonaise, rehaussée d'une touche contemporaine et épicée, est servie dans le décor élégant d'une tour de verre et de béton. Côté spécialités, citons les crevettes sautées aux pousses de bambou, au radis, au céleri et au piment.

36 – VICEROY

€€

SUN HUNG KAI CENTER,
2E ÉTAGE , 30 HARBOR RD.
TÉL. 2827-7777

Un mélange de spécialités du Sud et du Sud-Est asiatique, de l'Inde à l'Indonésie. L'accent est mis sur les épices, mais les spécialités tandoori sont goûteuses sans être explosives. La carte comporte un grand choix de plats végétariens indiens.

37 – STEAM AND STEW INN

€

21-23 TAI WONG ST. EAST,
WAN CHAI
TÉL. 2529-3913

Les arômes de plats mijotés, d'épices et d'herbes cantonaises qui accueillent les visiteurs plantent le décor : l'accent est mis ici plus sur les préparations saines et authentiques que sur le raffinement des lieux. Une adresse très appréciée. Repas garantis sans glutamate.

CAUSEWAY BAY

38 – W'S ENTRECOTE

€€€€

33 SHARP ST., EAST

TÉL. 2506-0133

Un restaurant de grillades « à la française », sans surprise mais bon. L'entrecôte grillée au beurre aux herbes est la spécialité des lieux.

39 – COVA

€€€

THE LEE GARDENS

33 HYSAN AVE.

TÉL. 2907-3399

La carte propose des plats en provenance de toute la péninsule italienne. Les pâtes fraîches au saumon fumé et au caviar, le gibier au genièvre et au vin de Barolo, et le bar aux olives et aux tomates sont les spécialités de l'établissement.

40 – FORUM

€€€

485 LOCKHART RD.

TÉL. 2891-2516

Les spécialités cantonaises vont des plats les plus simples aux mets les plus exotiques (mais chers !). Forum est le lieu tout indiqué pour goûter des plats réputés comme les ormeaux, la soupe aux ailerons de requins ou la soupe aux nids d'hirondelle.

41 – MYUNG GA

€€€

WORLD TRADE CENTER

280 GLOUCESTER RD.

TÉL. 2882-5056

Les tables sont dotées de plaques chauffantes permettant de déguster des fondues chinoises ou de cuire soi-même ses grillades. Les spécialités sont la fondue de fruits de mer et une variété de crêpe épicée aux légumes.

42 – SNOW GARDEN

€€€

MING AN PLAZA, 2e ÉTAGE

8 SUNNING RD.

TÉL. 2881-6837

Une alternative à la cuisine cantonaise est offerte par cette adresse shanghaïenne où vous pourrez déguster du pigeon ivre, macéré dans de l'alcool de riz. Dim sum servis toute la journée.

43 – BANANA LEAF

€€

440 JAFFE RD.

TÉL. 2573-8187

La majorité des plats proposés dans ce grand et bruyant établissement aux airs de cantine sont servis sur des feuilles de bananier. La Malaisie est à l'honneur, mais les spécialités épicées en provenance d'Inde, de Thaïlande ou d'Indonésie ne sont pas oubliées. Les meilleurs choix sont certainement le poulet frit dans une feuille de pandanus, le curry de crabe et les jus de fruits exotiques.

44 – DIM SUM

€€

63 SING WOO RD.

HAPPY VALLEY

TÉL. 2834-8893

L'incroyable choix de dim sum, dont la langouste cuite à la vapeur et les bouchées de crevettes, attire une foule d'habitués en quête de nouvelles spécialités. Les coquilles Saint-Jacques et les crevettes poêlées aux asperges et à la sauce pimentée, spécialité plus sichuanaise que cantonaise, est une autre bonne raison de s'attabler ici.

45 – KUNG TAK LAM

€€

31 YEE WO ST.

TÉL. 2890-3127

Cet étonnant restaurant végétarien chinois ne ménage pas ses efforts pour imiter les plats de viande : « anguille frite », « poulet » ou « oie ». La carte propose de l'aubergine à la sauce du Sichuan, des nouilles froides de Shanghai aux sept sauces et, pour finir, des bouchées de farine de riz au sésame noir.

46 – OUTBACK STEAKHOUSE

€€

2/F JP PLAZA, 22-36 PATERSON ST., CAUSEWAY BAY

TÉL. 2881-8012

Ce faux restaurant australien il appartient en fait à une chaîne américaine – sert de bonnes grillades, mais aussi des plats de pâtes, de fruits de mer ainsi que des salades.

HONG KONG ISLAND SOUTH

STANLEY

47 – LUCY'S

€€

64 MAIN ST.

TÉL. 2813-9055

Le style méditerranéen de ce café colle à merveille avec son emplacement en bord de mer. Les accueillants fauteuils en osier donnent le ton du menu du dimanche, composé de salade à la mozzarella, de gnocchis au safran et au vin blanc, ou de soufflé au poireau et au gruyère. Vins au verre.

REPULSE BAY

RECOMMANDÉ

48 – THE VERANDAH

€€€€

REPULSE BAY

THE ARCADE

109 REPULSE BAY

TÉL. 2812-2722

Surplombant la mer, la terrasse du Verandah est idéale pour un thé (15h-17h30) ou un brunch dominical (11h-14h30). Le buffet particulièrement copieux décline des saveurs allant des sushis et du saumon aux œufs Bénédicte au caviar, en passant par l'agneau, le bœuf rôti et les salades. L'endroit devient plus sophistiqué en soirée.

49 – SPICES

€€

THE ARCADE

109 REPULSE BAY

TÉL. 2812-2711

Le menu décline les saveurs traditionnelles des cuisines indienne, singapourienne, indonésienne et coréenne. La possibilité de dîner en plein air dans le vaste patio est l'un des atouts de cette agréable adresse du front de mer.

INDICATIONS DE PRIX POUR UN REPAS, VIN NON COMPRIS

€ < 15 € €€ = 15 - 30 € €€€ = 30 - 50 € €€€€ = 50 - 70 € €€€€€ > 70 €

KOWLOON

50 – FELIX

€€€€€
THE PENINSULA
SALISBURY RD., TSIM SHA TSUI
TÉL. 2315-3188

Cet établissement réputé est avant tout apprécié pour l'exceptionnel panorama sur Hong-Kong depuis son 28e étage. La cuisine, au carrefour des influences orientales et occidentales, est plus exceptionnelle encore : thon obèse à l'ananas et aux épices, cabillaud grillé sauce saké, canard au riz à la shanghaïenne.

51 – GADDI'S

€€€€€
THE PENINSULA
SALISBURY RD., TSIM SHA TSUI
TÉL. 2315-3171

L'un des restaurants français les plus élégants et réputés de Hong-Kong, Gaddi's est le lieu de rendez-vous des célébrités. Jetez votre dévolu sur le bar de l'Atlantique sauce château chalon, l'agneau d'Écosse grillé ou la salade de langouste chaude. La carte des vins, avant tout français, est à la hauteur de la cuisine.

52 – YU

€€€€€
INTERCONTINENTAL
HONG KONG, 18 SALISBURY RD., TSIM SHA TSUI
TÉL. 2721-1211

Ne cherchez pas plus loin la meilleure table pour les fruits de mer. Plusieurs navires de pêche opérant en mer de Chine méridionale s'y consacrent exclusivement. La cuisine européenne est rehaussée de touches asiatiques, à l'image de la langouste à la sauce de haricots noirs.

53 – BELVEDERE

€€€€
GRAND STANFORD
HARBOR VIEW
70 MODY RD., TSIM SHA TSUI
TÉL. 2731-2880

Ambiance romantique, discrétion du service et cuisine régionale française de qualité, tout comme la carte des vins de France, font de cette adresse le lieu idéal pour une occasion spéciale.

54 – CHESA

€€€€
THE PENINSULA, 1er ÉTAGE
SALISBURY RD., TSIM SHA TSUI
TÉL. 2315-3169

Chesa mérite le détour pour sa cuisine influencée par les traditions culinaires suisse, italienne, allemande et française. Essayez les rösti (spécialité suisse à base de pommes de terre) à la mode zurichoise aux escargots et aux herbes, le jambon et la viande de bœuf de montagne et la fondue au gruyère et à l'emmental.

55 – FOOK LAM MOON

€€€€
53-59 KIMBERLEY ROAD
TSIM SHA TSUI
TÉL. 2366-0286

Cette vénérable institution de Hong-Kong doit sa réputation à sa cuisine cantonaise exotique. Le menu est assez cher mais les habitués et les connaisseurs savent que Fook Lam Moon est LA bonne adresse où déguster des spécialités comme l'aileron de requin ou les nids d'hirondelles.

56 – HUGO'S

€€€€
HYATT REGENCY
67 NATHAN RD., TSIM SHA TSUI
TÉL. 2311-1234

Toute l'ambiance d'un château anglais au cœur de Hong-Kong. Il ne manque ni les têtes de cerfs, ni les armures alignées le long des murs, ni les chants et la musique des troubadours. La cuisine est continentale avec des accents britanniques, dont témoigne la sole de Douvres ou le traditionnel rosbif.

57 – HOI KING HEEN

€€€
70 MODY RD., TSIM SHA TSUI
TÉL. 2731-2883

Une excellente cuisine cantonaise qui n'oublie pas des plats végétariens originaux, comme la nostoc commune (une algue comestible) braisée aux champignons et au bambou. Le garoupa (variété de mérou) cuit à la vapeur, sorti du vivier à la demande, est délicieux.

58 – YAN TOH HEEN

€€€
INTERCONTINENTAL
HONG KONG, 18 SALISBURY RD., TSIM SHA TSUI
TÉL. 2721-1211, POSTE 2243

Ce restaurant chic bordant le port est l'occasion de goûter des plats cantonais originaux, comme le ragoût de grenouilles aux aubergines et à la pâte de haricots. Le cochon de lait au barbecue figure parmi les spécialités plus classiques.

59 – SAKURADA

€€€
ROYAL PLAZA
193 PRINCE EDWARD RD.
KOWLOON
TÉL. 2622-6164

Sakurada est à quelques kilomètres du port en remontant Nathan Road, puis en empruntant Prince Edward Road. Le lieu mérite le détour pour sa cuisine japonaise et son élégante décoration. Déclinant des teintes de rouge et de noir, il est ponctué de boiseries japonaises. Le chef mise sur la tradition, tant côté technique que côté ingrédients.

60 – SPRING DEER

€€€
42 MODY RD., TSIM SHA TSUI
TÉL. 2366-4012

Ne ratez pas le canard à la pékinoise de ce restaurant réputé pour ses spécialités. La soupe aigre-douce épicée est aussi copieuse que goûteuse et le jambon mijoté au chou de Tientsin est une valeur sûre.

61 – TAI PAN GRILL

€€€
MARCO POLO HONG KONG,
6e ÉTAGE, 3 CANTON RD.
TSIM SHA TSUI
TÉL. 2113-0088

L'accompagnement au piano donne lieu à une certaine élégance à l'heure du dîner, et quelques tables jouissent d'un point de vue sur l'île de Hong-Kong. Le menu est européen : pâté de foie d'oie, steak Diane et excellents fromages.

62 – WU KONG

€€€
27 NATHAN RD.
TSIM SHA TSUI
TÉL. 2366-7244

Un restaurant en sous-sol apprécié pour sa cuisine shanghaïenne et son personnel accueillant. Les crevettes fraîches sautées et les bouchées de porc à la vapeur ont fait la renommée des lieux, tout comme le pigeon au vin.

ÎLES AUTOUR DE HONG-KONG

ÎLE DE LAMMA

63 – SAMPAN SEAFOOD RESTAURANT

€€
16 MAIN STREET
YUNG SHUE WAN
TÉL. 0852 2982-2388

Une visite de l'île de Lamma ne saurait être complète sans un assortiment de fruits de mer pour accompagner ses superbes paysages. Ne cherchez pas plus loin que ce restaurant de la rue principale de Yung Shue Wan, qui cumule des saveurs typiquement cantonaises et un beau panorama sur la mer. Des dim sum sont servis le matin. Menu en anglais.

ESCAPADES

MACAO

64 – TUNG YEE HEEN

€€€€
MANDARIN ORIENTAL
956 AVENIDA DA AMIZADE
TÉL. 853/567-888

Des saveurs originales et un style cantonais contrastent avec l'atmosphère des lieux, animée et parfois enfumée, qui rappelle davantage un café que le restaurant d'un hôtel de catégorie supérieure. La qualité est au rendez-vous avec des préparations de crustacés à la pâte de crevette de Macao aigre, du pigeon sauce tofu, des haricots jaunes ou encore des fruits de mer à la vapeur et au gingembre. Large choix de thés chinois.

65 – A LORCHA

€€€
289A RUA DO ALMIRANTE
SERGIO, AVANT-PORT
TÉL. 853/313-195

Le patron Adriano Neves pêche lui-même, ce qui garantit la fraîcheur des produits. Ce restaurant portugais dont la réputation n'est plus à faire est tout aussi apprécié pour sa *feijoada* (ragoût de porc et de haricots) et son *arroz de marisco* (calamar farci au riz).

66 – CLUBE MILITAR DE MACAU

€€€
795 AVENIDA DA PRAIA
GRANDE
TÉL. 853/714-000

Une salle de restaurant aérée et agréable dans un bâtiment du XIXe siècle rénové qui abrita par le passé le club militaire portugais. Le club est toujours réservé aux membres mais le restaurant est ouvert à tous. Le menu est portugais, même si quelques plats cantonais s'y sont glissés. Optez pour la *bacalhau a bras*, morue cuite avec des pommes de terre et des oignons. Le Clube Militar offre l'une des meilleures cartes des vins de Macao.

67 – LITORAL

€€€
261A RUA DO ALMIRANTE
SERGIO, AVANT-PORT
TÉL. 853/967-878

Une cuisine de Macao sophistiquée est servie dans ce décor à la mode. On vient ici pour être vu, mais aussi pour déguster du curry de crabe aux œufs de caille, des ragoûts *diablo* et des marmites de bœuf *tacho*.

68 – SAI NAM

€€€
39 RUA DA FELICIDADE
TÉL. 853/574-072

Les fans de soupe aux ailerons de requins sont heureux de faire le trajet jusqu'ici depuis Hong-Kong, où cette spécialité est vendue à prix d'or. Les autres spécialités cantonaises sont le poulet frit, le poisson à la vapeur et une recette de riz originale aromatisée aux feuilles de lotus piquantes.

RECOMMANDÉ

69 – FERNANDO'S

€€
9 HAN SA BEACH
ÎLE DE COLOANE
TÉL. 853/882-264

Un séjour à Macao ne serait pas complet sans un repas dans cette véritable institution. Les gourmets de Hong-Kong y viennent le week-end. La cuisine portugaise n'est pas la meilleure de Macao, ce qui n'empêche pas les clients de faire la queue, avant de dîner de praires, de sardines, de poulet grillé et de crevettes.

70 – POUSADA DE COLOANE

€€
PRAIA DE CHEOC VAN
ÎLE DE COLOANE
TÉL. 853/882-143

La cuisine portugaise et locale n'a rien d'exceptionnel mais le lieu est apprécié pour déguster une bouteille de vin portugais en regardant la nuit tomber sur la mer de Chine méridionale.

71 – BOLO DE ARROZ

€ (n'accepte pas les cartes bancaires)
11 TRAVESSA DE SAO
DOMINGOS
TÉL. 853/339-089

Imaginez un café de village portugais en bordure de la mer de Chine méridionale. Les pâtisseries maison sont servies avec d'excellents expressos.

72 – RIQUEXO

€
69 AVENIDA SIDONIO PAIS
TÉL. 853/565-655

Cette adresse de l'avenue Sidonio Pais est le lieu où la population décroissante de Macao se donne rendez-vous. Des plats familiaux simples mais savoureux sont préparés par des cuisinières qui ne sont pas des débutantes. Ce café simple et chaleureux est situé au-dessus d'un supermarché regorgeant de vins et portos portugais.

INDICATIONS DE PRIX POUR UN REPAS, VIN NON COMPRIS

€ < 15 € €€ = 15 - 30 € €€€ = 30 - 50 € €€€€ = 50 - 70 € €€€€€ > 70 €

HÔTELS

N°		tél.	prix	chambres	suites	restaurant
03	BISHOP LEI INTERNATIONAL	2868-0828	€€	203		
11	CENTURY HONG KONG	2598-8888	€€	516	24	•
14	CHARTERHOUSE	2833-5566	€	277	06	•
04	CONRAD INTERNATIONAL	2521-3838	€€€€€	513		•
51	DISNEY'S HOLLYWOOD HOTEL	852 1-830-830	€€	600		•
43	EATON	2782-1818	€	468		
20	EMPEROR	2893-3693	€	157		
12	EMPIRE HONG KONG	2866-9111	€€	345	36	•
30	EMPIRE KOWLOON	2865-3000	€€	315	23	•
16	EXCELSIOR	2894-8888	€€€	887	21	•
58	FURAMA	86-20-8186-3288	€€	360		•
59	GARDEN	86-20-8333-8989	€€	1003		•
45	GOLD COAST	2452-8888	€€	450		•
09	GRAND HYATT	2588-1234	€€€€	570		•
31	GRAND STANFORD INTER-CONTINENTAL	2721-5161	€€	579		•
32	HARBOR PLAZA HONG KONG	2621-3188	€€	417	101	•
07	HARBOR PLAZA RESORT CITY	2180-6688	€	1102	38	•
33	HOLIDAY INN GOLDEN MILE	2369-3111	€€	600		•
50	HONG KONG DISNEYLAND HOTEL	852 1-830-830	€€€	400		•
34	HYATT REGENCY	2311-1234	€€	723		•
54	HYATT REGENCY	853/831-234	€€	326		
22	INTERCONTINENTAL HONG KONG	2721-1211	€€€€	510	92	•
08	ISLAND PACIFIC	2131-1188	€	346		
05	ISLAND SHANGRI-LA	2877-3838	€€€€€	565	34	•
06	JW MARRIOTT	2810-8366	€€€€	602		•
35	KIMBERLEY	2723-3888	€€	546		•
36	KOWLOON	2929-2888	€€	736		
24	KOWLOON SHANGRI-LA	2721-2111	€€€	725		•
25	LANGHAM HOTEL HK	2375-1133	€€€	487		•
55	LISBOA	853/577-666	€€	1017		•
37	MAJESTIC	2781-1333	€€	387		•
52	MANDARIN ORIENTAL	853/567-888	€€€€	435	28	•
01	MANDARIN ORIENTAL	2522-0111	€€€€€	542	40	•
38	MARCO POLO GATEWAY	2113-0888	€€	440		•
39	MARCO POLO HONG KONG	2113-0088	€€	665	44	•
40	MARCO POLO PRINCE	2113-1888	€€	396	50	•
57	MARRIOTT CHINA	86-20-8666-6888	€€€	885	168	•
26	MIRAMAR	2368-1111	€€€	525		•
41	NEW WORLD RENAISSANCE	2369-4111	€€	525		•
27	NIKKO HONG KONG	2739-1111	€€€	461		•
48	PANDA	2409-1111	€	1026		•
44	PARK	2366-1371	€	1026	29	•
17	PARK LANE	2293-8888	€€€	792		
53	POUSADA DE SAO TIAGO	853/378-11	€€€	23		•
28	PRUDENTIAL HOTEL	852 2736-0922	€€	431		
46	REGAL AIRPORT	2286-8888	€€€	1103	26	•
18	REGAL HONGKONG	2890-6633	€€€	425		
42	REGAL KOWLOON	2722-1818	€€	593	34	•
49	REGAL RIVERSIDE	2649-7878	€	830		
10	RENAISSANCE HARBOR VIEW	2802-8888	€€€	860		•
02	RITZ-CARLTON	2877-6666	€€€€€	216		•
19	ROSEDALE ON THE PARK	2127-8888	€€	274	43	•
29	ROYAL GARDEN	2721-5215	€€€	422	45	•
47	ROYAL PARK	2601-2111	€€	448		•
23	SHERATON HONG KONG	2369-1111	€€€€	780		•
56	SINTRA	853/710-111	€€	220		•
21	THE PENINSULA	2920-2888	€€€€€	300	54	•
13	WESLEY	2866-6688	€€	251		
15	WHARNEY	2861-1000	€	361		

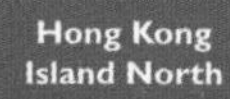

Hong Kong Island North — Kowloon — Nouveaux Territoires — Îles autour de Hong-Kong — Escapades

climatisation	ascenseur	piscine extér.	piscine couv.	salle de sports	parking	non-fumeur	cartes bancaires	fax
●	●	●		●		●	●	2868-155144
●	●	●		●	●	●	●	2598-8866
●	●			●	●	●	●	2833-5888
●	●	●		●	●	●	●	2521-3888
●	●	●		●	●	●	●	2834-6700
●	●	●		●	●	●	●	852 3510-5333
●	●				●	●	●	2782-5563
●	●	●		●	●	●	●	2861-3121
●	●		●	●	●	●	●	2685-3685
●	●			●	●	●	●	2895-6459
●	●	●		●	●	●	●	86-20-8186-3388
●	●	●		●	●	●	●	86-20-8332-5334
●	●	●		●	●	●	●	2440-7368
●	●	●		●	●	●	●	2802-0677
●	●	●		●	●	●	●	2732-2233
●	●	●		●	●	●	●	2621-3311
●	●	●		●	●	●	●	2180-6333
●	●	●		●	●	●	●	2369-8016
●	●	●	●	●	●	●	●	852 3510-6333
●	●				●	●	●	2739-8701
●	●	●		●	●	●	●	853/830-195
●	●	●		●	●	●	●	2739-4546
●	●	●		●	●	●	●	2131-1212
●	●	●		●	●	●	●	2521-8742
●	●	●		●	●	●	●	2845-0737
●	●			●	●	●	●	2723-1318
●	●				●	●	●	2739-9811
●	●	●		●	●	●	●	2723-8686
●	●		●	●	●	●	●	2375-6611
●	●	●		●	●	●	●	853/594-589
●	●				●	●	●	853/567-193
●	●	●		●	●	●	●	2781-1773
●	●		●	●	●	●	●	2810-6190
●	●				●	●	●	2113-0022
●	●	●		●	●	●	●	2113-0011
●	●				●	●	●	2113-0066
●	●	●		●	●	●	●	86-20-8667-7288
●	●		●	●	●	●	●	2369-1788
●	●	●		●	●	●	●	2369-9387
●	●	●		●	●	●	●	2311-3122
●	●	●		●	●	●	●	2409-1818
●	●				●	●	●	2739-7259
●	●			●	●	●	●	2576-7853
●	●	●			●	●	●	853/552-170
●	●	●		●			●	852 2405-0922
●	●	●	●	●	●	●	●	2286-8686
●	●	●		●	●	●	●	2881-0777
●	●			●	●	●	●	2369-6950
●	●	●		●	●	●	●	2637-4748
●	●	●		●	●	●	●	2802-8833
●	●	●		●	●	●	●	2877-6778
●	●				●	●	●	2127-3333
●	●	●		●	●	●	●	2369-9976
●	●	●		●	●	●	●	2601-3666
●	●	●		●	●	●	●	2739-8707
●	●				●	●	●	853/510-527
●	●		●	●	●	●	●	2722-4170
●	●					●	●	2866-6633
●	●			●	●	●	●	2865-6023

Indication de prix (chambre double sans petit déjeuner)

€ < 80 €   €€ = 80-160 €   €€€ = 160-240 €   €€€€ = 240-320 €   €€€€€ > 320 €

HONG KONG ISLAND NORTH

CENTRAL

01 – MANDARIN ORIENTAL

€€€€€

5 CONNAUGHT RD.

TÉL. 2522-0111 / FAX 2810-6190

La qualité des chambres et du service sont à la hauteur de ce que l'on est en droit d'attendre de l'un des meilleurs hôtels de Hong-Kong. Vous y trouverez 4 bars, dont le Chinnery, aux murs lambrissés, et 4 restaurants, notamment Vong, réputé pour sa cuisine fusion franco-asiatique.

02 – RITZ-CARLTON

€€€€€

3 CONNAUGHT RD.

TÉL. 2877-6666 / FAX 2877-6778

Luxe et service d'exception conjuguent leurs atouts au cœur des gratte-ciel scintillants de Central. Certaines chambres ont vue sur le Victoria Harbor où des meubles cossus en acajou et en noyer côtoient de délicats objets d'art asiatique. Il abrite 2 bars et 5 restaurants, dont l'étonnant Shanghai Shanghai (voir p. 246).

03 – BISHOP LEI INTERNATIONAL

€€

4 ROBINSON RD.

TÉL. 2868-0828 / FAX 2868-1551

Bâti dans un quartier résidentiel situé au nord de Central, Bishop Lei est un établissement calme offrant un beau panorama sur le port et la ville. Plus du tiers des chambres sont des suites. Le restaurant The Terrace Room dispose d'une vaste terrasse à ciel ouvert.

ADMIRALTY

04 – CONRAD INTERNATIONAL

€€€€€

PACIFIC PLACE

TÉL. 2521-3838 / FAX 2521-3888

Les 61 étages du Conrad surplombent le centre commercial Pacific Place. Les chambres sont vastes et décorées avec goût. L'hôtel comporte 5 restaurants, dont la Brasserie On The Eighth et le très côté Nicholini's (voir p. 247).

RECOMMANDÉ

05 – ISLAND SHANGRI-LA

€€€€€

PACIFIC PLACE

SUPREME COURT RD.

TÉL. 2877-3838 / FAX 2521-8742

L'un des plus luxueux hôtels de Hong-Kong, le Shangri-la doit à son emplacement, au-dessus du centre commercial Pacific Place, de s'ouvrir sur un sublime panorama sur la ville et le port. Ses chambres sont parmi les plus spacieuses de Hong-Kong. Vous y trouverez des suites, 4 bars et 7 restaurants, dont un bar à langouste. Le Cyrano Bar, au 56e étage, est idéal pour écouter de la musique live en sirotant un cocktail à l'heure du coucher du soleil.

06 – JW MARRIOTT

€€€€

1 PACIFIC PLACE

TÉL. 2810-8366 / FAX 2845-0737

Le Marriott possède des chambres spacieuses et bien équipées dont la majorité révèlent un beau point de vue au-dessus du Victoria Harbor jusqu'à Kowloon. Son Cigar Bar est prisé des hommes d'affaires hongkongais influents. Ses 5 restaurants, dont le Man Ho (voir p. 247), propose une large gamme de cuisines.

WESTERN DISTRICT

07 – HARBOR PLAZA RESORT CITY

€

18 TIN YAN RD.

TIN SHUI WAI

TÉL. 2180-6688 / FAX 2180-6333

Ce vaste hôtel compense son cadre assez impersonnel par des chambres particulièrement spacieuses. Vous y trouverez des suites et de nombreux bars et restaurants. L'emplacement est aisément accessible depuis le centre-ville (Tsim Sha Tsui) par route et métro.

08 – ISLAND PACIFIC

€

152 CONNAUGHT RD. WEST

TÉL. 2131-1188 / FAX 2131-1212

L'un des plus récents hôtels du front de mer de Hong-Kong, l'Island Pacific se dresse dans une partie de la ville aussi ancienne qu'intéressante. Les chambres offrent de superbes panoramas sur le port. Une ligne de tramway passe à proximité et une navette en bus gratuite est mise à la disposition des clients.

WAN CHAI

09 – GRAND HYATT

€€€€

1 HARBOR RD.

TÉL. 2588-1234 / FAX 2802-0677

Le Grand Hyatt occupe une position de premier choix aux côtés du Hong Kong Convention and Exhibition Center, face au port. Il mérite une visite, ne serait-ce que pour admirer l'opulence de la décoration Art déco de la réception. Les superbes chambres et suites sont dotées de couvre-lits douillets en coton d'Égypte. Vous y trouverez 7 restaurants, dont Grissini qui propose une cuisine italienne raffinée, et Kaetsu (spécialités japonaises, voir p. 248).

10 – RENAISSANCE HARBOR VIEW

€€€

1 HARBOR RD.

TÉL. 2802-8888 / FAX 2802-8833

Ce grand établissement du groupe Marriott se dresse sur le front de mer de Wan Chai, relié au Hong Kong Convention and Exhibition Center. Service d'exception, chambres modernes et bien équipées, superbe vue sur le port et agréables jardins avec cascades sont au programme. Les possibilités de restauration incluent le Scala (spécialités italiennes) et le Dynasty (cuisine cantonaise).

11 – CENTURY HONG KONG

€€

238 JAFFE RD.

TÉL. 2598-8888 / FAX 2598-8866

Apprécié des voyageurs d'affaires et des congressistes, cet hôtel de classe internationale est situé à deux pas des quartiers commerçants. Des suites, 2 bars et 2 restaurants, dont le Lao Ching Hing , vous y attendent. Causeway Bay est à quelques minutes de marche et la vie nocturne de Wan Chai est encore plus proche.

12 – EMPIRE HONG KONG

€€

33 HENNESSEY RD.

TÉL. 2866-9111 / FAX 2861-3121

Au cœur du quartier de Wan Chai, particulièrement animé la nuit, cet établissement bien agencé est apprécié pour ses suites et ses 2 restaurants.

13 – WESLEY

€€

122 HENNESSEY RD.

TÉL. 2866-6688 / FAX 2866-6633

Sur Hennessy Road, artère animée de jour comme de nuit du quartier de Wan Chai, le Wesley est apprécié des voyageurs à budget modéré pour ses chambres petites mais à un prix raisonnable. Essayez de demander un surclassement lors de la réservation.

14 – CHARTERHOUSE

€

209–219 WAN CHAI RD.

TÉL. 2833-5566 / FAX 2833-5888

À mi-chemin entre les quartiers commerçants et animés de Causeway Bay et de Wan Chai, cet agréable hôtel compte des suites, un restaurant et 2 bars.

15 – WHARNEY

€

57–73 LOCKHART RD.

TÉL. 2861-1000 / FAX 2865-6023

Cet endroit est idéal si vous souhaitez être près de la vie nocturne de Lockhart Road. Les tarifs sont raisonnables mais les chambres petites et un peu négligées.

CAUSEWAY BAY

16 – EXCELSIOR

€€€

281 GLOUCESTER RD.

TÉL. 2894-8888 / FAX 2895-6459

L'Excelsior surplombe le Victoria Harbor et fait face à une artère à six voies particulièrement fréquentée. Les plus beaux points de vue sur le port sont ceux des suites spacieuses du dernier étage. Le bar et restaurant de grillades Talk of the Town est apprécié pour son panorama sur la ville, ses musiciens et sa piste de danse. Le bar du sous-sol séduira les amateurs de sports avec des retransmissions de compétitions sur grand écran.

17 – PARK LANE

€€€

310 GLOUCESTER RD.

TÉL. 2293-8888 / FAX 2576-7853

Surplombant le port et l'une des rares oasis de verdure de Hong-Kong, le Victoria Park, le Park Lane borde le centre commercial de Causeway Bay. Les chambres sont vastes, comparées à celles de nombreux autres hôtels du quartier.

18 – REGAL HONGKONG

€€€

88 YEE WO ST.

TÉL. 2890-6633 / FAX 2881-0777

Au cœur de l'activité commerciale débordante de Causeway Bay, de ses restaurants et de ses divertissements, le Regal est également proche du Victoria Park et de stations de bus et de métro. Les chambres de cet hôtel élégant combinent avec raffinement un mobilier européen et asiatique.

19 – ROSEDALE ON THE PARK

€€

8 SHELTER ST.

TÉL. 2127-8888 / FAX 2127-3333

Un îlot de calme à deux pas de l'activité frénétique de Causeway Bay. Les suites du Rosedale sont dotées d'un coin cuisine et d'un lit d'appoint. Son restaurant, le Sonata Bistro, sert des spécialités internationales et asiatiques.

20 – EMPEROR

€

1A WANG TAK ST.

HAPPY VALLEY

TÉL. 2893-3693 / FAX 2834-6700

Ce petit hôtel vous attend dans le quartier résidentiel relativement calme de Happy Valley, non loin de l'hippodrome et du Hong Kong Stadium. Si les chambres ne sont pas immenses, elles sont meublées avec goût.

KOWLOON

RECOMMANDÉ

21 – THE PENINSULA

€€€€€

SALISBURY RD., TSIM SHA TSUI

TÉL. 2920-2888 / FAX 2722-4170

Le Peninsula donne toujours sur le port mais n'est plus situé en première ligne sur le front de mer. Il n'en répond pas moins à toutes les attentes de ses hôtes, y compris ceux qui souhaitent le rejoindre grâce à l'héliport situé sur le toit. L'hôtel compte des suites, 3 bars-lounges et 6 restaurants, dont une création réputée de Philippe Starck – Felix, (voir p. 250) – servant des spécialités de la côte Pacifique, Gaddi's (voir p. 250) et Chesa (voir p. 250). Prendre le thé au rez-de-chaussée est une expérience à ne pas manquer, même si vous ne séjournez pas à l'hôtel.

22 – INTERCONTINENTAL HONG KONG

€€€€

18 SALISBURY RD.

TSIM SHA TSUI

TÉL. 2721-1211 / FAX 2739-4546

Ce représentant de la chaîne Four Seasons situé sur le front de mer offre des chambres spacieuses, des suites luxueuses et l'un des plus beaux points de vue sur le port et l'île de Hong-Kong. Vous y trouverez des suites, 2 bars et 6 restaurants, notamment Lai Ching Heen et Yu (voir p. 250).

23 – SHERATON HONG KONG

€€€€

20 NATHAN RD., TSIM SHA TSUI

TÉL. 2369-1111 / FAX 2739-8707

Bordé de rues commerçantes animées tout au long de la journée et une partie de la nuit, cet hôtel est en plein cœur de Tsim Sha Tsui. Il dispose de chambres de belle taille, insonorisées afin de protéger les hôtes du bruit constant de la Nathan Road en contrebas. Le Oyster & Wine Bar a les faveurs des yuppies de Hong-Kong.

24 – KOWLOON SHANGRI-LA

€€€

64 MODY RD.
TSIM SHA TSUI EAST
TÉL. 2721-2111 / FAX 2723-8686

Les élégantes chambres de cet hôtel situé non loin du bord de mer comptent parmi les plus vastes de Kowloon. Son restaurant, The Margaux, est très apprécié pour sa cuisine méditerranéenne française.

25 – LANGHAM HOTEL HK

€€€

8 PEKING RD., TSIM SHA TSUI
TÉL. 2375-1133 / FAX 2375-6611

Chandeliers scintillants, plafonds voûtés, chambres claires… Cet hôtel accueillant ne manque pas d'atouts et comporte 3 restaurants proposant des spécialités cantonaises et américaines.

26 – MIRAMAR

€€€

118–130 NATHAN RD.
TSIM SHA TSUI
TÉL. 2368-1111 / FAX 2369-1788

La traditionnelle hospitalité orientale est la marque de fabrique de ce luxueux établissement idéalement situé dans le quartier touristique de Tsim Sha Tsui. Il abrite un centre commercial, un bar et 5 restaurants.

27 – NIKKO HONG KONG

€€€

72 MODY RD.
TSIM SHA TSUI EAST
TÉL. 2739-1111 / FAX 2311-3122

Hôtel de prédilection des visiteurs japonais, le Nikko se démarque par son service aussi discret que soigné. Les chambres impeccables sont dotées de larges fenêtres s'ouvrant sur le port. Accessible à pied depuis le quartier commerçant de Tsim Sha Tsui, l'hôtel offre une panoplie de services destinés aux voyageurs d'affaires, 3 bars et 4 restaurants.

28 – PRUDENTIAL HOTEL

€€€

222 NATHAN ROAD
TSIM SHA TSUI
TÉL. 852 2736-0922
FAX 852 2405-0922

Havre de paix au milieu des rues affairées de Tsim Sha Sui, le Prudential se prête à la détente grâce à sa décoration feutrée et sophistiquée et à la piscine située sur son toit. Les chambres sont douillettes et raffinées. Autres atouts : son emplacement au-dessus d'un centre commercial de 6 étages et son accès direct au MTR.

29 – ROYAL GARDEN

€€€

69 MODY RD.
TSIM SHA TSUI EAST
TÉL. 2721-5215 / FAX 2369-9976

Proche de la plupart des sites des abords de Kowloon, le Royal Garden fournit l'occasion de s'échapper de la frénésie de Tsim Sha Tsui. L'hôtel abrite des suites, 4 bars et 5 restaurants servant une cuisine occidentale et cantonaise.

30 – EMPIRE KOWLOON

€€

62 KIMBERLY RD.
TSIM SHA TSUI
TÉL. 2685-3000 / FAX 2685-3685

Les plafonds hauts de plus de trois mètres donnent un sentiment d'espace aux chambres de cet établissement sans surprise. Situé à proximité des commerces, restaurants, musées et autres sites, l'Empire compte des suites, 2 bars et 2 restaurants.

31 – GRAND STANFORD INTER-CONTINENTAL

€€

70 MODY RD.
TSIM SHA TSUI EAST
TÉL. 2721-5161 / FAX 2732-2233

Face au Victoria Harbor, le Grand Standford offre un superbe panorama sur l'île de Hong-Kong depuis la plupart de ses chambres et la piscine du 18e étage. Le restaurant Belvedere (voir p. 250) sert des spécialités régionales françaises.

32 – HARBOR PLAZA HONG KONG

€€

20 TAK FUNG ST., HUNG HOM
TÉL. 2621-3188 / FAX 2621-3311

Implanté sur le front de mer de Hung Hom, le Harbor Plaza est à cinq minutes des principaux sites touristiques de Tsim Sha Tsui. Vous y trouverez des suites avec « room service » et coin cuisine. Le bar-restaurant Pit Stop sert de roboratifs plats américains.

33 – HOLIDAY INN GOLDEN MILE

€€

50 NATHAN RD., TSIM SHA TSUI
TÉL. 2369-3111 / FAX 2369-8016

Au cœur de Kowloon, ce haut bâtiment de la chaîne Holiday Inn dispose de son centre commercial, de 5 restaurants et de salons. Le buffet constamment renouvelé du Café Vienna attire de nombreux Chinois au déjeuner.

34 – HYATT REGENCY

€€

67 NATHAN RD., TSIM SHA TSUI
TÉL. 2311-1234 / FAX 2739-8701

Les préceptes du *feng shui* ont été mis à contribution lors de la rénovation de cet hôtel, comme en témoigne l'agencement des chambres. Ses 4 restaurants – dont Hugo's (voir p. 250) – proposent un large choix. L'hôtel abrite également 2 bars.

35 – KIMBERLEY

€€

28 KIMBERLEY RD.
TSIM SHA TSUI
TÉL. 2723-3888 / FAX 2723-1318

Les suites et chambres « deluxe » sont vastes et confortables mais les chambres standard sont assez exiguës. Le restaurant japonais Hanamizuki est apprécié.

36 – KOWLOON

€€

19–21 NATHAN RD.
TSIM SHA TSUI
TÉL. 2929-2888 / FAX 2739-9811

Les chambres, un peu petites mais bien agencées, disposent d'un atout : le groupe Peninsula applique des réductions pour les séjours de 7 jours et plus. Vous pourrez faire figurer sur votre note les prestations reçues au Peninsula Hotel voisin, plus chic.

37 – MAJESTIC

€€

348 NATHAN RD., YAU MA TEI

TÉL. 2781-1333 / FAX 2781-1773

Hébergement et restauration de qualité caractérisent cet hôtel bien agencé. Au cœur de l'animation du quartier de Yau Ma Tei, le Majestic est géré par une équipe sympathique et efficace.

38 – MARCO POLO GATEWAY

€€

HARBOR CITY, CANTON RD.

TSIM SHA TSUI

TÉL. 2113-0888 / FAX 2113-0022

L'un des 3 hôtels Marco Polo situés au coude à coude près du complexe Harbor City, le Gateway mêle efficacité et confort. Les chambres sont décorées avec goût. La brasserie The Parisian est le meilleur de ses 3 restaurants.

39 – MARCO POLO HONG KONG

€€

HARBOR CITY, CANTON RD.

TSIM SHA TSUI

TÉL. 2113-0088 / FAX 2113-0011

Fleuron des 3 établissements Marco Polo, le Hong Kong offre des chambres plus vastes et confortables que ses deux confrères. Ses 6 restaurants proposent une alléchante liste de spécialités chinoises ou d'origine américaine.

40 – MARCO POLO PRINCE

€€

HARBOR CITY, CANTON RD.

TSIM SHA TSUI

TÉL. 2113-1888 / FAX 2113-0066

Avec un emplacement de choix dans l'un des plus vastes centres commerciaux de Tsim Sha Tsui, cet hôtel conviendra aux touristes et aux voyageurs d'affaires. Ses tarifs et ses services n'ont pas grand-chose à envier au Marco Polo Gateway voisin. Plus de 50 suites, un bar-lounge et 2 restaurants, dont le Spice Market, spécialisé en plats originaires du Sud-Est asiatique.

41 – NEW WORLD RENAISSANCE

€€

22 SALISBURY RD.

TSIM SHA TSUI

TÉL. 2369-4111 / FAX 2369-9387

Parmi les atouts du New World, mentionnons son sublime emplacement sur le front de mer de Tsim Sha Tsui. Les chambres spacieuses sont dotées d'immenses baies vitrées.

42 – REGAL KOWLOON

€€

71 MODY RD.

TSIM SHA TSUI EAST

TÉL. 2722-1818 / FAX 2369-6950

Le Regal Kowloon décline élégance et confort dans ses suites, 2 bars-lounges et 4 restaurants. Une petite galerie d'art est implantée au rez-de-chaussée, à côté d'un espace de jeux dédié aux enfants. Le très sélect bar à vins et restaurant Mamman mise sur la cuisine traditionnelle française.

43 – EATON

€

380 NATHAN RD., KOWLOON

TÉL. 2782-1818 / FAX 2782-5563

Moderne et bien agencé, cet hôtel vous accueille dans le centre de Kowloon, au cœur du paradis commercial du « golden mile » de Nathan Road. Demandez l'une des chambres « deluxe » situées dans un angle, dont les grandes fenêtres permettent d'admirer un superbe point de vue sur le Kowloon Park.

44 – PARK

€

61–65 CHATHAM RD. SOUTH

TSIM SHA TSUI

TÉL. 2366-1371 / FAX 2739-7259

Bien aménagé et confortable, mais sans réel charme, le Park offre un minimum de confort et d'équipements. Il est proche des musées, commerces et autres sites touristiques. Vous y trouverez des suites, 2 bars-lounges et 3 restaurants.

NOUVEAUX TERRITOIRES

45 – GOLD COAST

€€

31 CASTLE PEAK RD.

TÉL. 2452-8888 / FAX 2440-7368

Ce vaste hôtel de plage situé à l'extrémité ouest de la péninsule de Kowloon propose de nombreuses activités. Il comporte une marina et une plage privée.

46 – REGAL AIRPORT

€€

9 CHEONG TAT RD.

CHEK LAP KOK, LANTAU

TÉL. 2286-8888 / FAX 2286-8686

L'un des plus grands hôtels d'aéroport du monde, le Regal est un ensemble particulièrement bien équipé jouxtant l'aéroport international de Hong-Kong. Doté de beaux jardins, bien insonorisé et relié au terminal par un pont couvert, il abrite des suites, 2 bars-lounges et 6 restaurants.

47 – ROYAL PARK

€€

8 PAK HOK TING ST., SHA TIN

TÉL. 2601-2111 / FAX 2601-3666

Réputé pour son service attentif et l'attention qu'il porte aux activités et aux voyageurs d'affaires, le Royal Park est implanté le long de la ligne ferroviaire reliant Kowloon à Canton. Il dispose ainsi d'un accès facile au centre-ville et à la frontière chinoise. Les chambres sont vastes, aérées et lumineuses.

48 – PANDA

€

3 TSUEN WAH ST., TSUEN WAN

TÉL. 2409-1111/ FAX 2409-1818

Cet édifice monolithique est doté d'une curieuse œuvre d'art moderne illuminée, qui court le long de ses 30 étages. Son éloignement a un mérite : vous pourrez y obtenir de bons tarifs. Spécialités italiennes et cantonaises.

49 – REGAL RIVERSIDE

€

34-36 TAI CHUNG KIU RD.

SHA TIN

TÉL. 2649-7878 / FAX 2637-4748

INDICATIONS DE PRIX

(pour une chambre double standard sans petit déjeuner)

€ < 80 € | €€ = 80 - 160 € | €€€ = 160 - 240 € | €€€€ = 240 - 320 € | €€€€€ > 320 €

L'un des rares hôtels de Hong-Kong à être implanté dans l'environnement verdoyant d'un cadre semi-rural, le Regal Riverside s'étend le long de la ligne de train Kowloon-Canton, ce qui lui vaut d'être facilement accessible depuis le centre-ville et la frontière chinoise.

ÎLES AUTOUR DE HONG-KONG

ÎLE DE LANTAU

50 – HONG KONG DISNEYLAND HOTEL

€€€

TÉL. 852 1-830-830

FAX 852 3510-6333

Dans la tradition de Disney, cet hôtel se caractérise par son mélange d'excentricité architecturale victorienne et d'équipements de luxe modernes. Les chambres sont équipées d'accès Internet à haut débit. Le spa victorien et le thé servi l'après-midi insufflent à l'ensemble une touche de charme suranné.

51 – DISNEY'S HOLLYWOOD HOTEL

€€

TÉL. 852 1-830-830

FAX 852 3510-5333

Un bon choix pour ceux qui souhaitent que leur passage dans le monde de Disney ne se limite pas à la simple visite du parc. Cinq restaurants sont installés dans ses locaux et la liaison pour Disneyland est gratuite.

MACAO

ESCAPADES

52 – MANDARIN ORIENTAL

€€€€

956–1110 AVEN. DA AMIZADE

TÉL. 853/567-888 / FAX 853/594-589

Les influences portugaises transparaissent dans le design et l'architecture de cet hôtel dont les chambres tirent joliment profit des textiles et du mobilier en teck de style portugais. Il comporte des suites, 8 restaurants et des cafés, dont le Café Girassol qui sert des spécialités locales. L'établissement à proximité du front de mer est accessible à pied depuis le terminal des ferries en provenance de Hong-Kong et le principal quartier commerçant.

RECOMMANDÉ

53 – POUSADA DE SAO TIAGO

€€€

AVENIDA DA REPUBLICA

FORTALEZA DE SAO TIAGO DA BARRA

TÉL. 853/378-111

FAX 853/552-170

Aménagé dans un ancien fortin portugais bâti au XVIIe siècle, cet hôtel au charme romantique plonge le visiteur dans l'histoire. L'ancienne chapelle de la forteresse a été préservée. Les chambres, la piscine et le restaurant en terrasse donnent sur la mer et l'entrée du port. L'hôtel abrite 2 restaurants.

54 – HYATT REGENCY

€€

2 ESTRADA ALMIRANTE, MARQUES ESPARTEIRO

ÎLE DE TAIPA

TÉL. 853/831-234 / FAX 853/830-195

Les chambres de cet hôtel installé sur l'île de Taipa, reliée à la ville de Macao par un long pont, sont claires et spacieuses.

55 – LISBOA

€€

2-4 AVENIDA DE LISBOS

TÉL. 853/577-666 ou 853/377-666

FAX 853/567-193

Le Lisboa est sis dans un bâtiment qui abrite le plus célèbre casino de Macao. La plupart des chambres révèlent de superbes points de vue sur la mer de Chine méridionale. L'hôtel offre de nombreux services, dont une discothèque, 13 restaurants et un centre commercial.

56 – SINTRA

€€

AVENIDA D. JOAO IV MACAU

TÉL. 853/710-111

FAX 853/510-527

Idéalement situé au centre de Macao et surplombant la baie de Praia Grande, le Sintra est doté de chambres confortables mais exiguës. Son restaurant sert des grillades 24h/24. Le menu propose également des spécialités locales et portugaises.

GUANGZHOU

57 – MARRIOTT CHINA

€€€

LIU HUA LU

TÉL. 86-20-8666-6888

FAX 86-20-8667-7288

Les multiples tours de ce luxueux complexe abritent un hôtel, des bureaux, des logements et un centre commercial. Les chambres sont bien décorées et la réception est somptueuse. Le Marriott compte des suites de luxe et 4 restaurants, dont un Hard Rock Café.

58 – FURAMA

€€

316 CHANGDI LU

TÉL. 86-20-8186-3288

FAX 86-20-8186-3388

Face à la jolie rivière des Perles et au centre commercial de Guangzhou riche en animation, le Furama propose des chambres confortables et une discothèque très fréquentée et donc bruyante. Trois restaurants servent des spécialités chinoises et internationales.

59 – GARDEN

€€

368 HUANSHI DONG LU

TÉL. 86-20-8333-8989

FAX 86-20-8332-5334

La porte d'entrée principale de ce gigantesque hôtel moderne accueille ses clients avec des fontaines jaillissantes. L'immense fresque dorée du hall mérite à elle seule le coup d'œil. Outre 8 restaurants hétéroclites – des spécialités européennes du Connoisseur à la cuisine cantonaise de Peach Blossom – vous trouverez plusieurs bars et une discothèque. L'hôtel bénéficie d'un emplacement central, proche du Trade Fair Center, de l'aéroport, de la gare et des embarcadères de ferries.

SHOPPING

Port hors taxes, Hong-Kong est le paradis du shopping, même si les prix en vigueur ne sont pas aussi bon marché que la croyance populaire le laisse supposer. Vous y trouverez tout ce dont vous pouvez rêver, des vêtements réalisés sur mesure en 24 heures aux vases de la dynastie Ming. En dépit des efforts du gouvernement pour bannir les contrefaçons, Hong-Kong est inondé de copies bon marché, généralement fabriquées dans le sud de la Chine, arborant les logos de grandes marques japonaises et occidentales. Les marchés de rue débordent de contrefaçons de vêtements, montres, CD et matériel électronique.

Des produits d'origine garantie sont vendus dans les boutiques affichant un panneau rouge apposé par le Hong Kong Tourism Board (HKTB).

Il est possible de trouver des antiquités chinoises originales, assez chères, dans le quartier de Hollywood Road, sur l'île de Hong-Kong.

Ailleurs, le jade, l'or, les perles et la soie sont proposés à un bon prix grâce au statut de port hors taxes de Hong-Kong et à la concurrence entre les nombreux détaillants. Comparez les offres de plusieurs boutiques avant d'arrêter votre choix.

Vous pourrez dénicher des vêtements, des sacs, des chaussures, des souvenirs et autres marchandises à un bon prix sur les marchés et dans les solderies.

Le calendrier commercial est rythmé par deux périodes de soldes, de juillet à septembre et de décembre à février.

Les fabricants de vêtements et de bijoux locaux travaillant pour des marques internationales réputées font parfois des soldes exceptionnelles sur les surplus ou les produits présentant de légers défauts. Leurs tarifs sont alors largement inférieurs à ceux pratiqués dans les boutiques. Les bureaux d'informations touristiques publient des brochures annonçant ces ventes particulières. Les boutiques du Pedder Building de Pedder Street, dans le quartier de Central, proposent des réductions sur des articles de mode européens.

Marchandage

Les produits vendus dans les grands magasins et certaines boutiques portent des étiquettes mentionnant leur prix, non négociable. Le marchandage est en revanche de rigueur sur les marchés, dans les magasins d'électronique et dans les petites boutiques. Comparez les tarifs de plusieurs détaillants lorsque vous achetez du matériel électronique.

Heures d'ouverture

La majorité des commerces ouvrent 7 jours sur 7. Les boutiques ferment leurs portes quelques jours durant le Nouvel An chinois (voir p. 47). Les grands magasins accueillent les clients de 10h à 20h ou 21h. Les commerces plus modestes, notamment ceux de Kowloon, de Causeway Bay et de Wan Chai, restent généralement ouverts jusqu'à 23h.

ANTIQUITÉS ET OBJETS ANCIENS

Un large choix d'antiquités chinoises et asiatiques est disponible à Hong-Kong. Les boutiques spécialisées sont avant tout rassemblées sur Hollywood Road et alentour, dans le quartier de Central, sur l'île de Hong-Kong. Outre le mobilier, les articles en jade et la porcelaine précieuse, vous trouverez un grand choix de curiosités bon marché en provenance de Chine, comme des pipes à opium et des photographies anciennes. Des antiquités et objets anciens en provenance du Myanmar (Birmanie), de Thaïlande, d'Indonésie et d'Inde sont également proposés aux abords de Hollywood Road.

De grands magasins gérés depuis la Chine continentale, comme les boutiques Chinese Arts and Crafts, commercialisent des antiquités chinoises, des objets en jade et en porcelaine, ainsi que des articles de soie.

Des antiquités chinoises et originaires de l'Est du continent asiatique sont régulièrement vendues aux enchères à Hong-Kong. La salle des ventes de Christie's fonctionne d'avril à mai et d'octobre à novembre. L'accent est mis sur les objets d'art et les bijoux chinois, notamment en jade.

Galeries de Cat Street

38 Luk Ku Rd., Sheung Wan,
île de Hong-Kong,
tél. 2543-1609, ouvert 10h-17h.
Cinq étages de boutiques proposant des antiquités, des objets et des réalisations artisanales chinoises et asiatiques. À visiter.

SALLES DES VENTES

Christie's

Alexandra House, 16-20 Chater Rd., Central, île de Hong-Kong,
☎ 2521-5396, fax 2845-2646.

Sotheby's

Standard Chartered Bank Building, 5e étage, 4-4A Des Voeux Rd., Central, île de Hong-Kong,
☎ 2524-8121, fax 2810-6238.

CENTRES COMMERCIAUX

Les centres commerciaux sont un moyen pratique de faire ses courses à Hong-Kong. La plupart regroupent un bon choix de magasins et d'enseignes, dont des boutiques de photographie, des bijouteries et des vendeurs de matériel électronique. Les prix sont fixes et affichés, ce qui exclut le marchandage.

Les centres commerciaux abritent aussi un large éventail de restaurants et de stands de nourriture, où vous pourrez faire une pause entre deux séances de shopping. La plupart disposent également de grands complexes de cinéma.

HONG-KONG

City Plaza

18 Tai Koo Shing Rd., Quarry Bay,
☎ 2568-8665, ouvert 10h-21h.
L'un des plus grands centres commerciaux de Hong Kong, le City Plaza abrite des grands magasins et des boutiques proposant vêtements, accessoires, bijoux, montres, matériel électronique et équipements photographiques. Vous y trouverez également de nombreux restaurants et un complexe de cinéma.

Pacific Place

88 Queensway, Admiralty,
☎ 2844-8988, ouvert 10h-21h.
Fleuron des centres commerciaux de Hong-Kong, le vaste Pacific Place fut l'un des premiers d'Asie. Il servit de référence à de nombreuses galeries commerciales de cette partie du monde. Boutiques diverses, magasins d'électronique spécialisés, bars, cafés et un complexe de cinéma.

The Peak Galleria
118 Peak Rd., The Peak,
☎ 2849-4113, ouvert 10h-23h.
Un cadre de choix où vous trouverez des boutiques de vêtements et de souvenirs, des restaurants (dont certains offrent un large panorama sur le port de Hong-Kong) et un grand supermarché Park 'n' Shop. Attendez-vous à des tarifs supérieurs à la moyenne, le cadre semblant contribuer à faire monter les prix.

KOWLOON

Festival Walk
80 Tat Chee Ave., Kowloon Tong,
☎ 2844-2200,
ouvert 10h-21h.
L'un des méga-centres commerciaux les plus récents de Hong-Kong, il regroupe 200 boutiques, des grands magasins, des restaurants et un immense food court (vente de nourriture à emporter ou à consommer sur place). Le centre inclut également un complexe de 11 salles de cinéma.

Harbor City
Ocean Terminal, 3 Canton Rd.,
Tsim Sha Tsui, ☎ 2118-8668,
ouvert 10h-20h.
Mode, créateurs, articles sur mesure, équipement électronique et chaussures comptent parmi les articles que vous dénicherez dans ce gigantesque centre commercial.

Kowloon City Plaza
128 Carpenter Rd., Kowloon City,
☎ 2383-3608,
ouvert 10h-21h.
Moins chic que d'autres centres commerciaux, le Kowloon City Plaza n'en est pas moins rempli de vêtements, de matériel électronique, d'appareils photo, de sacs et de chaussures, proposés à des prix attractifs.

ART ET ARTISANAT

Vous trouverez à Hong-Kong un bon choix de réalisations artisanales : porcelaine de Chine, mais aussi tapis de Turquie et d'Iran, soie de Chine et de Thaïlande, batiks en provenance d'Indonésie et meubles en teck du Myanmar. Des calligraphes chinois proposent leurs services dans les nombreux marchés à ciel ouvert.

Calligraphie
Certains des meilleurs calligraphes travaillent dans le trépidant Stanley Market, au sud de l'île de Hong-Kong. Comme nombre de visiteurs en quête de souvenirs originaux, vous pourrez faire reproduire le nom de votre choix en caractères chinois sur une carte.

Tapis
Nombreuses boutiques le long de Wyndham Street et de Hollywood Road, dans le quartier de Central de l'île de Hong-Kong.

Meubles en rotin et en bois de rose
Vous en trouverez dans les magasins qui s'égrènent dans Queen's Road East, à Wan Chai.

Soie
Dirigez-vous vers les boutiques Chinese Arts and Crafts, le Western Market et le Stanley Market, sur l'île de Hong-Kong.

LIVRES

HONG-KONG

Bookazine
Sous-sol, Canton House, 54-56 Queen's Rd., Central,
☎ 2521-1649, ouvert 10h-19h.

Page One Bookshop
9/F, Times Sq., 1 Matheson St.,
Causeway Bay, ☎ 2506-0383,
ouvert 10h50-22h (22h50 sam. et dim.).

KOWLOON

Page One Bookshop
Boutique 3002, niveau 3, Harbor City,
Tsim Sha Tsui, Kowloon,
☎ 2778-2808, ouvert 10h30-22h.

MATÉRIEL PHOTOGRAPHIQUE

Hong-Kong est le lieu idéal pour acheter à bas prix du matériel photographique de toutes marques et modèles – compacts, reflex, numérique, caméras vidéo. Mieux vaut donc attendre d'être sur place pour acheter le matériel avec lequel vous immortaliserez votre voyage. Sur l'île de Hong-Kong, regardez les offres des boutiques de Stanley Street, à Central, et de Causeway Bay. De l'autre côté du port, faites un tour par Nathan Road à Tsim Sha Tsui et Sai Yeung Choi Street à Mong Kok. Vérifiez bien que vos achats sont accompagnés de la garantie internationale et de la notice d'utilisation.

VÊTEMENTS ET ACCESSOIRES

La confection a toujours été l'un des fers de lance de l'économie de Hong-Kong. Costumes, robes de soirée, chemises et chapeaux sont réalisés sur mesure dans les nombreuses boutiques de tailleurs, qui pourront copier votre modèle préféré.

Les centres commerciaux de certains grands hôtels disposent de leur propre service de tailleur. D'autres adresses, majoritairement tenues par des membres de la communauté indienne, sont situées à Tsim Sha Tsui. Les costumes peuvent en général être réalisés en 24h. Mieux vaut cependant prévoir plusieurs essayages après la prise initiale des mesures. Chaussures et articles en cuir peuvent également être réalisés sur mesure.

Outre les nombreuses marques internationales commercialisées dans les grands magasins et les boutiques de luxe de Causeway Bay, Hong-Kong compte quelques créateurs locaux. Les principaux sont Vivienne Tam, William Tang, Walter Ma et Barney Cheng.

Allan Tom & Co.
Shop 1109B, 1er étage du Peninsular Center, 67 Mody Rd.,
Tsim Sha Tsui East, Kowloon,
☎ 2366-6690.

Island Beverley
Island Center, 26e étage,
1 Great George St., Causeway Bay,
☎ 2890-6823.
Mode jeune.

Marks & Spencer
Ocean Center, 5 Canton Rd.,
Tsim Sha Tsui, ☎ 2929-3346,
ouvert 10h-20h30.
Vêtements et accessoires de l'enseigne britannique.

Princeton Custom Tailors
71 Peking Rd., Tsim Sha Tsui
(en face du Hyatt Hotel),
☎ 2721-0082.

Shanghai Tang
Rez-de-chaussée, Pedder Building,
12 Pedder St., Central,
☎ 2525-7333, ouvert 10h-20h
(11h-19h sam. et dim.).
Le dernier cri de la mode locale.

GRANDS MAGASINS

Lane Crawford
Podium 3, ifc, Central,
tél. 2118-3388, ouvert 10h-21h,
et Times Sq., 1 Matheson St.,
Causeway Bay, ☎ 2118-3638,
ouvert 10h-21h.
Très bonne sélection d'articles de haute couture, dernières nouveautés des grands créateurs locaux et internationaux, ainsi qu'un excellent choix de bijoux et de parfums.

Sogo
555 Hennessy Rd.,
Causeway Bay, ☎ 2833-8338,
ouvert 10h-22h.
Un immense magasin japonais où vous trouverez des vêtements, du matériel électronique et des produits alimentaires nippons.

ALIMENTATION

Oliver's Delicatessen
Prince's Building, 2e étage,
10 Chater Rd., Central,
île de Hong-Kong, ☎ 2869-5119,
ouvert 8h30-20h.
Ce magasin propose certainement le plus vaste choix de whiskies pur malt de l'Est de l'Asie, dont un certain nombre de « single malts ». Une bonne sélection de vins est également disponible.

Seibu
Pacific Place, 88 Queensway,
île de Hong-Kong, ☎ 2971-3888,
ouvert 10h30-20h.
Sucreries et aliments séchés japonais et chinois alignent leurs emballages colorés au sous-sol de ce magasin japonais. L'établissement vend également du saké japonais et de l'alcool de riz chinois.

CADEAUX

BIJOUX ET PIERRES PRÉCIEUSES

Le jade fait l'objet d'une fascination particulière pour les Chinois, qui lui prêtent des propriétés spirituelles. Vous en trouverez donc en vente sous de nombreuses formes. Ses couleurs vont du blanc à l'orange sombre, en passant par de nombreuses déclinaisons de vert, sa couleur la plus fréquente.

La qualité du jade dépend de sa transparence et de la profondeur de sa coloration. Un reçu mentionnant le type et l'origine de la pierre est généralement fourni avec les pièces les plus chères.

Vous trouverez le meilleur choix au Jade Market de Kowloon (voir la rubrique Marchés). Pour vous y rendre, empruntez le métro (MTR) jusqu'à la station Yau Ma Tei, puis suivez la sortie C.

L'or est également très prisé, tout comme les perles. De nombreuses boutiques en proposent le long de Queen's Road Central et de Des Voeux Road sur l'île de Hong-Kong, de même que sur Nathan Road à Tsim Sha Tsui.

DFS Galleria
Sun Plaza, 8 Peking Rd., Tsim Sha Tsui,
☎ 2302-6888,
ouvert 9h-23h.
De l'électronique aux pierres précieuses, en passant par les montres.

Duty Free Shoppers
Hong Kong International Airport,
☎ 2383-1474, ouvert 7h-23h30.
Grand choix de bijoux, parfums, vins, alcools et tabac.

MARCHÉS

Hong-Kong est réputée pour ses marchés où l'on trouve toutes sortes de marchandises. Que vous cherchiez des vêtements, des montres, des remèdes chinois ou des bibelots en jade bon marché, une visite au marché est synonyme de marchandage.

Prenez garde aux pickpockets et méfiez-vous des trop bonnes affaires en apparence : la musique enregistrée sur le CD de votre choix, par exemple, risque de ne pas être celle du célèbre chanteur figurant sur la pochette.

ÎLE DE HONG-KONG

Stanley Market
Market Rd., Stanley, ouvert 10h-18h.
Ce marché déborde littéralement d'art chinois, de soie, de vêtements et autres articles de sport.

Wan Chai Market
Entre Johnson St. et Queen's Rd. East,
Wan Chai,
ouvert 7h-19h.
Initialement dédié à la vente de produits frais et de poisson, ce marché accorde également une place aux stands de vêtements et à quelques pharmaciens chinois.

Western Market
323 Des Voeux Rd., Sheung Wan,
ouvert 10h-19h.
Un paradis pour les amateurs de soie, situé dans un joli bâtiment de style édouardien.

KOWLOON

Bird Market
Yuen Po St., Mong Kok,
ouvert 7h-20h.
Des oiseaux exotiques chantent au milieu des cages ouvragées et des articles de bric-à-brac.

Flower Market
Flower Market Rd., Mong Kok,
ouvert 7h-19h.
Vaste choix de fleurs coupées et de plantes porte-bonheur, appréciées des Chinois. Floraisons exotiques et douces fragrances.

Jade Market
Angle de Kansu St. et de
Battery St., Yau Ma Tei,
à côté du temple de Tin Hau,
ouvert 10h-15h30.
Un marché animé fréquenté par les négociants en jade, qui proposent un vaste choix de pierres allant des pièces les moins chères à celles valant une petite fortune. Mieux vaut vous contenter d'un bibelot si vous n'êtes pas un spécialiste du jade.

Marché de nuit de Temple Street
Tsim Sha Tsui,
ouvert 15h-minuit.
C'est le marché de nuit favori des Hongkongais. Vêtements de sport, matériel électronique, montres, jouets, CD, bibelots divers… toutes les marchandises s'y vendent et s'y achètent. Vous trouverez de nombreux cafés et restaurants chinois le long de la rue.

SORTIR

De nombreux festivals et manifestations sportives, à la fois chinois et occidentaux, rythment le calendrier et il ne manque jamais une bonne occasion pour tirer un feu d'artifice au-dessus du port. Le passé cinématographique de la ville est en plein renouveau grâce à l'arrivée d'une nouvelle génération de réalisateurs et de producteurs, reconnus à l'étranger. L'art millénaire de l'opéra chinois, qui dépeint le folklore national, est toujours pratiqué et fait partie du patrimoine culturel local.

Ticket Agency,
URBTIX, ☎ 2734-9009

BALLET ET DANSE

Hong Kong Ballet Company
G/F, 60 Blue Pool Rd., Happy Valley,
☎ 2573-7398,
ouvert 10h-23h.
Met l'accent sur la scène contemporaine occidentale.

Hong Kong Dance Company
4/F Sheung Wan Municipal Services Bldg., 345 Queen's Rd., Central,
☎ 3103-1888.
Avant tout axé sur la danse traditionnelle chinoise.

OPÉRA CHINOIS

Une représentation d'opéra chinois (voir p. 42) peut durer plus de trois heures. Il est possible néanmoins de n'assister qu'à une partie du spectacle pour se faire une idée de leur débauche de costumes extravagants, de maquillage, de chants et d'arts martiaux. Même si vous ne comprenez pas la langue, le ton utilisé par les artistes et leur langage corporel vous aideront à suivre l'intrigue.

Des troupes itinérantes donnent des représentations sur des scènes de fortune toute l'année dans le territoire. Le Hong Kong Tourism Board, ☎ 2508-1234, pourra vous indiquer les dates des représentations.

Représentations régulières :

City Hall
Edinburgh Pl., Central,
☎ 2921-2840

Hong Kong Cultural Center
Salisbury Rd., Tsim Sha Tsui
(à côté du quai de Star Ferry),
☎ 2734-2820.

Ko Shan Theater
77 Ko Shan Rd.,
Hung Hom, Kowloon,
☎ 2740-9222.

CINÉMA

Deux grandes chaînes de distribution se partagent la scène cinématographique. Des complexes de plusieurs salles sont implantés dans la plupart des centres commerciaux (voir p. 259-260). Le *South China Morning Post* publie les programmes tous les jours dans ses rubriques *What's On*.

Golden Harvest Cinemas
The Gateway, 25 Canton Rd.,
Tsim Sha Tsui,
☎ 2956-2471
ou Ocean, 3 Canton Rd., Tsim Sha Tsui,
☎ 2956-2003.
Les deux salles projettent des films grand public hollywoodiens et des productions locales.

UA Cinemas
1 Pacific Place, 88 Queensway,
☎ 2869-0322
ouTimes Sq., Causeway Bay,
☎ 2506-2822.
Ces deux salles multiplex mettent surtout à l'affiche des films américains grand public. Films en anglais.

Cine-Art House
G/F Sun Hung Kai Center,
Wan Chai, ☎ 2827-4820.
Sélection de films chinois et occidentaux indépendants.

LOISIRS

Convention & Exhibition Center
1 Expo Dr., Wan Chai,
☎ 2582-8888.
L'un des plus grands centres commerciaux de Hong-Kong, le Cityplaza abrite des grands magasins et des boutiques proposant vêtements, accessoires, bijoux, montres, matériel électronique et équipement photographique. Vous y trouverez également de nombreux restaurants et un complexe de cinéma.

The Fringe Club
2 Lower Albert Rd., Central,
☎ 2521-7251.
Représentations de théâtre et expositions à l'heure du déjeuner dans un cadre quelque peu d'avant-garde, qui jouxte le Foreign Correspondents' Club (voir plus loin). Déjeuners d'un bon rapport qualité-prix et bar animé en début de soirée.

Hong Kong Arts Center
2 Harbor Rd., Wan Chai,
☎ 2582-0200.
Pièces de théâtre et films créés et produits localement.

Hong Kong Cultural Center
Salisbury Rd., Tsim Sha Tsui,
☎ 2734-2820.
Le Hong Kong Philharmonic Orchestra est basé ici de septembre à juillet. The Hong Kong Chinese Orchestra – l'un des plus grands orchestres du monde à utiliser des instruments traditionnels chinois – se produit régulièrement dans ce centre.

Ocean Park
Aberdeen, île de Hong-Kong,
☎ 2552-0291. Ouvert 10h-18h.
Entrée : 185 $HK (19 €) par personne, enfants 93 $HK (9,50 €).
Ce parc dispose de suffisamment d'animations pour occuper une famille une journée entière : téléphérique au-dessus de la spectaculaire côte sud de l'île de Hong-Kong, aquarium rempli de requins, serres à papillons, enclos à panda géant et pagode « des poissons rouges », qui abrite 110 espèces de poissons multicolores. Des spectacles quotidiens mettant en scène des dauphins, des orques et des lions de mer sont également au programme.

Yuen Long Theater
9 Yuen Long Tai Yuk Rd.,
Nouveaux Territoires, ☎ 2477-5324.
Une salle dédiée aux arts située en dehors de l'agglomération principale. Elle met l'accent sur l'opéra chinois, la musique et la danse.

VIE NOCTURNE

CENTRAL

Foreign Correspondents' Club
2 Lower Albert Rd., North Block,
Central, île de Hong-Kong,
☎ 2521-1511.
Ambiance de club pour ce repaire fréquenté par des journalistes et situé dans une ancienne usine de glaces.

L'immense bar circulaire est le point central. Cuisine occidentale et chinoise. Concerts de jazz live les jeudis, vendredis et samedis. Une carte de membre temporaire peut être achetée pour une somme modeste.

LAN KWAI FONG

Dernier venu sur la scène nocturne de Hong-Kong, ce quartier regroupe des bars de nuit et des restaurants dans les ruelles pentues bordant D'Aguilar Street, à Central (proche du Fringe et du Foreign Correspondents' Club).

Club 97
24–26 Lan Kwai Fong, rez-de-chaussée, ☎ 2810-9333.
Une institution. Les DJ usent les platines au son de musiques funk, soul et jazz. Ouvert jusqu'au petit jour.

SOHO

Semblable à Lan Kwai Fong, ce quartier qui vit dans l'ombre du Central to Mid-Level Escalators regorge de bars et de restaurants autour des Staunton St., Elgin St. et Shelley St.

WAN CHAI

Rendu célèbre par le livre et le film *Le Monde de Suzie Wong*, ce quartier était surtout fréquenté par les marins en escale durant une bonne partie du XXe siècle. Les pubs éclairés de néon, les discothèques et les bars à "hôtesses" – dont certains proposent des shows mettant en scène des filles en tenue plus que légère – occupent plusieurs ruelles situées à l'angle de Lockhart Road et Luard Road. Parmi les bars plus fréquentables, citons :

Delaney's
1 Capital Pl., 2e étage, 18 Luard Rd., ☎ 2804-2880.
Pub à thème irlandais avec, comme il se doit, de la Guinness et des concerts de musique irlandaise.

Devil's Advocate
48 Lockhart Rd., ☎ 2865-7271.
Ce pub d'inspiration britannique sert de la Dragon's Back – bière brassée localement – et propose de bons plats, notamment des steaks. Happy hour de midi à 21h30.

Dusk Till Dawn
76 Jaffe Rd., Wan Chai, ☎ 2528-4689.
Un bar de nuit agréable qui attire une clientèle hétéroclite.

JJs
M/F, Grand Hyatt, 1 Harbour Rd., ☎ 2588-1234.
L'un des clubs les plus à la mode de Hong-Kong, JJs est un lieu sombre peuplé de jeunes gens fortunés, aussi élégant que l'hôtel qui l'abrite.

CROISIÈRES DANS LE PORT

Watertours of Hong Kong Ltd.
Star House, 3 Salisbury Rd., Tsim Sha Tsui, ☎ 2926-3868, ouvert tlj.
Nombreuses croisières, dont :

Sunset Drinks Cruise
(croisière apéritif au coucher du soleil)
290 $HK (30 €) par personne pour 90 minutes, boissons incluses. Départs depuis Central, sur l'île de Hong-Kong (18h15) ou Tsim Sha Tsui (18h30).

Dinner Cruise (dîner-croisière)
Croisière quotidienne incluant le dîner au Lei Yue Mun Seafood Village, d'une durée de 3 heures. 390 $HK (40 €) par personne.

SURVOLS DE HONG-KONG

Il est possible de louer un hélicoptère pour survoler Hong-Kong et les îles environnantes, ou se rendre à Macao (excursion de 30 minutes).

HeliExpress
☎ 2108-9899

Heliservices Limited
☎ 2802-0200

ACTIVITÉS SPORTIVES

GOLF

Clearwater Bay Golf & Country Club
Sai Kung, ☎ 2335-3888.
Parcours de 18 trous. Le club prend les réservations des visiteurs étrangers trois jours à l'avance, les jours de semaine uniquement.

The Hong Kong Golf Club
Fanling, ☎ 2670-1211.
Certainement le club le plus sélect du territoire. Les visiteurs étrangers peuvent jouer en semaine à condition de contacter le club à l'avance.

Jockey Club Golf Course
Île de Kau Sai Chau, Sai Kung, ☎ 2791-3380
(9h30-12h30 uniquement).
Ce parcours de 36 trous est implanté dans le superbe décor d'une île reliée à Sai Kung par un court trajet en ferry. Le club accepte les visiteurs les jours de semaine s'ils réservent au moins sept jours à l'avance.

RANDONNÉE

Près de 40% du territoire de Hong-Kong est protégé grâce à 23 parcs qui contiennent plus d'espèces de faune et de flore que d'autres pays bien plus vastes. Des sentiers de randonnée sillonnent la majorité des parcs. Sur Hong Kong Island South, un sentier de 50 km serpente entre les sommets et permet de découvrir la flore d'une luxuriante vallée subtropicale. Victoria Peak est un bon point de départ.

Un guide en anglais couvrant nombre de randonnées, *Exploring Hong Kong's Countryside*, est vendu dans les offices du tourisme. Vous pourrez également vous le procurer en appelant le Country Parks Management Office, 303 Cheung Sha Wan Rd., Kowloon, ☎ 2708-8885.

Pour être accompagné d'un guide, contactez l'Education Unit, Country Park Ranger Services Division, ☎ 2428-7137.

NATATION

Il existe de nombreuses piscines publiques à Hong-Kong. Elles sont toutes fermées de novembre à mars.

Piscine du Victoria Park
Victoria Park, Hing Fat St., Causeway Bay, ☎ 2570-8347, ouvert tlj. 6h30-22h, fermé 12h-13h et 17h-18h.
Piscine olympique, plusieurs bassins plus petits et pateaugoire pour les enfants.

Piscine du Kowloon Park
Kowloon Park, 22 Austin Rd., Tsim Sha Tsui, ☎ 2724-3577.
Ouvert tlj. 6h30-22h, fermé 12h-13h et 17h-18h.
Piscine olympique couverte avec plusieurs bassins reliés entre eux et aménagés dans des jardins.

TAI CHI

Garden Plaza, Hong Kong Park, Admiralty, île de Hong-Kong.
Ouvert mar., ven. et dim. 8h15-9h15, ☎ 2508-1234 pour des cours gratuits.

TENNIS
Victoria Park, Causeway Bay, île de Hong-Kong, ☎ 2570-6186, ouvert 6h-23h, fermé 12h-13h et 17h-18h.
Ces cinq courts publics étant très fréquentés le week-end, mieux vaut réserver (passeport nécessaire).

VOILE ET SKI NAUTIQUE
En dépit de son image de gigantesque agglomération surpeuplée, le territoire de Hong-Kong compte près de 40 plages. Vous pourrez louer le matériel nécessaire auprès des boutiques de plage. Méfiez-vous des aléas météorologiques qui affectent plusieurs plages à certaines périodes de l'année, notamment les fortes houles causées par la présence d'un cyclone dans la région. Composez le ☎ 1823 pour toute information sur l'équipement et les conditions de sécurité des plages.

PLANCHE À VOILE
Cheung Chau Windsurfing Center
Île de Cheung Chau, ☎ 2981-2772.
Suite à la médaille d'or – la première du territoire – remportée par Lee Lai Shan à Atlanta, en 1996, la planche à voile est devenue un sport populaire à Hong-Kong. L'athlète s'entraînait à la plage de Cheung Chau.

MANIFESTATIONS SPORTIVES

COURSES DE BATEAUX DRAGONS
Cette étonnante manifestation sportive est propre à Hong-Kong. Les courses les plus importantes ont lieu en juin. Une centaine d'équipages répartis sur plusieurs sites abrités de la côte y participent.

Longs d'une petite quinzaine de mètres, les étroits bateaux dragons doivent leur nom à leurs rames en forme de têtes de dragon. La fête des Bateaux Dragons (Tuen Ng) rend hommage à Qu Yuan, poète et héros chinois mort il y a 2 300 ans.

On peut assister aux entraînements et aux courses à Aberdeen et à Stanley sur l'île de Hong-Kong ; à Sai Kung, Sha Tin, Tai Po et Tuen Mun côté Kowloon ; et autour des îles de Lantau et de Cheung Chau.

Certaines agences de voyages affrètent des bateaux sur lesquels les amateurs peuvent embarquer pour suivre les régates. Adressez-vous à Gray Line Tours, ☎ 2368-7111 et à Panda Travel, ☎ 2724-4440, ou contactez les offices du tourisme pour connaître des dates et horaires, ☎ 2508-1234.

GOLF
Le Hong Kong Open, qui a lieu de novembre à décembre, est une compétition internationale de premier ordre. Il se déroule sur le gazon de plusieurs des meilleurs terrains de Hong-Kong et a attiré des golfeurs aussi célèbres que Tiger Woods. Contactez les offices du tourisme pour connaître les dates des compétitions au ☎ 2508-1234.

COURSES DE CHEVAUX
Introduites par les Britanniques au milieu du XIXe siècle, les courses de chevaux sont les principales manifestations sportives de Hong-Kong. Des dizaines de milliers de parieurs convergent vers les hippodromes de Happy Valley et de Sha Tin, chaque mercredi soir et samedi après-midi, de mi-septembre à mi-juin. Les courses durent généralement plusieurs heures et donnent lieu à de gigantesques embouteillages aux abords des champs de courses. Des centaines de milliers de Hongkongais allument alors la radio ou leur téléviseur pour suivre les courses, sur lesquelles des dizaines de millions de dollars de Hong-Kong ont été misées.

Les deux événements les plus importants du calendrier hippique sont la Queen Elizabeth II Cup, en avril, qui accueille des chevaux et jockeys internationaux, et les Hong Kong International Races de décembre, ultime manche des Emirates World Racing Championship.

Le Hong Kong Tourism Board organise des sorties pour se rendre aux courses. Le tarif de 490 $HK (51 €) par personne inclut le transfert depuis l'hôtel en bus climatisé, une visite guidée, le déjeuner (buffet), les boissons, l'entrée à l'hippodrome et la carte de courses. Réservations au 2508-1234.

Happy Valley Racecourse
1 Sports Rd., Happy Valley, ☎ 2966-8345 pour les tarifs d'entrée. Début des courses à 19h le mercredi. Pour vous y rendre, prenez le tramway de Happy Valley, le bus 1M depuis Admiralty ou un taxi. Le Hong Kong Racing Museum est situé sur place. Fermé lun.

Sha Tin Race Course
Penfold Park, Sha Tin, Nouveaux Territoires, ☎ 2966-8345 pour les tarifs d'entrée et le badge d'admission.
Début des courses à 14h30 le samedi (et parfois le dimanche). Pour vous y rendre, prenez le bus 891 depuis l'embarcadère de Star Ferry de Tsim Sha Tsui ou la station KCR East Racecourse (les jours de courses uniquement).

RUGBY ET FOOTBALL
Hong Kong Stadium, 55 Eastern Hospital Rd., île de Hong-Kong, ☎ 2895-7895.
Le tournoi des Sept Nations a lieu chaque printemps dans ce stade de 40 000 places. Des rencontres moins prestigieuses s'y déroulent à d'autres moments. Le stade accueille également des rencontres de cricket et de football.

INDEX

Les numéros de pages en **gras** indiquent les illustrations.

K

L

M

T

U

V

W

X

Y

Z

PHOTOGRAPHIES, ILLUSTRATIONS

Abréviations des termes utilisés ci-dessous : (h) haut ; (b) bas ; (g) gauche ; (d) droite ; (c) centre.

Couverture : (hg) Trip Photo Library. (hd) Pictor International, London. (bg) ImageState. (bd) RHPL.

1, Robert Harding Picture Library (RHPL). 2/3, Bob Krist/Corbis. 4, Catherine Karnow. 9, Powerstock/Zefa. 11, RHPL. 12/13, Nigel Hicks/AA Photo Library. 14, Philip Harle. 15, Nigel Hicks. 16/17, Gareth Jones/Getty Images. 18, Justin Guariglia/National Geographic. 19, Nigel Hicks. 20/21, Catherine Karnow. 22/23, Travel Ink/Robin Adshead. 24, Nigel Hicks. 25, Impact Photos. 27, Hulton Archive. 29, Hulton Archive. 30/31, Roy Miles Fine Paintings/Bridgeman Art Library, London. 32, Royal Geographical Society Picture Library. 33, Hulton Archive. 35, Jodi Cobb/National Geographic Society. 36/37, Associated Press. 39, Nigel Hicks. 40/41, RHPL. 43, RHPL. 44/45, RHPL. 46/47, Jodi Cobb/National Geographic Society. 49, Panos Pictures. 50/51, Travel Ink/Derek Allan. 52, Nigel Hicks/AA Photo Library. 53, RHPL. 54(h), Nigel Hicks/AA Photo Library. 54(b) Bruce Coleman Collection. 55, Philip Harle. 56, Nigel Hicks/AA Photo Library. 57, Catherine Karnow. 58, Nigel Hicks/AA Photo Library. 59, Nigel Hicks. 60, Nigel Hicks/AA Photo Library. 62, Nigel Hicks. 64, Nigel Hicks/AA Photo Library. 65, Nigel Hicks. 66, Nigel Hicks/AA Photo Library. 67(h), Nigel Hicks/AA Photo Library. 67(b), RHPL. 68/69, Stefan Irvine/OnAsia. 70, Hutchison Picture Library. 71, Panos Pictures. 72, Nigel Hicks/ AA Photo Library. 73, RHPL. 74, Nigel Hicks/AA Photo Library. 75, Panos Pictures. 76, Nigel Hicks. 77, Nigel Hicks/AA Photo Library. 79, Nigel Hicks/AA Photo Library. 80, Nigel Hicks. 81(h), Nigel Hicks/AA Photo Library. 81(b), Sally & Richard Greenhill. 82, Travel Ink/Derek Allan. 83, Rex Butcher/Stone. 85(h), Nigel Hicks. 85(b), Nigel Hicks/AA Photo Library. 86/87, Nigel Hicks/AA Photo Library. 88, Art Directors and TRIP Photo Library. 89, Terry Duckham/Asiapix. 90/91, Travel Ink/Derek Allan. 91(bg), Art Directors and TRIP Photo Library. 91(bd), Hutchison Picture Library. 92/93, Travel Ink/Derek Allan. 93, Nigel Hicks/AA Photo Library. 94, Hutchison Picture Library. 95, Nigel Hicks/AA Photo Library. 96, Nigel Hicks/AA Photo Library. 97, Hong Kong Academy for Performing Arts. 98, Hutchison Picture Library. 99, Catherine Karnow. 101, Terry Duckham/Asiapix. 102, Art Directors and TRIP Photo Library. 103, Hutchison Picture Library. 104/105, Catherine Karnow. 105, Catherine Karnow. 106, Catherine Karnow. 107, Hong Kong Tourism Board. 108, Hutchison Picture Library. 109, Catherine Karnow. 110, Nigel Hicks. 111(h), Nigel Hicks/AA Photo Library. 111(b), Art Directors and TRIP Photo Library. 112, Travel Ink/Derek Allan. 113, Hutchison Picture Library. 114, Hutchison Picture Library. 115, Sally & Richard Greenhill. 116, Hutchison Picture Library. 117, Travel Ink/Derek Allan. 118, Nigel Hicks/AA Photo Library. 120, Catherine Karnow. 121, Art Directors and TRIP Photo Library. 122, Art Directors and TRIP Photo Library. 123, Nigel Hicks. 124, Nigel Hicks/AA Photo Library. 126, RHPL. 127, Nigel Hicks/AA Photo Library. 128/129, Nigel Hicks/ AA Photo Library. 130, Nigel Hicks/ AA Photo Library. 131, Nigel Hicks/ AA Photo Library. 132, Hong Kong Museum of History. 133, Hong Kong Museum of History. 134, Nigel Hicks/AA Photo Library. 135, Hong Kong Tourism Board. 136/137, Jake Wyman/Getty Images. 137(b), RHPL. 138, Nigel Hicks. 139, Nigel Hicks. 140/141, Michael Yamashita/National Geographic Society. 142/143, Travel Ink/Mark Reeve. 143(d), Nigel Hicks. 144(g), Panos Pictures. 144/145, Randall van der Woning. 146, Ronald Grant Archive. 147(h), David Appleby/Buena Vista/Everett Collection. 147(b), RHPL. 148/149, Randall van der Woning. 150, Randall van der Woning. 152, Travel Ink/Derek Allan. 153, RHPL. 156, Nigel Hicks. 157, Hutchison Picture Library. 158, Nigel Hicks. 159, Impact Photos. 160, Nigel Hicks. 161, RHPL. 162, RHPL. 163, Nigel Hicks. 164, Nigel Hicks. 165(h), Hong Kong Tourism Board. 165(b) Impact Photos. 166/167. Nigel Hicks. 167(d), NHPA/J Blossom. 168, Nigel Hicks. 169, Nigel Hicks. 170, Nigel Hicks. 172, RHPL. 173, Nigel Hicks. 174/175 Harry How/Getty Images. 176/177, Nigel Hicks/AA Photo Library. 177(d), Impact Photos. 178(g), China Photo Library. 178/179, James Davis Travel Photo Library. 180, The Charles Walker Collection. 181, The Charles Walker Collection. 182, Panos Pictures. 183, Nigel Hicks. 184(g), Nigel Hicks. 184/185, Nigel Hicks/AA Photo Library. 186, RHPL. 188(g), Nigel Hicks. 188/189, China Photo Library. 190, Travel Ink/Derek Allan. 191, Michael S. Yamashita/CORBIS. 192/193, Travel Ink/Derek Allan. 194, Hong Kong Tourism Board. 195(hd), Travel Ink/Derek Allan. 195(bd), RHPL. 196, Hong Kong Tourism Board. 197, Nigel Hicks. 198, Impact Photos. 199, China Photo Library. 200, Hong Kong Tourism Board. 201, RHPL. 202, Catherine Karnow. 203, Nigel Hicks. 204/205, Nigel Hicks. 205(d), Nigel Hicks/AA Photo Library, 206/207, marinethemes.com/Ken Hoppen. 207(b), Macduff Everton/CORBIS. 208, Hutchison Picture Library. 209, Paul Springett/Alamy. 210, Art Directors and TRIP Photo Library. 211, Hong Kong Disneyland/Handout/ Reuters/Corbis. 212, Travel Ink/Derek Allan. 215, Nigel Hicks. 216, Julien Nieman/Getty Images. 217, Impact Photos. 218/219, Peter Adams/Ace Photo Agency. 220/221, Impact Photos. 222, Stefan Irvine/OnAsia.com. 223, Impact Photos. 226, Nigel Hicks. 227, Impact Photos. 229, Michael S. Yamashita/Corbis. 230, Nigel Hicks. 231, Bohemian Nomad Picturemakers/CORBIS. 232, Impact Photos. 233, Carl et Ann Purcell/CORBIS. 234, Nigel Hicks. 235, Nigel Hicks/AA Photo Library

Hong-Kong

est une publication de la National Geographic Society
Président directeur général : John M. Fahey, Jr.
Président du conseil d'administration : Gilbert M. Grosvenor
Premier vice-président et président du Département livres : Nina D. Hoffman
Directeur de la création : Marianne Koszorus
Directeur des illustrations : Kristin Hanneman
Directeur des publications des guides touristiques : Elizabeth L. Newhouse,
Éditeur et chef de projet : Barbara A. Noe
Directeur artistique : Cinda Rose
Directeur de la cartographie : Carl Mehler
Coordinateur de la cartographie : Nicholas P. Rosenbach
Directeur de la fabrication : Gary Colbert
Responsable du projet en fabrication : Richard S. Wain
Éditeur-coordinateur : Rebecca Hinds
Consultant : Lise Sajewski
Coordination éditoriale : Allan Fallow, Jane Sunderland,

Création et réalisation de AA Publishing
Responsable de projet : Virginia Langer
Responsable artistique du projet : David Austin
Éditeur : Jenni Davis
Maquettiste : Bob Johnson
Responsable de la cartographie : Keith Brook
Cartographie : AA Cartographic Production
Directeur de la fabrication : Richard Firth
Responsable de la production : Steve Gilchrist
Responsable de l'iconographie : Liz Allen
Recherche iconographique : Zooid Pictures Ltd.
Cartes dessinées par Chris Orr Associates, Southampton, G.-B.
Illustrations dessinées par Maltings Partnership, Derby, G.-B.

Réalisation éditoriale : National Geographic France
Direction éditoriale : Françoise Kerlo
assistée de Marilyn Chauvel
Chef de fabrication : Alexandre Zimmowitch

Réalisation éditoriale : Jalan Publications
Direction : Zahia Hafs
Traduction : Evelyne Haumesser, Hélène Demazure, Olivier Cirendini
Coordination éditoriale : Caroline Guilleminot
Consultant relecteur : Patricia Batto
Mise en page : Damien Roudeau

ISBN : 2-84582-184-0

Les informations contenues dans ce guide ont été vérifiées avec soin. Il est cependant possible que certaines changent ou aient changé. En aucun cas, la National Geographic Society ne peut être tenue pour responsable de tels changements, erreurs ou omissions. Les choix des sites, des hôtels et des restaurants ont été laissés aux soins de l'auteur ; ils ne reflètent pas nécessairement l'opinion de l'éditeur, qui ne peut en être tenu pour responsable.

Première institution scientifique et pédagogique à but non lucratif du monde, la National Geographic Society a été fondée en 1888 « pour l'accroissement et la diffusion des connaissances géographiques ». Depuis lors, elle fait découvrir le monde à des millions de personnes par le biais de ses magazines, livres, programmes de télévision, vidéos, cartes et atlas, bourses de recherche, ateliers pour enseignants, matériel scolaire innovant et ses championnats de géographie. La National Geographic Society est financée par les cotisations de ses membres, des dons et la vente de ses produits éducatifs. Ce soutien est essentiel à sa mission, qui consiste à mieux faire comprendre le monde et favoriser la sauvegarde de notre planète grâce à l'exploration, la recherche et l'enseignement.

www.nationalgeographic.fr

Dépôt légal : septembre 2006

Impression Cayfosa-Quebecor (Espagne)

NATIONAL GEOGRAPHIC
LES GUIDES DE VOYAGE

Dans la même collection :

AMSTERDAM · NEW YORK · PARIS · MADRID

Retrouvez aussi nos autres destinations :

- ALLEMAGNE ISBN : 2-84582-122-0
- AUSTRALIE ISBN : 2-84582-148-4
- CALIFORNIE ISBN : 2-84582-121-2
- CANADA ISBN : 2-84582-077-1
- CHINE ISBN : 2-84582-080-1
- COSTA RICA ISBN : 2-84582-147-6
- CUBA
- GDE-BRETAGNE ISBN : 2-84582-087-9
- GRÈCE ISBN : 2-84582-078-X
- INDE ISBN : 2-84582-084-4
- IRLANDE ISBN : 2-84582-105-0
- ITALIE ISBN : 2-84582-
- JAPON ISBN : 2-84582-085-2
- MEXIQUE ISBN : 2-84582-086-0
- PORTUGAL ISBN : 2-84582-124-7
- PROVENCE ISBN : 2-84582-150-6
- SICILE ISBN : 2-84582-149-2
- THAÏLANDE ISBN : 2-84582-067-4